# GWALES

# GWALES

## CATRIN DAFYDD

y Lolfa

Argraffiad cyntaf: 2017
© Hawlfraint Catrin Dafydd a'r Lolfa Cyf., 2017

Cynllun y clawr: Olwen Fowler

Rhif Llyfr Rhyngwladol:  978 1 78461 409 6

Dymuna'r cyhoeddwyr gydnabod cymorth ariannol
Cyngor Llyfrau Cymru

Cyhoeddwyd ac argraffwyd yng Nghymru
ar bapur o goedwigoedd cynaliadwy gan
Y Lolfa Cyf., Talybont, Ceredigion SY24 5HE
*e-bost* ylolfa@ylolfa.com
*gwefan* www.ylolfa.com
*ffôn* 01970 832 304
*ffacs* 01970 832 782

# 2056

## Darn o ddyddiadur Brynach Yang, Mehefin y 3ydd 2056

Mae'r bydysawd bymtheg biliwn o flynyddoedd oed a bydd e'n bennu o fewn yr ugain biliwn mlynedd nesa. Bydd popeth yn dod i ben yn y diwedd beth bynnag.

Ac, felly, i beth ry'n ni'n cenhedlu a chenhedlu? Dod â phlant i fyd fel hwn? Byd lle mae lles pobol yn eilbeth i rymoedd hunanol y dethol rai. Ac yn waeth na hynny, lle mae pobol yn esgus cynrychioli pobol ond yn cynrychioli pethau eraill mewn gwirionedd. Dyma hen batrwm blinderus cymdeithas. Newn ni fyth ennill. Newn ni fyth eu curo.

Mae cloch Eglwys San Pedr newydd ddechre canu. Nodau lleddf a thrioglyd. Fel cnul.

Alla i ddim gwared y llais 'ma rhagor. Yr un sy'n conan wrtha i. Yn pregethu. Mae'n gweud wrtha i fod popeth ar ben.

Maen nhw'n gweud os wyt ti'n sgwennu rhwbeth i lawr dy fod ti'n bedwar deg dau y cant yn fwy tebygol o'i wneud e. Wy am orffen popeth. Wy'n mynd i'w wneud e. Heno.

*

## Darn o ddyddiadur Morfudd Yang, Chwefror 2066

Heno 'nesh i sbio ar 'y ngwyneb yn y drych ar ôl cyrradd yn ôl i Gaerdydd a gweld Mam yn sbiad yn ôl. A 'chydig bach o Dad. A darna o Bleddyn a Lleucu. Mi oedd hi'n hwyr erbyn i fi lanio adra a Tanwen yn cysgu'n sownd (er 'i bod hi'n amlwg wedi bod i fyny'n reit hwyr o weld ffasiwn olwg oedd ar y lolfa). Roedd Lleucu wedi gadal swper i fi yn y ffrij, ond do'n i fawr o'i isio fo. Roedd amsar byta wedi hen basio.

Yn lle byta 'nesh i sefyll yn y gegin a sbio yn y drych. Yn rhy hir. Sbio'n galad i mewn i fy llygaid fy hun. Nes bo fi bron iawn ddim yno.

Y daith 'na ar y trên loriodd fi a'r ffaith 'mod i 'di gorod gwrando ar oria o siaradwyr di-fflach yn y gynhadledd.

Dwi'm yn medru teithio heb flino rhagor. Pan oedd Lleucu wedi ei lleoli yn Ysbyty Gwynedd ro'n i'n arfar teithio o Aberystwyth i'w gweld hi yn ddidraffarth. Heb feddwl hyd yn oed. Ac ar fws oedd hynna! Ella am bo fi'n edrach mlaen at noson allan ar fy ffordd i fyny a bod yna noson allan i'w dadansoddi ar fy ffordd yn ôl. Ac ella, am bo fi'n ifanc, bryd hynny.

Ar ôl sbio'n y drych mi 'nesh i orfodi fy hun i fyta darn o dost a rhoi gormod o fenyn go iawn arno fo. Ista yno wedyn. Wrth y bwrdd brecwast. Yn crensian y tost ac yn teimlo'r menyn yn toddi ar 'y nhafod i. Heb radio. Heb deledu. Heb fiwsic. Ista yno, yn y tawelwch a gwrando ar yr oergell yn cliciad ac yn troi.

Dwi'm ofn tawelwch rhagor. Dwi'n falch ohono fo. Rhaid chi fynd yn bell iawn i glŵad tawelwch go iawn, yng Nghaerdydd beth bynnag. Ma 'na wastad sŵn.                                                    .

Dim ond un peth oedd ar 'y meddwl i ar y trên. Fi a Brynach, be ddigwyddodd. Rŵan bod gymaint o amsar 'di pasio, dwi fel taswn i'n ca'l cyfla i wneud synnwyr o be oedd o. Yr holl sefyllfa. Yr holl fês. A rŵan fod Tanwen yn oedolyn, dwi wir yn dechra teimlo fatha taswn i'n colli gafal ar yr hen fywyd oedd genna i. Yr hen fi. Fatha tasa fo heb ddigwydd bron iawn. Dwi'n trio cydio yn'o fo, ond mae o fatha trio cydiad mewn dŵr.

Weithia dwi'n cofio darna bach o'n sgyrsia ni. Pytia. Darlunia. A weithia dwi'n holi'n hun ai fel'na'n union nath o ddigwydd, ynta ai dyna'r drefn dwi 'di'i rhoi ar betha yn ara deg dros y blynyddoedd. Labelu pob dim mor dwt. Sgwennu llyfr trefnus o ddigwyddiadau pan nad oedd o'n ddim llai nag anhrefn ddinaratif ar y pryd.

Mae Lleucu'n gweithio shifft hwyr yn Ysbyty'r Waun heno. Fy chwaer sydd wedi parhau'n gadarn. Ar hyd y blynyddoedd. Dwi'n meddwl ma hi 'di'r unig ddylanwad cyson yn 'y mywyd i. Ma bob dim arall yn chwythu i bob cyfeiriad efo'r gwynt. Ond ma Lleucu fel y mynydd.

Ella fysa hi 'di bod yn gall i stopio a meddwl yn ystod y cyfnod hwnnw. Yn lle ista a meddwl rŵan. Ond nid fel'na roedd amsar bryd hynny, naci? Toedd gynnoch chi'm amsar i feddwl. Bob dim yn un peth ar ôl y llall. Un ras. A'r sefyllfaoedd oedd yn codi yn mynnu atebion. Dablo oeddwn i wrth gwrs. Chwara Mams a Dads efo'r chwyldro yn Aberystwyth. Ond roedd 'na chwyldro go iawn yn chwipio dros y byd, yn bwrw'i wiail yn fratiog dros bob man.

Licio'r syniad oeddwn i. Licio'r syniad o neud fy rhan a phrotestio. Roedd Dad a Nain wedi astudio yn Aberystwyth hefyd. Wedi gneud rhyw gymaint o brotestio, cyn callio. A dyna oeddwn inna'n pasa gneud hefyd. Ca'l bod yn rhan o rwbath am rŵan. Teimlo petha am ychydig fel bod gin i gynnwys difyr ar gyfer fy ngherddi ryw ddydd. Mae'n iawn i fod yn rebal yng Nghymru tan bo chdi'n ddwy ar hugian. Ar ôl hynna, ti'n ca'l swydd a gyrfa. Ti'n dringo'r ysgol a ti'n callio. A dyna o'n i isio. Blas ar y chwyldro cyn gneud hynna. Callio. 'Chydig a wyddwn i mor nerthol fysa'r gwynt.

*

**Neges gan MorfuddCaerdydd@hotmail.co.uk**
**At Brynach2018@gmail.com**
**Mawrth yr 17eg, 2056**
Dyma'r ddolen i'r seicolegydd. Mae'n swnio'n grêt. Ddudodd Elan bod Steve a hi 'di bod i siarad efo'i pan gollodd Steve 'i frawd. O'dd o'n diodda efo gorbryder hefyd. Gyda llaw, ddo i â salads o'r Goeden Wen i swper? Trît gan bo chdi'm 'di bod yn cysgu'n dda iawn.
    O.N. Mostyn a Claire wedi cysylltu. Ffansi dod i aros rhyw benwthnos. Be ti'n feddwl?

**Neges gan Brynach2018@gmail.com**
**At MorfuddCaerdydd@hotmail.co.uk**
**Mawrth yr 17eg, 2056**
Mostyn a Claire? Grêt. Penwthnos cyfan o drafod y Bluebirds(!) Salad i swper? Pam lai.
    O.N. Wy newydd weld Marc Lloyd o'dd yn coleg 'da ni. Ma fe 'di colli bytu wyth stôn neu rwbeth. 'Nes i ddim 'i nabod e. Ma isie ni ddechre byta'n iach dros y gwanwyn nawr. Styried falle ymarfer i neud triathlon???

**Neges gan MorfuddCaerdydd@hotmail.co.uk**
**At Brynach2018@gmail.com**
**Mawrth yr 17eg, 2056**
Triathlon ia… Difyr : )

**Neges gan Brynach2018@gmail.com**
**At MorfuddCaerdydd@hotmail.co.uk**
**Mawrth yr 17eg, 2056**
Wy'n siriys tro hyn.

**Mawrth yr 17eg, 2056**

Dallt XX Wela i di am 5 X O.N. Cofia anfon carden at dy fam, mae'i phen-blwydd hi dydd Llun!

*

**Darn o ddyddiadur Morfudd Yang, Chwefror 2066**

Cogio bach ro'n i i gychwyn. Cogio bo fi'n ddynas ddoeth oedd yn dallt y petha roedd o'n sôn amdanyn nhw. Ac yn ara bach, maint cama ceiliog, mi ddoth yr haul i dywynnu ar y Morfudd newydd. Morfudd oedd yn dallt petha am y byd.

Brynach agorodd fy llygaid i. Rhoi bob dim yn 'i gyd-destun. Mi ro'n i wedi bod yn protestio dros yr iaith cyn hynny, ond Brynach ddysgodd fi fod amharch tuag at y Gymraeg yn gysylltiedig efo'r holl anghyfiawnderau erill ac ma'r unig ffordd o newid petha go iawn fysa troi'r byd 'ma â'i ben i lawr. Hyd heddiw, faswn i byth yn cyfadda hynny'n gyhoeddus; mai dyn agorodd fy llygaid i. Ond yn yr achos hwn, ac ar y cychwyn, dyna oedd y gwir.

Brynach Yang. Ar y nos Wenar gynta 'na. Yn trio 'nghusanu i yn erbyn wal y Llew Du. Yn deud na fedrwn i fforddio peidio bod yn ffeminydd. A finna'n chwerthin. A fynta'n parhau i ddadla. A finna'n glana chwerthin. A ninna'n cusanu. Tafoda cynnas yn pryfocio'n chwareus. Myfyriwr doethuriaeth a'r ferch o'r ail. Y brychni a'r gwallt coch a'r gwallt du bitsh. Ar wely. Y dyn a'r ddynes. Y ddynes oedd yn licio blas y byd newydd 'ma a'r dyn oedd yn licio'i fod o'n cusanu dynes oedd yn ymgorfforiad o'r diwylliant Cymraeg. Y bardd oedd yn cipio cadeiriau.

Dwi'n cofio nad oeddwn i wedi fy hudo'n llwyr ar y noson gynta. Ond mi nath o 'ngwadd i draw i ryw gyfarfod Poboliaeth wrth ymyl yr Hen Goleg y diwrnod wedyn ac er 'mod i 'di ymlâdd yn llwyr, mi esh am 'i bod hi'n ddydd Sadwrn a bod gynna i'm byd arall i neud. Ymdrech holl rymoedd adain chwith y dre i gydweithio yn enw'r mudiad torfol newydd 'ma o'r enw Poboliaeth Cymru oedd y cyfarfod. Roedd gwasanaeth iechyd Lloegr yn mynd i gael ei breifateiddio'n llwyr dros y blynyddoedd nesa ond yn ôl yr ymgyrchwyr, roedd 'na obaith o hyd yng Nghymru.

Dwi'n cofio ista 'na ar gadar bren galad a thrio cadw fy llygid coch ar agor. Do'dd o'm yn helpu 'mod i'n dallt uffar o ddim byd am yr hyn roeddan nhw'n 'i drafod. Dwi hyd yn oed yn cofio cochi wrth ddychmygu rhywun yn gofyn fy marn.

Ac yna, mi siaradodd Brynach Yang. A finna'n ca'l cyfla i'w glŵad o'n annerch torf am y tro cynta erioed. Mond deud gair i gloi'r cyfarfod oedd o'r diwrnod hwnnw. Ar ran Poboliaeth Cymru. Ond mi fedra i ddeud efo'n llaw ar 'y nghalon bo fi 'di stopio anadlu am eiliad wrth wrando arno'n mynd drwy'i betha. Mi fedrwn i ddeud wrth egni'r stafall bod pawb arall yn gwrando'n astud arno hefyd. Mi oedd gynno fo'r ffasiwn garisma o flaen cynulleidfa. Nid nad oedd o'n garismataidd pan oedd o ar 'i ben 'i hun efo chi, ond roedd hyn yn wahanol eto. Pan oedd Brynach Yang yn areithio ac yn cymell, mi oedd o'n fyw yng ngwir ystyr y gair. Yn fwy, rywsut.

O'r eiliad i mi 'i glŵad o'n siarad ar y dydd Sadwrn hwnnw, mi 'nesh i 'ngora i blesio'r llanc oedd wastad yn hwyr i ddod i gyfarfod â fi. Dwi'n 'i weld o hyd. Yn sgubo ei wallt du fflopi yn ôl cyn iddo hoelio ei sylw arna i. Gneud i fi deimlo fod 'na neb arall yn y stafall. Teimlo fatha'r peth mwya gwerthfawr yn y byd i gyd yn grwn cyn iddo neidio i ben llwyfan, neu i gefn llwyfan, neu at feicroffon mewn rali. A finna'n sychedig wedyn am 'i ga'l o'n ôl wrth fy ochr i. Yn enwedig wrth weld ymatab pobol i'w eiria fo.

Wrth gwrs, ar ôl y rali, neu'r cyfarfod, neu'r gynhadledd, mi fysa pawb a'i gi isio darn bach ohono fo. Isio'i ganmol (roedd o'n licio hynny'n fawr. 'I angan o weithia, dwi'n meddwl). Ond mi wyddwn i'n iawn 'i fod o'n meddwl amdana i wrth sgwrsio hefo'r holl bobol 'ma. Ac mi fysa fo'n deud hynna hefyd, yn nes ymlaen wrth fy nal i'n dynn yn y gwely. Hefo chdi ro'n i isio siarad. Mond chdi. Ac mi oedd o'n 'i feddwl o. Achos mi roeddan ni fatha teiar a tharmac ar y cychwyn - angan 'yn gilydd er mwyn medru symud ymlaen.

Ac yna mi ddigwyddodd be ddigwyddodd. O fewn y flwyddyn, a finna'n dal heb orffan 'y ngradd, mi ro'n i'n feichiog.

*

**E-deipysgrif o gyfweliad y Seicolegydd Dr Meinir Patel gyda Brynach Yang, Ebrill y 5ed, 2056**
Odw, wy'n cofio'r dyrnod ddath y newyddion. O'n i'n whare yn y parlwr a Rhuon 'yn frawd i'n cwato tu ôl i'r soffa tra bo fi'n cownto i ddeg. Gwynt

sosejis yn y ffwrn. O'n i wastod yn cownto yn Susneg am ryw reswm. A pan o'n i'n cownto o'n i'n cymryd 'yn amser. *One, two, three…* Wy'n cofio clŵed y brain a sŵn shyfflo Rhuon wrth iddo fe wasgu'i hunan yn dynn rhwng y sêt a'r wal. O'n i'n joio'r cownto mwy na'r ffindo. *Four, five, six…* Yr holl bosibiliade unweth fydden i'n agor 'yn llyged i 'to. Rhuon a'i wallt du fel fi yn cwato'n lletchwith yn rhwle. Yn wherthin os o'dd e mewn hwylie chwareus neu'n dawel fel marwoleth os o'dd e o ddifri ambytu ennill. Yn aros. Yn llechu yn y gornel fel rhyw gadno.

A wedyn cyrradd deg, agor 'yn llyged a gweld 'yn fam yn y drws gyda dyn nago'n i'n nabod. O'dd 'i hwyneb hi'n wyn. 'Na be wy'n cofio. A wedyn a'th 'i hwyneb hi i gwato. A dim ond dwylo weles i wedyn. Dwylo. A sŵn brain…

*

**Darn o ddyddiadur Morfudd Yang, Chwefror 2066**
Erbyn mis Gorffennaf a finna'n graddio hefo gradd dosbarth cyntaf, roedd gynna i fwmp bach yn dechra dangos ac roedd yr holl gynllunia oedd gynna i ar chwâl.

Ma'r llun yn dal gynna i. Y ddau ohonan ni ar 'y nwrnod graddio. Yn goro cau llgada am bod yr haul yn 'yn dallu ni. Dwi'n cofio'r noson honno hefyd. Y ddau ohonan ni 'di gorfyta mewn bwyty yn ymyl Consti am ma Dad oedd yn talu. Gorwadd ar ben y dillad gwely yn twllwch wedyn. Chwys yn rhedeg dros 'yn cyrff ni yn y gwres. Gorwadd yno'n mygu ac yn magu bolia.

Cyn pen dim, mi oedd o yno'n 'y ngwylio i pan o'n i'n rhoi genedigaeth. Fatha 'mod i'n rhyw fath o dduwies. Gwylio'r croen rhwng fy fagina a fy mhen ôl i'n rhwygo'n braf nes 'mod i'n gallu gweld, o ddal y babi bach gwallt du yn fy nwylo, nad o'n i uwchlaw y gwirionedda mawr oesol. Mi welodd o hynny yn 'yn llygid i'r noson honno. Mi welodd o fi'n newid o flaen 'i lygid o.

Roedd o wedi fy nhroi i'n fam ac wedi fy ngwneud i'n gaeth i'r hapusrwydd godidog hwnnw hefyd. Y cyfuniad afiach o gyfrifoldeb a chariad prydferth. Roedd y gŵr oedd yn edmygu menywod yn fwy nag unrhyw un dwi 'di'i nabod wedi fy nghaethiwo i hefo'i gariad. Y gŵr oedd wedi fy mherswadio i mai creadigaeth cyfalafiaeth oedd pâr efo morgais; y cerbyd perffaith i brynu a phrynu a buddsoddi. Y gŵr ddysgodd yr holl betha hynny i fi. Fo roddodd gaethiwed yn anrheg i fi.

Prin dair wthnos ar ôl i Tanwen gael ei geni, ro'dd o i ffwrdd ar daith gynta Poboliaeth. O sbiad yn ôl, roedd hynna'n hollol orffwyll.

Wrth gwrs, mi boerodd y chwyldro fo allan i'r palmant ar ôl y daith honno ac mi gymish i o'n ôl. Do'n i ddim yn dwp. Mi wyddwn i fod 'na bethau wedi digwydd ar y daith. Pethau roedd o'n eu dyfaru. Yn yr ysbryd edifeiriol hwn y gofynnodd o i mi ei briodi. Mis Medi '43. Ac er nad oeddwn i'n gwbwl hapus efo'r amgylchiada, mi 'nesh i gytuno, am mai dyna roeddwn i a Tanwen ei angan hefyd.

Mi geisiodd Edith a'r criw ei dynnu fo yn ôl i mewn i'r gweithgaredda wedi hyn ond mi oedd o wedi gneud adduned i ni rŵan.

Anghofia i fyth y bora glawog ym mis Hydref yr aethon ni i lawr i'r swyddfa gofrestru. Tanwen yn ei bygi a ni'n dau mewn cotia glaw. Galw ambell i ffrind yn dyst a gneud y cyfan heb drimings. Mi roeddan ni'n meddwl 'yn bod ni'n amgen ac yn radical o'i neud o mor ddi-ffys. Ond o sbio yn ôl, dwi ddim mor siŵr.

Roedd y tonna'n ffyrnig wrth i ni adael y swyddfa. Y lli fatha tasa gynno fo gyhyra. Dwi'n cofio teimlo'i fod o'n symbol o'n perthynas ni. Grym fasa'n medru brwydro'i ffordd drw bob storm. Erbyn heddiw, dwi'n meddwl ma rhybudd oedd o. Y tonna'n methu peidio symud wrth feddwl am y daith oedd o'n blaena. A ninna'n meddwl 'yn bod ni wedi cyrraedd y lan.

'Dan ni'n rhwygo'n crwyn yn enw syniada mawr. Ond dim ond pobol ydan ni'n diwadd. Ar drugaredd tonna llawar mwy na ni ein hunain.

*

**Cerdyn Adnabod**

**Enw:** Brynach Yang
**Dyddiad Geni:** 3/4/2018
**Man Geni:** Ysbyty Glangwili, Caerfyrddin.
**Cyfeiriad Presennol:** 102, Rhodfa Rheidol, Aberystwyth.
**Galwedigaeth:** Gwas Sifil.
**Statws:** Priod.
**(MEWNOL) Bygythiad:** Canolig.

*

**E-deipysgrif o gyfweliad y Seicolegydd Dr Meinir Patel gyda Brynach Yang, Ebrill yr 11eg, 2056**

Disgrifio tyfu lan yn Llanboidy?… Cyn y rhyfel? Wrth 'yn bodde, o be fi'n cofio, yfe. Gelech chi ddim teulu hapusach. O'dd Mam a Dad yn bobol itha tawel. Dad yn gwitho yn Aberdaugleddau a Mam yn fenyw cinio yn yr ysgol gynradd leol.

Un o G'rdydd o'dd Dad yn wreiddiol. Gwrddodd Mam a fe ar ap dêto pan o'dd hi lawr yn y ddinas fawr ddrwg yn sefyll 'da ffrind. O'dd 'i deulu fe'n rhedeg archfarchnad Tsieineaidd yng Nglanyrafon yn G'rdydd ond da'th e lawr i'r gorllewin i fod 'da Mam. Busnes ar-lein o'dd 'da fe ar ôl gadel Aberdaugleddau. Gwerthu meddyginiaeth Tsieineaidd i bedwar ban y byd.

O'dd e'n siarad *Cantonese* 'da ni tan o'n i bytu beder. A wedyn newidodd popeth. Achos rhyfel 2022–2025. O'dd e jyst yn saffach peido. Bydde fe'n neud 'da ni weithe, yfe. Yn y tŷ, ar 'yn penne'n hunen. Ond ddim yn aml.

O'dd rhieni Dad yn amlwg yn siarad *Cantonese* 'fyd, ond wynnon ni'n gweld gyment â 'ny arnyn nhw achos bod nhw lawr yn G'rdydd. A ta beth, Cymrâg o'dd iaith teulu ni.

Dishgwl 'nôl, o'dd e'n gymharol anarferol sbo. Dou fachgen bach Tsieineaidd, yn byw yng nghanol Llanboidy. Ni'n dou â gwallt du fel y frân a Mam â gwallt coch. Ond wynnon ni'n gwbod dim byd yn wynieth.

Adeg y rhyfel droiodd pethe. O'dd bois ni yn y Stêts nawr, yn ymladd yn erbyn milwyr Tsieina. Ac ro'n i a 'mrawd, a'n dad yn fwy penodol, yn dishgwl yn gwmws fel y bois o'dd yn lladd bois ni.

Wy'n gwbod bod e'n swno'n chwerthinllyd ond fel'na o'dd lot o bobol yn gweld pethe. Nage pawb, sai'n gweud, ond lot o bobol. O'n nhw'n gryndo ar y gwenwn o'dd y gwleidyddion adain dde yn pedlan. O'n nhw'n darllen y crap yn y papure. O'n nhw angen rhywun i feio am ba mor wael o'dd pethe yn y wlad.

Wrth gwrs, helpodd Tsieina ddim chwaith, do fe, wrth fynnu bod y diaspora'n dewis p'un ai o'n nhw'n mynd i dyngu llw iddyn nhw neu i Brydain Fach. Gafodd teulu ni 'yn dal yn y canol a'n dad yn fwy na neb.

Pipo o'dd pobol yn neud 'da fi a'n frawd i ddechre. Yn y festri. Yn y boreue coffi. Yn y jymbl sêls. O'n i'n galler ymdopi 'da 'na'n oreit, achos wedd grŵp bach o ffrindie 'da fi'n barod a phêl-dro'd o'dd y prif beth ar 'yn meddylie ni.

A wedyn gafodd Owi Daniel lawr yr hewl 'i ladd. O'dd e'n ymladd yn un o frwydre'r West Coast. 'Na pryd ddechreuodd ambell i blentyn yn y pentre weud pethe yn lle pipo. Galw enwe. Canu caneuon am y *Chinkies*.

Ond Cymro bach o'n i. A Chymro bach o'dd 'yn frawd 'fyd. Wynnon ni'n meddwl bo ni'n wynieth.

*

**Ebrill y 13eg, 2056**

**Neges gan Cêt18900**
Hei. Shwdi?

**Neges gan BrynachBrynach**
Cêt.

**Neges gan Cêt18900**
Iep. Fi.

**Neges gan BrynachBrynach**
Popeth yn iawn? Wy yn y gwaith.

**Neges gan Cêt18900**
Neb 'di marw. Paid becs.

**Neges gan BrynachBrynach**
So ti 'di cysylltu ers mishodd, 'na i gyd.

**Neges gan Cêt18900**
Nagw, fi'n gwbod… Ti'n cofio'r pnawn 'na aethon ni 'da Gareth Trent i smoco sbliffs ar bwys yr afon? Mitsio'r Mabinogi gyda'n gilydd?

**Neges gan BrynachBrynach**
Pam ti'n codi 'na nawr?

**Neges gan Cêt18900**
Jyst meddwl am ysgol bore 'ma. Ma Gareth yn gweitho yn y ganolfan hamdden

yn G'fyrddin nawr, yn ôl Margo. Ddaw dim da o ffycan lan dy arholiadau (a smoco gormod o *skunk*).

**Neges gan BrynachBrynach**
So fe'n fwy *tragic* na ti a fi. O't ti'n brif ferch. Shgwl arnot ti nawr.

**Neges gan Cêt18900**
Be? 'Di ffaelu yfe? Achos bo fi ddim yn cydymffurfio? Ddim yn graig o arian? 'Na be sy 'da ti? Ti'n synnu fi, Brynach. Y Neo-Farcsydd mawr.

**Neges gan BrynachBrynach**
Cymryd bo ti dal yn Berlin.

**Neges gan Cêt18900**
Odw. Ond ma siawns fyddwn ni gyd yn ca'l ein hala 'nôl i'n gwledydd genedigol mewn cwpwl o fishodd…

**Neges gan BrynachBrynach**
Dod 'nôl i achub Cymru rhag ei phobol ei hunan, yfe? Gwych.

**Neges gan Cêt18900**
Ma Edith moyn dy weld di. Moyn dy gyngor di. Ma rhwbeth ar waith 'da Poboliaeth Cymru…

…

**Neges gan BrynachBrynach**
Ti ar y we dywyll gobeithio.

**Neges gan Cêt18900**
Wrth gwrs bo fi. Be ti'n meddwl 'yf fi? Twp?

**Neges gan BrynachBrynach**
Shgwl, Cêt, wy ddim moyn dim i neud ag unrhyw ymgyrch, ocê. Ma dros ddeg mlynedd ers i fi adael Poboliaeth. Wedyn plis. Parcha 'na.

**Neges gan Cêt18900**

Wy yn parchu 'na. Wrth gwrs bo fi. Ond ma cyfle 'da ni tro 'ma, i rili newid pethe.

**Neges gan BrynachBrynach**

Nathon ni drial newid pethe yn '43, a nath e ddim gweitho, do fe? Ni gyd yn talu yswiriant iechyd a ma'r system iechyd wedi cael ei PHREIFATEIDDIO.

**Neges gan Cêt18900**

O'dd ymgyrch '43 yn fès, fydde neb yn gwadu 'ny. Ond ma pethe gwa'th yn digwydd i bobol nawr. Amode byw pobol yn ofnadw. Y wladwriaeth les ar fin diflannu. So ti 'di gweld y protestiade ym Mangor? C'fyrddin? Nawr yw'r amser i weithredu er mwyn llywio'r gwrthryfel 'ma i'r cyfeiriad iawn.

**Neges gan BrynachBrynach**

So protest tu fas i neuadd y shir yn mynd i newid dim tro hyn, Cêt.

**Neges gan Cêt18900**

Cytuno! Cytuno, cant y cant! Shgwl… alla i ddim datgelu gormod ar hwn, ond ma rwbeth mawr ar droed…

**Neges gan BrynachBrynach**

Fel be?

**Neges gan Cêt18900**

O'n i'n gwbod fydde diddordeb 'da ti. Ma Max a Julie Hunter *back on board* 'fyd…

**Neges gan BrynachBrynach**

Ti yn cofio beth ddigwyddodd i fi ar ôl tro dwetha, 'yt ti? Alla i ddim neud 'na i Morfudd a Tanwen eto.

**Neges gan Cêt18900**

Meddwl am yr holl botensial!

**Neges gan BrynachBrynach**
Sai'n siŵr bod potensial. Gathon ni'n gwladychu gan bobol glyfar iawn. Nath y Rhufeinied droi'n harweinwyr ni'n Rhufeinied. Sdim pwynt rhoi dy egni di mewn i Gymru. Fyddwn ni byth yn rhydd.

**Neges gan Cêt18900**
Pobol yn ffaelu ca'l gafel ar fwyd o safon i'w plant! Miloedd yn dal heb yswiriant iechyd! Gwae ti am roi *give-up* ar y bobol 'ma. Ma nhw angen Poboliaeth yn fwy nag erio'd.

**Neges gan BrynachBrynach**
Ma angen newid. Ond wy'n hen gi nawr, Cêt.

**Neges gan Cêt18900**
Un cyfarfod, Brynach. Plis.

**Neges gan BrynachBrynach**
Ni'n ffrindie bore oes, Cêt. Plis paid sbwylo 'na trw fod yn gi bach i Edith.

**\* Mae Brynach Yang wedi allgofnodi.\***

**Neges gan Cêt18900**
Brynach…????

**Neges gan Cêt18900**
Brynach, plis.

*

### E-nodyn o Archif Edith Hutchingson
Gallwn cadarnhau y bydd y fagddu cynta yn ardal Sir Caerfyrddin yn dechrau ar Mehefin y 3ydd, 2056. A bydd yn parhau am wythnos. Os oes gennych rhagor o cwestiynau, anfonwch nodyn yn ôl. Mae cyfrif Manceinion wedi cael ei hacio yn diweddar iawn. Cymerwch gofal wrth trosglwyddo negeseuon.

*

**Darn o gyfweliad y Seicolegydd Dr Meinir Patel gyda Brynach Yang, Ebrill y 18fed, 2056**

Fi'n credu bod e'n deg i weud bod Morfudd a fi wastod wedi bod yn rhy ffycd yp i allu siarad yn strêt 'da'n gilydd. O'dd gormod o lawer 'di digwydd i'r ddou ohonon ni cyn i ni gwrdda. Flin 'da fi… regi…

Pan gwrddon ni, o'dd hi moyn dechre o *zero*. Isie jocan bod dim *baggage* 'da'i. Ond o'dd hi'n orffennol i gyd. Yn gwmws fel o'n i.

Ma Morfudd yn dda am jocan, fel merch bwyty, dyfe. Mae'i thad yn berchen cadwyn fach o fwytai yn G'rdydd, chi'n gweld. Un yn yr Eglwys Newydd, un ym Mhenarth a'r llall yng nghanol dre. O beth wy'n deall, o'dd y tri phlentyn wastod 'on display' gyda'r pysgod a'r dewis o *gin* tu ôl i'r cownter. Mae'n aml yn sôn bod hi 'di treulio Sadyrne'i phlentyndod gyda'i whâr a'i brawd wrth y bar yn y bwyty. Weithe ym mwyty Penarth, ond gan fwya ym mwyty'r Eglwys Newydd, o'dd ddim yn bell o'u cartre nhw.

O'n nhw'n arfer neud 'u gwaith cartre 'na hefyd. Yn enwedig ar ôl i'w rhieni wahanu. Swno fel sbort, cofiwch. Nabod pawb o'dd yn gweini. Disgyblion chweched dosbarth Glantaf. Pobol ifanc oedd ar flwyddyn gap am nad o'n nhw'n siŵr beth o'n nhw moyn bod; ambell un yn slipo rhyw drît neu'i gilydd i'r tri ohonyn nhw wrth basio o'r gegin. O'dd y plant 'ma'n nabod pawb yn yr Eglwys Newydd. Y boi torri allweddi fydde'n dod mewn i ga'l peint amser cino. Y merched o'dd yn peintio winedd yn y siop drws nesa fydde'n galw mewn i ga'l tapas ar 'u *half-days*. Gweinyddes o Wlad Pwyl o'r enw Andrea ddysgodd iddi shwt ma neud *French plait*.

Weithe wy'n meddwl am Morfudd fel plentyn pawb. Wedi'i magu gan filodd o ddwylo a wynebe gwahanol yn G'rdydd, a rhai nagyw hi'n gwbod 'u hanes mwyach. Merch amsugnodd flynyddodd o fân siarad mewn bwyty cyn ceisio neud synnwyr o'r cwbwl mewn cerddi.

Wy'n cofio hi'n gweud mor galed o'dd mynd i'r bwyty ar ôl colli Bleddyn. Parhau i fynd er dy fod ti'n gwbod bod pawb yn meddwl yr un peth pan o'n nhw'n dy weld di. Neb yn gwbod beth i weud. Pawb yn gwenu.

Weithe, wy'n torri 'nghalon pan wy'n meddwl amdani hi a'i chwâr yn gorfod neud 'na. Y ddwy yn 'u harddege. Heb ga'l amser i ffurfio'n iawn. Mwya wy'n styried y peth, gason nhw fagwrieth od. Y teulu gogleddol yn ganol G'rdydd. Wastad yn perfformio ar lwyfan y bwyty. Gwthio'u teimlade i gefn 'u penne a gwenu fel gât.

\*

**Ebrill y 24ain, 2056**

**Neges gan Cêt18900**
Haia. Wyt ti 'di ca'l amser i feddwl am gais Edith?

**Neges gan BrynachBrynach**
Plis Cêt. Gad fi fod.

**Neges gan Cêt18900**
Ma hi wir moyn clŵed dy farn di am y cynllunie sy ar y gweill.

**Neges gan BrynachBrynach**
Ti 'di ca'l caniatâd i rannu mwy o wybodeth, do fe? Neis iawn.

**Neges gan Cêt18900**
Ni gyd o'r farn bod 'da ti gyfraniad mowr i'w neud.

**Neges gan BrynachBrynach**
Wy'n treial am ddyrchafiad cyn bo hir, Cêt. Ma siawns da gaf fi'r swydd. Wy 'di symud mlân.

**Neges gan Cêt18900**
Ni'n sylweddoli bo ti 'di symud mlân. Dim ond cyfarfod ma Edith isie. Achos bod gyment o brofiad 'da ti.

**Neges gan BrynachBrynach**
Os nago's ots 'da ti, wy fod yn whare badminton mewn hanner awr.

**Neges gan Cêt18900**
O't ti wastod yn *wannabe* dosbarth canol. Dod draw i siarad 'da Doctor Huw a Margo bob whip stitsh yn y chweched. Esgus dod i weld fi er taw be o't ti'n neud go iawn o'dd ca'l affêr 'da'u llyfrgell nhw.

**Neges gan BrynachBrynach**
A be amdanyn nhw nawr? Byth yn dy weld di. Ond sdim ots, o's e? Bywyd *freedom fighter* gymint pwysicach.

**Neges gan Cêt18900**

Ma nhw'n gwbod bo fi'n fyw. Er, troi mas bo nhw ddim yn gyment o *revolutionaries* a bydden nhw'n lico i bobol feddwl.

**Neges gan BrynachBrynach**

*Reactionaries*?? Dy rieni di?

**Neges gan Cêt18900**

Ma'r bobol ryfedda yn troi mas i fod yn *reactionaries*, Brynach...

**Neges gan BrynachBrynach**

Annheg.

**Neges gan Cêt18900**

Ma helpu mas yn cyfri fwya pan bo 'da ti rwbeth i'w golli.

**Neges gan BrynachBrynach**

Ti ddim yn rhiant. Sdim syniad 'da ti.

**Neges gan Cêt18900**

Ti'n meddwl bod *radicals* dros y byd yn stopo unweth ma nhw'n ca'l plant? Dim ond yng Nghymru ma 'na'n digwydd.

**Neges gan BrynachBrynach**

Licen i tase 'nhad i wedi gwbod pryd o'dd stopo.

**Neges gan Cêt18900**

So ti'n meddwl 'na.

**Neges gan BrynachBrynach**

Ma pobol yn newid 'u barn, Cêt. Aeddfedu ti'n galw fe.

**Neges gan Cêt18900**

Ma Edith moyn i ti wbod bod yr *approach* yn wahanol iawn i'r hyn ni 'di neud yn y gorffennol. A bod lot o bobol yn 'y llefydd iawn' ar 'yn hochr ni...

**Neges gan BrynachBrynach**

Be sy'n neud ti feddwl bo fi ddim yn mynd i rannu'r wybodeth 'ma?

**Neges gan Cêt18900**

Ni'n gwbod ar ochr pwy 'yt ti. Ni'n ymddiried ynddot ti. Bydd gwybodaeth gyfrinachol yn dy gyrradd di cyn bo hir. Drwy'r ffyrdd arferol. Ma fe lan i ti os wyt ti'n darllen...

**Neges gan BrynachBrynach**

Fel hyn chi'n bwriadu rhedeg yr ymgyrch nesa, yfe? Rhoi pwyse annheg ar bobol i gydymffurfio 'da chi.

**Neges gan Cêt18900**

Sdim raid i ti agor y ddogfen. Allet ti 'i dileu hi.

**Neges gan BrynachBrynach**

Paid anfon y ddogfen, Cêt.

**Neges gan Cêt18900**

Ond os wyt ti'n 'i hagor hi, bydd hi'n dileu ei hunan yn derfynol mewn deg munud. Do's dim modd neud *screengrabs* achos mae'r rhaglen wedi ei diogelu. Bydd 'da ti ddeg munud.

**Neges gan BrynachBrynach**

Ti'n tynnu fi mewn i rwbeth yn erbyn fy ewyllys. Os 'yt ti dal yn ffrind i fi (a wy'n gwbod bod ti) 'nei di ddim hala'r e-bost.

**Neges gan Cêt18900**

Ma hwn yn **digwydd**, Brynach. Os 'yt ti'n rhan o'r peth neu ddim. Alle dy gyngor di olygu llwyddiant yn hytrach na smonach llwyr.

**Neges gan BrynachBrynach**

Fydda i ddim yn edrych ar y ddogfen.

**Neges gan Cêt18900**

Ateb un peth i fi, 'nei di, Brynach?

**Neges gan BrynachBrynach**

O beth nawr 'to?

**Neges gan Cêt18900**

Addo i fi taw nage'r tensiyne rhwngtho ti ac Edith sy'n gyfrifol amdanot ti'n gwrthod cwrdd â hi.

**Neges gan BrynachBrynach**

Dyw e'n ddim byd i neud 'da 'na. Faint o weithe sy'n rhaid i fi weud?

**Neges gan Cêt18900**

Yn bersonol, o'n i wastod yn meddwl fod e'n syniad gwael cysylltu gyda ti. Os oes rhaid perswadio a pherswadio rhywun i fod yn rhan o chwyldro, ma'n amlwg bo ti'n canolbwyntio ar y person anghywir. Ma egni'n ddigon prin fel ma ddi.

**Neges gan Cêt18900**

O ie. Ac un peth arall. Stopa iwso Tanwen fel esgus dros dy anallu di i weithredu. Bydd yn ddigon o ddyn i weud taw Morfudd sydd wedi ennill. Briodest ti'r person anghywir a ti'n gorfod talu'r prish drwy roi lan ar bopeth ti'n credu ynddo fe. Wy'n anfon y ddogfen atot ti beth bynnag. Achos 'na be ma Edith wedi gorchymyn i fi neud.

*

**Darn o ddyddiadur Brynach Yang, Gorffennaf 2042**

Roedd cynhadledd Poboliaeth Aber yn llwyddiant! A wy'n timlo'n fflat braidd ers iddi hi orffen. Prif fwriad y gynhadledd oedd paratoi strategaeth ymgyrchu ar gyfer y cyhoeddiad anochel bod Cymru hefyd yn mynd i droi at system yswiriant iechyd preifet. Roedd pob un blaid yn y Senedd wedi crybwyll 'realiti gwleidyddol sefyllfa'r gwasanaeth iechyd' yn eu maniffestos cyn etholiad mis Mai, sy'n hint cryf eu bod nhw i gyd wedi plygu i rymoedd y farchnad ac na fydd braidd dim gwrthwynebiad Neo-Ddemocrataidd i gyhoeddiad y llywodraeth (sy'n debygol o gael ei wneud ym mis Medi). Oherwydd diffyg asgwrn cefn ein gwleidyddion, mae'n rhaid i Poboliaeth Cymru fod yn darian i'r bobol.

Siaradodd sawl person difyr am faterion eraill yn y gynhadledd hefyd. Cafwyd anerchiad gan fenyw o'r enw Rachael Gwynn oedd yn gyfrifol am sefydlu Undeb yr Hunangyflogedig yn Lloegr, a chafwyd seminar gan gwmni nid-am-elw o'r enw Blaengar sy'n datblygu Banc Amser rhyngweithiol dros Gymru. Traddododd pâr o Jamaica o'r enw Terrence a Jaqueline Bailey (sydd bellach wedi ymgartrefu yn Iwerddon) ddarlith ar sut maen nhw'n cynnig e-wersi ar arddio *guerrilla* i bentrefi dros y wlad. Ges i air 'da Terrence ar ôl y digwyddiad. Mae e'n amlwg yn anarchydd o'r iawn ryw sydd o'r farn bod angen i gymunedau baratoi at fod yn gwbwl hunangynhaliol erbyn 2066.

Da'th Morfudd i ambell sesiwn, oedd yn braf. Mae bwmp yn dechrau dangos 'da'i nawr er nad yw'r babi'n dod tan fis Rhagfyr. Dyw hi ddim yn fodlon gwrando na derbyn y peth, ond ma hi'n edrych yn fwy prydferth nag erioed. Hi fynnodd 'mod i'n mynd i'r digwyddiad yn y nos; gìg a swper yn Baravin. Roedd y lle dan ei sang a phawb yn slochian gwin coch. Y goleuadau'n llesmeiriol ac yn gynnes a naws dda 'na.

Yn y bwyty ges i sgwrs gydag Edith Hutchingson am y tro cyntaf. Er nad oedden ni wedi sgwrsio o'r blaen, ro'n i'n gwybod yn iawn pwy oedd hi achos ro'n i wedi darllen rhai o'i herthygle hi ar safle'r e-gymuned ac yn ymwybodol ei bod hi wedi bod yn gwneud lot o waith gyda Poboliaeth yng Nghaerdydd. Mae hi a Llawen ei gŵr wedi symud i ardal Llanboidy erbyn hyn, i fyw ar hen fferm rhieni Llawen.

Ar wahân i'r ffaith ei bod hi wedi dysgu Cymraeg, y cyfan a wyddwn i am Edith oedd ei bod yn ffoadur o ardal Jos yn Nigeria a'i bod wedi cyfarfod â'i gŵr Llawen (mae'n enw go iawn mae'n debyg) ar noson allan ym Mryste dros ddegawd yn ôl (roedd hyn yn ei bywgraffiad ar safle'r e-gymuned). Tan y gynhadledd, doeddwn i ddim wedi gweld llun o Llawen hyd yn oed. O'i weld, fe ges i sioc.

Mae Edith a Llawen mor anghymharus! O'r herwydd, fe wnaethon nhw ennyn fy chwilfrydedd o'r eiliad gynta i mi eu gweld. Mae Llawen yn hanner cant oed ac yn edrych fel ffarmwr sydd wedi bod yn bwrw gwellt i dop sied wair ers cyn co'. Mab i bâr *new age* yw e, mae'n debyg. Dau ddysgodd Gymraeg ar ôl symud i Gymru i ddechrau busnes tipis yn ochre Aber-porth cyn rhoi'r gorau i'r fenter honno a symud i'r ffermdy yn ochrau Llanboidy. Petaet ti'n torri Llawen yn 'i hanner bydde'i lond e o bridd. Fel pob ffarmwr wy 'di gweld yn y Lamb erioed.

Petaet ti'n torri Edith yn ei hanner dwi'n tybio y delet ti o hyd i ryw egni hynaws, achos dyna sy'n tryledu ohoni. Bron nad yw Llawen yn gwneud iddi befrio yn fwy am 'i fod e mor gyffredin yr olwg. Mor rhychiog 'i gro'n. Mor grwm 'i ysgwydde. Ac Edith wedyn yn dalsyth. Yn osgeiddig yn ei blows goch. Dynes ddu a chanddi wddwg hir, boneddigaidd. Ei gwallt Affricanaidd hi'n gwmwl balch ar ei phen.

Ei hwyneb hi sy'n dy ddenu di fwya. Wyneb agored a thalcen hardd. Trwyn llydan, hyfryd, a gwyn ei llygaid mor llachar nes y byddet ti'n taeru na fyddai modd iddi ddweud celwydd. A'i chroen wedyn. Yn ddu, ac yn llyfn.

Ei llygaid yw'r allwedd iddi. Mae golwg fyw ac effro ynddynt. Golwg dynes sy'n meddwl yn ddwfn ond sydd heb gael ei boddi gan feddyliau chwaith. Golwg dynes mae'n rhaid i ti ddod i'w hadnabod am ei bod hi'n gwybod pethau.

Bron ifi fethu cael cyfle i siarad â hi. Roedd y noson yn ferw gwyllt o sgyrsiau pytiog gyda hwn, llall ac arall. Er, o gofio popeth ddwedodd hi wrtha i, dwi'n amau a fyddai hi wedi gadael i'r noson ddod i ben heb fynnu gair. Efallai mai gêm fach oedd dal yn ôl. Does dim ots pa mor llawn yw stafell – os wyt ti wir isie siarad 'da rhywun, mae modd gwneud.

Beth bynnag. Fel hyn ddigwyddodd pethau. Roedd band Meri Trefor ac Ap newydd ddechre whare pan sylwes i fod Edith o fewn pellter siarad. Doeddwn i heb fod mor agos ati o'r blaen ac fe drawyd fi'n sydyn gan y ffaith ei bod hi gryn dipyn yn dalach na fi.

Roeddwn i yng nghanol sgwrs uffernol o ddiflas gyda Tom Proffit ar y pryd. Tom yn parablu mlaen (fel mae'n dueddol o neud yn 'i ddiod) am wahanol ddadansoddiadau o Neo-Farcsiaeth. Dyna pryd ddaliodd hi fy llygad i. Edrych draw yn frysiog a golwg chwareus ar ei hwyneb. Doeddwn i'n amlwg ddim yn cuddio fy niflastod yn effeithiol iawn. Does dim rhaid i'r chwyldro fod yn sych, glywes i hi'n dweud wedyn, wrth y person roedd hi'n siarad ag e. Fflachiodd cysgod gwên dros fy ngwefusau. Roeddwn i'n gwybod yn iawn ei bod hi'n siarad â fi.

Ac yn wir, ymhen eillad neu ddwy roedd hi wedi troi i siarad gyda ni, a Tom Proffit druan yn cael ei wthio i'r ymylon â phob sillaf. Roedd sgwrsio gyda hi'n brofiad rhyfedd iawn. O'r cychwyn cynta, fe wnaethon ni ddeall ein gilydd rywffordd. Neidio yn syth i mewn, heb shwmae na siarad wast. Roedd eisiau amynedd mewn digwyddiadau fel hyn, dywedodd. Finne'n chwerthin. Sdim byd yn waeth, meddai hi, na bod mewn stafell yn llawn o *politicoes* sydd eisiau siarad am strategaethau byth a hefyd. Nid nhw ddylai gael penderfynu ar ddim byd. Ac ro'n i'n cytuno, wrth reswm.

Efallai mai yn ystod y sgwrs honno yr hudwyd fi ganddi mewn ffordd o siarad. Roeddwn i wedi ffeindio enaid hoff cytûn. Fi gynigiodd ein bod ni'n mynd mas am sigarét. A hi ddwedodd iawn, yn syth bìn.

Gwrthododd sigarét pan gynigiais i'r bocs. Yn hytrach, dewisodd fy ngwylio i'n smygu. Fy astudio i wrth sgwrsio am hyn a'r llall ac awel hallt y môr yn chwyrlïo o'n cwmpas. Ar un adeg, sylwes arni'n edrych ar fy ngwefuse cyn edrych yn ôl ar fy llyged. Fe edryches inne ar 'i gwefuse hi. Rhai llawn, tywyll.

Soniodd ei bod yn myfyrio ers blynyddoedd. Yn dilyn llwybr 'ymwybyddiaeth wybyddol'. Mae hi'n fy nhiclo i. Yn pallu treiglo (bron nad yw hyn yn batholegol) ac eto'n mynnu defnyddio termau Cymraeg astrus na fyddai neb yn eu deall. Aeth yn ei blaen yn llawn angerdd i ddweud y dylai 'myfyrio seciwlar bod yn rhan canolog o bob chwyldro'. Yn ôl Edith, mae'n rhaid dechrau gyda'r hunan os ydyn ni am sicrhau trawsffurfiad cymdeithasol. Hunangaredigrwydd oedd ei therm mawr cyn fy holi i a ydw i'n siarad yn garedig gyda'n hunan. Do'n i erio'd wedi meddwl am y peth. Roedd hi'n derbyn hynny'n llwyr ond fe heriodd fi i geisio sylwi o hyn ymlaen.

Aeth yn ei blaen wedyn i ddweud ei bod yn meddwl mai'r Gymraeg fydd un o arfe mwya gwerthfawr y chwyldro yng Nghymru. Dwi wedi ffoli ar y ffordd mae Edith yn siarad am y chwyldro fel rhywbeth sy'n mynd i ddigwydd. Mae'r bobol sy'n credu hynny'n brin. Yna, fe gyfaddefodd ei bod wedi gwylio sawl fideo ohona i yn annerch torfeydd ar YouTube. Dweud bod gen i ddawn i ysbrydoli. Fe goches i bryd hynny. Does dim byd yn fwy peryglus na rhywun yn dy ganmol.

Cyn i ni adael am y nos gofynnodd a hoffen i gwrdd â hi am goffi cyn bo hir. Mae Llawen yn dod i Aberystwyth yn achlysurol; byddai modd iddi neidio i'r fan. Dwedes y bydden i wrth fy modd ac fe wenodd hi.

Wrth anelu 'nôl at y tŷ, fe sylwes i 'mod i'n siarad yn feirniadol iawn gyda'n hunan. Yn beio fy hun am gytuno i gwrdd am goffi. Ond wy eisiau dysgu am Edith. Dysgu mwy am Nigeria. Deall be ddigwyddodd iddi. Deall pam ei bod hi wedi dewis Cymru a'r Gymraeg.

Sdim ots be wna i, ma'r flows goch 'na wedi'i serio ar 'yn feddwl i. A'r llyged llachar, byw sydd eisiau mynd ar daith.

*

**Darn o gyfweliad y Seicolegydd Dr Meinir Patel gyda Brynach Yang, Ebrill y 25ain, 2056**

I ateb y cwestiwn – na, ges i a'n frawd ddim lot o help ar ôl i Dad farw. Dim mewn gwirionedd. Do, da'th seicolegydd celf i'r tŷ cwpwl o weithe, gofyn i ni dynnu llunie a gofyn cwestiyne am y llunie, ond o'dd Mam i weld yn ddrwgdybus iawn o'r holl beth. Wy'n credu 'i fod e'n rhannol achos o'dd hi ddim moyn wynebu'r ffaith 'i fod e wedi mynd.

… Pawb yn godde, nagy'n nhw, ar hyd 'u bywyde. Ma Morfudd wedi godde lot 'fyd. Colli Bleddyn. Nage dim ond y bo'n o'i golli fe ond yr euogrwydd 'fyd. Bod hi wedi goroesi'r ddamwen, a bod e heb. Bod hi wedi ca'l dod yn rhydd o'r car a bod e… Fe o'dd yn dreifo, ond so 'na fel 'se fe'n neud gwahanieth.

So ddi'n un i siarad am Bleddyn. Ond wy'n cofio un tro'n glir iawn. O'dd hi'n feddw, ar ôl parti Nadolig Adran y Gymraeg yn y brifysgol. Fi'n dal 'i gwallt hi tra bod hi'n chwydu. Yn ystod y sgwrs feddw 'na siaradodd hi amdano fe. Gweud gyment o'dd hi'n gweld 'i isie fe. Y bore wedyn nath hi esgus nad o'dd hi'n cofio.

Weles i lun ohono fe unweth, pan o'n ni'n ymweld â'i thad. Mop o wallt coch. Gwmws fel Morfudd ac yn wahanol iawn i Lleucu â'i gwallt brown.

So Morfudd yn gwbod hyn, ond o'n i 'di clŵed am y ddamwen drw ffrind cyn i fi gwrdd â hi. Wedodd y diawl taw Morfudd Alcwyn o'dd hi a'i bod hi mas o'n *league* i. Wedyn wedodd e 'i bod hi 'di colli'i brawd mewn damwen car. Y ddwy ffaith 'na dorrodd 'yn galon i, a 'nenu i ati. O'n i'n benderfynol o gael ei sylw hi.

Wy'n timlo'n wael nawr. Sôn am feie Morfudd. Cymhlethdode'n perthynas ni. Wy'n siŵr bod e'n swno'n gymhleth iawn o'r tu fas. Ond y'n ni'n joio 'fyd. Joio dadansoddi pobol. Joio cerdded. Coginio. Wy'n credu weithe bod hi'n trial pesgi fi, fel bod neb arall isie fi. Ha ha.

Gweitho mewn swyddfa yn y dre ma Morfudd yn neud ers blynydde. Cyhoeddi barddoniaeth ar-lein. Am ba bynnag reswm, ma hi'n meddwl ei bod hi'n tangyflawni. Dannod i'w hunan 'i bod hi'n cyfieithu, le ddyle hi fod yn sgwennu mwy, ac yn creu mwy o enw i'w hunan. Ma lot ohono fe i neud â'r ffaith fod Lleucu 'i chwâr hi'n ddoctor, wy'n credu.

Weithie wy'n meddwl taw'r peth perycla am Morfudd yw 'i gallu hi i ddychmygu bywyd arall i'w hunan. Ma ddi wastod yn bennu lan yn cwmpo rhwng y cracie. Yn methu cyrradd y ddelfryd greodd hi pan o'dd gormod o egni 'da ddi yn ei harddege. A bod yn deg, nath y gymuned Gymrâg helpu 'fyd, wrth bentyrru disgwyliade ar ei hysgwydde hi. O fewn tair blynedd o'dd hi wedi ennill dwy gadair o'r bron ac wedi dod yn agos yn y genedlaethol. O'dd pobol yn dechre acto fel 'se hon 'ma i aros. Tase hi'n fodlon sgwennu am Bleddyn, ddele hi'n nes at fod y bardd ma ddi moyn bod. Ond neith hi byth neud 'ny… bydde 'na'n meddwl bod rhaid timlo'r lo's. A mae wedi byw 'i bywyd yn ei fygu fe.

    … Sori, fydde fe'n iawn i fi ga'l llwnc o ddŵr?

*

**(DRAFFT)**
**caisswyddbrynach.doc**
**Enw'r Ymgeisydd: BRYNACH YANG.**
**Swydd:** Is-bennaeth Strategaeth a Pholisi. Cyngor Celfyddydau a Pherfformio Cymru.
**Cyflwynwch bapur (dim mwy na mil o eiriau o hyd) sy'n arddangos rhan o'r weledigaeth yr hoffech ei gwireddu yn eich rôl fel Is-bennaeth Strategaeth a Pholisi CAP. Cofiwch hefyd fod y weledigaeth yn ymwneud ag ysgogi cymunedau heb ariannu prosiectau.**
**Maes polisi:** Ymrysonau, talyrnau barddol a barddoniaeth fodern yng Nghymru.

Fy nod yn y papur hwn yw archwilio'r angen am strategaeth o ragfarnu'n gadarnhaol o blaid menywod ym myd barddoniaeth yng Nghymru. Er bod mawr angen gwneud gwaith tebyg mewn sawl maes, megis cysylltu'r difreintiedig gyda'r diwydiannau creadigol Cymraeg, yn ogystal â gwneud y diwydiannau creadigol Cymraeg yn fwy hygyrch i leiafrifoedd ethnig, teimlaf yn gryf fod modd i bolisi sy'n grymuso menywod fod o fudd i bobol o sawl cymuned yn ein cymdeithas.

Dengys fy ymchwil (gweler atodiad – COFIA ROI'R ATODIAD MEWN!!!) mai mympwyol yw cynrychiolaeth menywod yn y talyrnau a'r ymrysonau barddol ar hyn o bryd. Yn wir, mae'r sefyllfa hon yn bodoli mor bell yn ôl â throad y mileniwm a does neb, hyd y gwn i, wedi ceisio rhoi strategaeth gyhyrog ar waith er mwyn ceisio gwrthsefyll y patrymau patriarchaidd sydd wedi ymwreiddio ers dyddiau Beirdd yr Uchelwyr a chynt, hyd yn oed.

Os edrychwn ar y prif resymau dros weld cyn lleied o fenywod yn cyhoeddi a pherfformio barddoniaeth Gymraeg (a chynghanedd yn benodol), yr hyn sy'n dod i'r wyneb dro ar ôl tro yw'r normau a sefydlwyd ers cenedlaethau. Er enghraifft – ni chafwyd Meuryn benywaidd ar e-raglen *Y Beirdd* ers ei sefydlu, dynion yw'r mwyafrif o athrawon cynghanedd yng Nghymru a dynion yw'r rhelyw sy'n adolygu cyfrolau barddoniaeth yn yr e-gylchgrawn hynod boblogaidd – *Y Bardd*.

Er mwyn ceisio annog rhagor o fenywod i gymryd rhan ym myd barddoniaeth yng Nghymru, awgrymaf fod **Llenyddiaeth a Barddoniaeth Cymru a CAP** mewn cydweithrediad â **Tŷ Gwynedd** a'r **Tŷ Sgript** yng Nghaerfyrddin yn gweithredu rhaglen amlsafle sy'n ceisio apelio ar sawl lefel at feirdd benywaidd hen a newydd. Cynllun deg mlynedd fyddai hwn nad yw'n dibynnu ar ddosrannu grantiau ond yn hytrach yn cysylltu beirdd ac awduron profiadol gyda'i gilydd… bla bla bla…

**Nodiadau posibl… i'w trafod…**

- Cyrsiau barddoni sabathol i fenywod yn y Gymraeg (y beirdd i dalu eu hunain oni bai eu bod mewn categori difreintiedig).
- Cyrsiau cysgodi menywod lle y mae menywod yn cael cyfle i gysgodi artist llwydiannus sy'n gweithio'n llawrydd yn y maes. (Amod grant i awduron profiadol fod yn RHAID iddynt adael i sgwenwyr eraill eu cysgodi a bod yn brentisiaid.)
- Creu rhwydweithiau o berfformwyr sy'n fenywod (rhoi rwbeth clefar mewn fan hyn ynglŷn â gallu technoleg fewnol a system newydd CAP – y bwrdd du-ben-draw i gysylltu pobol – *brownie points* achos ei fod e AM DDIM!).
- Lansio blog a chystadlaethau sy'n fwriadol ar gyfer menywod.
- Treialu gwersi cynganeddu i fenywod yn unig (codi tâl).
- Sicrhau fod teithiau tramor sy'n cael eu noddi gan y pwrs cyhoeddus yn deithiau *fact finding* a bod yr artistiaid sy'n mynd ar y teithiau hyn yn gorfod ymrwymo i raglen o fwydo yn ôl i gymdeithas yng Nghymru fel bod y gwerth diwylliannol yn mynd ymhellach nag unigolion penodol.
- Sefydlu cynllun lle mae beirdd benywaidd yn gweithio ar brosiectau creadigol gyda mamau difreintiedig yng nghymoedd y de a'r gogledd-ddwyrain (bydd Gaynor yn HYNOD HOFF o hwn!!!).
- Cydnabod bod y toriadau diweddar yn gofyn bod y dosbarth gweithiol (gwell term! – sneb yn meddwl eu bod nhw'n ddosbarth gweithiol

rhagor) a menywod yn benodol yn fwy *vulnerable* (gair Cymrâg am hwn??) nag erioed wrth fethu cael mynediad at ddigwyddiadau diwylliannol yng Nghymru. (TORRI HWN MAS ACHOS BYDDAN NHW'N CASÁU FE)

- Taflu'r holl syniadau yma yn erbyn wal achos sdim un ohonyn nhw'n mynd i ddigwydd eniwe achos ma pawb yn y sefydliad yn *FUCKERS!* (COFIO TYNNU HWN MAS!!!!!!!! Mae'n rhy hwyr, angen MYND I'R GWELYYYYZZZ!!!!!!)

Hefyd – Cyfeirio at grantiau creadigol i siaradwyr ail-iaith yn unig Gwlad y Basg a phrosiect robo-farddoni Canada.

*

**Darn o gyfweliad y Seicolegydd Dr Meinir Patel gyda Brynach Yang, Ebrill y 25ain, 2056**

Disgrifio Tanwen? Ma ddi'n hollol briliant. Mae 'di neud i bopeth neud sens. 'Di neud y cylch yn gyflawn. Ar ôl i fi siomi nhw, o'n i'n meddwl bo fi 'di colli popeth. Meddwl fydde Morfudd byth yn 'yn gymryd i 'nôl. Ond pan nath hi, a phan sylweddoles i bo fi'n ca'l ail gyfle, i fod yn dad i Tanwen, 'nes i addo wrth 'yn hunan na fydden i fyth yn cymryd y peth yn ganiataol. Byth 'to.

Ma Tanwen… mae'n gyfuniad od o fi a Morfudd. Mae'n neud ffrindie'n rwydd 'fyd, sy'n help mawr. Wedi gweud 'ny, mae'n galler bod yn orsensitif ar brydie. Wy 'di gweld 'na ynddi. Mae'n teimlo pethe i'r byw. Yn becso gormod. Ond ni'n trial 'yn gore i ddelio 'da 'na pan mae'n codi. Ma fe'n rhyfedd meddwl 'i bod hi'n dair ar ddeg nawr.

Wy'n credu taw gweitho yn y diwydianne creadigol neith hi. Os bydd 'na ddiwydiant erbyn 'ny. Ma'r llywodraeth 'ma fel 'sen nhw am ga'l gwared ar unrhyw noddfa… Mae'n dwlu darllen, Tanwen. A sgwennu. Er taw Morfudd yw'r bardd, fi o'dd yn adrodd storis wrthi pan o'dd hi yn y cynradd. O'dd 'da ni'r stori ddwl 'ma ambytu llong danfor sy'n cael ei rheoli gan octopws o'r enw Rheinallt Richards. Ro'n ni wrth ein bodde â'i. Yn aml iawn, Tanwen fydde'n fy atgoffa i o'r *plot changes* o'r sesiwn stori gynt! Wrth gwrs, storis am gwmpo mewn cariad 'da bois anaddas sy'n mynd â'i bryd hi nawr. Dyle'i holi'i mam am 'na.

Weithe, pan mae'n gwenu arna i, wy ffaelu credu taw ni greodd hi. A weithe, wy'n timlo'r ofn ryfedda. Bo ni wedi gallu creu rwbeth, person, sydd â meddwl 'i hunan. Llyged a gwefuse a choese. I weud y gwir, wy 'di dod i'r casgliad taw pobol yw'r pethe lleia abl i fagu plant. Ma'r syniad bo ni'n gorfod derbyn y cyfrifoldeb o fagu bod dynol arall, wel, ma fe'n chwerthinllyd, nagyw e? Wy'n gwbod llai nawr nag o'n i pan o'n i yn yr ysgol. 'Na gyd allwn ni neud yw camgymeriade mewn gwirionedd, nagefe?

Wedi gweud 'ny, ma Tanwen yn ffodus o'r fagwrieth mae'n ei cha'l. Yn wahanol i filodd o bobol ifanc y wlad, ma bwyd maethlon yn 'i bola hi. Wy wir yn trial neud yn siŵr ei bod hi'n gwbod mor lwcus yw hi...

\*

**Darn o ddyddiadur Brynach Yang, Awst 2042**
Ges i'r coffi 'da Edith heddiw. Gymres i awr gino hir yn rhydd rhag yr ymchwil, a mynd lawr i gwrdd â hi. Wy'n credu 'mod i'n ca'l ffling. Yn fy mhen beth bynnag. Dim byd difrifol. Ond y math o beth sy'n gwneud i fi deimlo'n fyw. Fe ddyliwn i deimlo cywilydd. Ond dydw i ddim a does dim pwynt traethu celwyddau yn dy ddyddiadur dy hun.

Roedd Edith yn hwyr yn cyrraedd. Fi sy'n hwyr fel arfer, feddylies i wrth 'yn hunan. Ai fel hyn mae'n teimlo pan wy'n gwneud hyn i bobol eraill? Ond, ar ôl deg munud o lymeitian coffi du, chwerw, fe gyrhaeddodd hi. Yn osgeiddig a gwên fras ar ei hwyneb.

Sylwes i'n syth ei bod hi'n gwisgo'r un crys coch â wisgodd hi noson y gynhadledd. A'r un mwclis hefyd. Ro'dd y cysoneb hwnnw'n braf. Fel iwnifform.

Mae'r coffi'n wael iawn yma, wedes i. O ganlyniad fe nath hi ddewis bwriadol i beidio diosg ei chot law. Dim ond sefyll wrth fy ymyl wrth i fi yfed gweddill fy nghoffi. Roedd hi am drio caffi arall. 'Mae coffi da yn pwysig.' Ac fe gytunais. Achos roedd hi yn llygad ei lle.

Fe gyrhaeddon ni'r caffi dros y ffordd o fewn eiliadau ac archebu bob o fowlen o gawl. A choffi.

Yn ystod yr orig fer honno o slochian, ddysges i lawer amdani. Mae'n debyg nad oedd hi'n feddw yn Baravin, ar ôl cynhadledd Poboliaeth, achos dyw hi ddim yn yfed alcohol. Dyw hi ddim yn yfed o barch i'w thad, oedd yn Fwslim… ac o barch i'w mam, oedd yn Gristion. Lladdwyd y ddau yn Jos, Nigeria pan oedd Edith yn ddeunaw oed. Cael eu llofruddio gan Boko Haram sy'n credu ei bod yn gwbwl annerbyniol i Fwslemiaid briodi Cristnogion. Yn syth wedi hynny, roedd yn rhaid i Edith a'i brawd ffoi, a dyna pryd y teithiodd hi i Loegr fel ffoadur gwleidyddol.

Doedd Boko Haram ddim mewn grym yn Nigeria ar y pryd ond roedden nhw'n rym terfysgol enfawr yng ngogledd Nigeria. Ers dyddiau priodas rhieni Edith, roedd sawl priodas aml-grefydd wedi ei hatal oherwydd y bygythiad i fywydau'r pâr priod a'u teuluoedd pe baent yn priodi. Bu mam a thad Edith fyw mewn cyfnod lle roedd yn ddiogel iddynt fod mewn cariad, cyn canfod eu bod nhw'n byw mewn cyfnod cwbwl elyniaethus.

Dywedodd Edith i'r awdurdodau yn Nigeria ymateb fel cachgwn i lofruddiaethau ei rhieni. Am flynyddoedd, fe wnaethon nhw wrthod erlyn Boko Haram am ddegau o droseddau tebyg oherwydd y pryder y byddai carcharu aelodau o'r mudiad yn gwaethygu'r sefyllfa. Roeddwn i ar dân eisiau gwybod rhagor. Eisiau holi am Nigeria. Holi am ei rhieni. Ond roedd yn amlwg i mi na fyddai Edith eisiau siarad am y sefyllfa am yn hir am ei bod yn peri lo's calon iddi. Yn gwmws fel y mae hanes Dad yn bwnc difyr a hanesyddol i rai ac yn fy nharo i yn fy mrest fel cyllell ddi-fin.

Serch y boen, fe 'nes i ddewis crybwyll hanes Dad wrth Edith. Ro'n i am iddi wybod fy mod i'n deall rhywbeth am ddioddefaint hefyd. Cyfnewid lo's am lo's mewn ffordd. Ac wedi i fi weud, gallwn weld ei bod hi'n fy ngweld trwy lyged newydd. Cafodd y ddau ohonom ein geni mewn cyfnodau lle roedd ein bodolaeth ni, i bob pwrpas, yn annerbyniol. Edith yn epil priodas annerbyniol a finne'n fab i ddyn oedd yn fygythiad i Brydain ac yn esgymun i Tsieina. Yng ngolwg rhai pobol gul, ddylai'r naill na'r llall ohonom fod wedi cael bodoli. Clymwyd Edith a fi gan y sgwrs honno. Clymwyd ni'n dynn am ein bod ni mor anghyfleus o fyw.

Ac wedi'r trafod personol, a'r bwyd, ces gais. Er na wnaeth hi fôr a mynydd o'r peth, mae'n amlwg yn ddylanwadol yn rhwydwaith Poboliaeth. O'r herwydd roedd hi mewn sefyllfa i rannu rhai pethau cyfrinachol. Yn ôl Edith, gobaith rhyngwladol Poboliaeth yn y byr dymor yw cydlynu ymgyrch dorfol enfawr fydd yn rhoi cyfle i'r 'corff' (dyma mae Edith yn galw pobol 'gyffredin') weithredu'n wleidyddol. Mae Edith yn gwybod pa gynlluniau ac ymgyrchoedd cenedlaethol sydd ar y gweill mewn degau o wledydd dros Ewrop a hyd yn oed mewn cyswllt cyson â Khartoum, Cairo ac Abuja.

Ond yn ôl at Gymru ddaeth Edith yn sydyn, a'r ymgyrch yn erbyn cyflwyno yswiriant iechyd preifet. Un peth fyddai gwrthwynebu cyhoeddiad Llywodraeth Cymru pan fyddai'n cael ei wneud (ym mis Medi siŵr o fod), peth arall fyddai dangos i bobl fod 'na ffordd arall o wneud pethau.

Yn ôl Edith, roedd perygl mawr y byddai cynnal protestiadau yn erbyn y taliadau – heb alw am rywbeth gwahanol – yn ddinistriol ac yn wrthgynhyrchiol. Ei barn hi yw bod angen cynnig alternatif pragmataidd. Cynllun byrdymor a gweledigaeth hirdymor ar gyfer y gwasanaeth iechyd ei hun.

Mae Edith yn hollol onest am y sefyllfa bresennol ac wy'n lico hynny. Mae'n cydnabod bod y sector breifet yn gyfrifol am y rhan helaeth o'r gwasanaeth ers degawdau a mwy. Byddai gwrth-droi hynny'n dasg hirdymor anferthol.

Ond yn y byr dymor, y dasg yn ôl Edith yw apelio at bobl Cymru. Dangos fod alternatif i yswiriant iechyd preifet. Ei chynnig hi yw cynyddu treth iechyd a gofal cymdeithasol yn sylweddol, fel sy'n digwydd yn y gwledydd Llychlynnaidd erbyn hyn. Pe bai modd inni gael cefnogaeth i'r syniad hwnnw, byddai'n rhoi pwysau ar Lywodraeth Cymru i atal neu i ohirio ei chynlluniau i gyflwyno system yswiriant preifet. Ond nid ar chwarae bach fyddai cael y gefnogaeth hon. Byddai angen ymgyrch dorfol rymus.

Bwriad Edith yw cyflwyno cynnig i bwyllgor Poboliaeth Cymru wythnos nesa. A'r cynnig yw ein bod ni'n trefnu taith i gasglu enwau miloedd o bobl fyddai'n barod i wrthod talu trethi mewn protest. Byddai dau bwrpas i'r ymgyrch. Byddai'n mynd i'r afael â phroblem genedlaethol benodol (ac yn dylanwadu ar y broses wleidyddol, gobeithio), ond yn ogystal, byddai'n ffordd effeithiol i Poboliaeth weld faint o gefnogaeth sydd gan y mudiad ar lawr gwlad. Rhoi peilot ar waith, mewn ffordd o siarad, er mwyn mesur tymheredd y stafell.

A dyma hi, o'r diwedd, yn dod at ei chais i mi. Os bydd ei chynnig i bwyllgor Poboliaeth Cymru yn llwyddiannus ym mis Medi (ac mae hi'n hyderus y bydd), mae hi'n awyddus i Poboliaeth drefnu taith chwe mis o amgylch Cymru ar ddechrau 2043. Cynnal ralïau ac ennyn cefnogaeth i'r alwad dros atal yswiriant iechyd. Deffro pobol yn ogystal â chyflwyno syniadau Poboliaeth. Ac mae hi am i fi arwain yr ymgyrch. Wrth iddi siarad, gallwn weld bol chwyddedig Morfudd yn llygad fy meddwl.

Aeth Edith yn ei blaen i ddweud bod gen i ddawn. Bid a fo am y gwirionedd, dyma ddwedodd hi. Ei geiriau (hurt o garedig) oedd bod gen i ffordd apelgar o drafod materion mawr a bod pobol yn teimlo fy mod i'n siarad yn uniongyrchol â nhw. Ond serch y geirie melys, dim ond mis oed fyddai'r babi ym mis Ionawr.

Fe glywodd Edith fy mhryderon ond wy ddim yn siŵr a oedd hi'n gwrando. Roedd y ffaith ei bod hi mor ddi-hid yn frawychus ac eto'n gynhyrfus ar yr un pryd. Mae hi mor benderfynol ac yn ddidostur ei gweledigaeth. Fel ton anferthol yn teithio dros y dyfroedd.

Eglurais eto. Byddai gadael y teulu ar amser mor dyngedfennol yn annheg â Morfudd. Yn amhosibl a gweud y gwir. Ond yn ei blaen yr aeth y don. Byddai modd i Poboliaeth gynnig tâl hael tu hwnt i fi. Ac ar ôl y daith gelen i chwe mis o dadolaeth ar dâl llawn.

Holais o le fyddai'r arian yn dod, ac fe gadarnhaodd fod coffrau Poboliaeth yn iach iawn. Roedd sicrhau fy mod i'n arwain taith Cymru ym mis Ionawr yn flaenoriaeth.

Dychwelyd at fy noethuriaeth ar ôl y cinio hwnnw oedd un o'r pethau mwya swreal i mi eu gwneud erioed. Eistedd mewn swyddfa dawel yn y llyfrgell, yng nghwmni Diana wrth y ddesg drws nesa, fy mhen i'n syrcas o sŵn.

Er ifi ddweud wrth Edith nad ydw i mewn sefyllfa i roi ateb iddi eto, y gwir amdani yw 'mod i 'di cytuno'n barod yn fy mhen a 'di codi ofon ar 'yn hunan yn y broses.

Mae Morfudd feichiog yn gorwedd ar y gwely yn y stafell drws nesa a finne'n barod yn dychmygu dyfodol gwahanol yn y flwyddyn newydd. Dyfodol na ŵyr hi ddim amdano eto.

Pwy a ŵyr na fyddai'n hollol amhosibl setlo'n ôl i fywyd cyffredin yn Aber wedi'r holl gynnwrf. Pwy a ŵyr na fyddai'r daith yn tanio'r *wanderlust*. Yn deffro'r ysfa wleidyddol sydd ynof i ers fy nghyfnod i a Cêt Huw yn y chweched dosbarth. Gallwn yn hawdd fynd ar ddisberod i Venezuela neu i Balesteina er mwyn ymuno â'r chwyldro byd-eang. Wedi'r cyfan, rwy'n gwybod bod y tueddiadau hynny i gyd ynof i.

Ond y gwir plaen amdani yw nad oes troi 'nôl nawr.

*

**DOGFEN GYFRINACHOL – Agorwyd yr e-bost gan Brynach Yang, Ebrill y 26ain, 2056**

**Bydd y ddogfen yn hunanddileu ymhen deng munud.**

**Cynllun Gwales – cyflwyniad bras**

**Nod rhyngwladol Poboliaeth**

Yn unol â meddylfryd y Zapatistas, mae mudiad Poboliaeth yn glir nad ydym yn deisyfu grym ond yn hytrach am gipio grym yn ôl i bobol gyffredin (y corff). Rydym yn darian sy'n amddiffyn pobol rhag pleidiau gwleidyddol, llywodraethau a'r cwmnïau cyfalafol. Mewn system Neo-Ddemocrataidd sy'n caniatáu i lobïwyr amddiffyn buddiannau cwmnïau preifat drwy geisio clust ein gweinidogion, mae Poboliaeth am wneud yn siŵr fod pethau'n deg yn y dafol. Dros y byd, ni yw lobïwyr a hwyluswyr y bobol gyffredin wrth iddynt geisio'u rhyddid. Yr unig fòs sydd gennym yw'r bobol.

**Trosolwg cyffredinol**

Ers rhai blynyddoedd bellach, mae rhwydwaith Poboliaeth wedi cynnal deialog ledled Cymru gyda'r bwriad o weithredu cyfres o chwyldroadau cymunedol. Bydd y cyntaf o'r rhain yn cychwyn yn ystod tymor y gwanwyn 2057.

Yn y gorffennol, gweithredodd y mudiad ddulliau amrywiol er mwyn dadsefydlogi llywodraeth y dydd a dinoethi'r problemau sylfaenol sy'n bodoli mewn system Neo-Ddemocrataidd. Tra'n bod yn parhau o'r farn fod Neo-Ddemocratiaeth yn rhoi buddiannau cwmnïau cyfalafol o flaen buddiannau pobol a lles y ddaear, mae ein syniadau am sut i herio hyn wedi newid yn syfrdanol. Yn sylfaenol, yr ydym o'r farn y daeth yr amser i gipio grym yn ôl i'r corff yn hytrach na herio grym y sefydliad yn unig.

Yn sgil yr argyfwng bwyd, cyhoeddiad llywodraethau Cymru a Phrydain Fach y bydd y wladwriaeth les yn cael ei lleihau a'r ffaith fod amodau byw a gwaith pobol yn dirywio, mae yna arwyddion fod 'y corff' yn dechrau deffro. Ymhellach, mae'r rhyfel diwylliannol sy'n parhau rhwng Tsieina a'r Gorllewin, a'r ffaith fod Tsieina yn berchen ar dros draean o'r tir sy'n darparu bwyd i Brydain Fach a'r Alban, yn achos pryder pellach i'r boblogaeth.

Dengys gwaith ymchwil gan Poboliaeth fod sawl carfan o'r gymdeithas yn teimlo nad yw'r system Neo-Ddemocrataidd yn gweithio o'u plaid. Yn eu plith mae'r henoed, pobol ddi-blant, pobol heb yswiriant iechyd, pobol yng nghefn gwlad, pobol mewn trefi (megis Llanelli, Pwllheli a Chaerfyrddin sydd wedi eu llethu gan broblemau cyffuriau), yr anabl, y gymdeithas Tsieineaidd a'r gymdeithas Fwslemaidd.

Yn hanesyddol, gallwn weld i Ffasgwyr ennyn cefnogaeth nifer o garfanau difreintiedig ar adegau ansefydlog fel hyn trwy ddefnyddio rhethreg o feio mewnfudwyr, ffoaduriaid ac Ewrop am ddiffyg grym 'y corff' mewn cymdeithas. Fodd bynnag, bu cyfnodau tebyg yn rhai ffrwythlon i'r chwith pan oeddent yn llwyddo i gyfleu eu negeseuon yn effeithiol.

## Cipio grym yn lle herio grym

Yn unol â'r weledigaeth newydd hon, byddwn yn cynnig cymorth Byddin Ryngwladol Poboliaeth i gymunedau sy'n dymuno chwyldroi eu cymunedau. I fod yn glir, ni fydd Byddin Ryngwladol Poboliaeth yn ymyrryd mewn materion heb wahoddiad swyddogol gan gymunedau.

Ni fydd Byddin Poboliaeth chwaith yn fodlon cydweithio gyda chymunedau sy'n gwrthod ymrwymo i bolisi di-drais y mudiad. Wedi dweud hynny, yn ystod cyfnod cychwynnol chwyldroadau lleol rydym yn cydnabod y gallasai fod angen codi arfau er mwyn amddiffyn cymunedau rhag Byddin y Wladwriaeth wrth i gymunedau ddod i drefn.

Hyd yma, mae dros chwe mil o ddinasyddion Cymru wedi ymrwymo i fod yn rhan o Fyddin Poboliaeth a hynny mewn amrywiol ffyrdd. Dros y misoedd nesaf byddwn yn parhau i recriwtio'n gudd. O safbwynt cefnogaeth ehangach, mae prif undebau llafur Cymru yn agored i gynnal trafodaethau gyda Phoboliaeth.

## Cynllun Gwales – Caerfyrddin

Ar ddechrau 2055, cafodd Poboliaeth Cymru gais gan garfan o bobol Caerfyrddin i'w cynorthwyo i chwyldroi'r gymuned (gweler hanes Caerfyrddin dros y blynyddoedd diwethaf i ddeall hyd a lled anghenion cymdeithasol a llywodraethol y dref). Yn sgil y trafodaethau rhyngom a Phoboliaeth Caerfyrddin, ffurfiwyd cynllun Gwales 2057.

Wrth galon cynllun Poboliaeth Caerfyrddin mae'r cyfle i brynu amser (wyth deg niwrnod) er mwyn i ddinasyddion y dref gael ffurfio cyfundrefn amgen ac ystyried eu dyfodol. Yn ystod y cyfnod hwn, cyfraniad Byddin Poboliaeth Cymru fydd cynorthwyo Poboliaeth Caerfyrddin i amddiffyn y dref a'i phobol.

Dengys gwaith ymchwil grŵp Poboliaeth Caerfyrddin a Phoboliaeth Cymru fod chwe deg tri y cant o boblogaeth y dref eisoes wedi mynegi yr hoffent weld y gymdeithas yn newid, gyda phedwar deg y cant o'r boblogaeth wedi ymrwymo i weithredu ar ran Poboliaeth Caerfyrddin mewn amrywiol ffyrdd (gweler Banc Cyfranwyr Caerfyrddin er mwyn gweld beth yw arbenigedd yr amrywiol wirfoddolwyr yma).

O leiaf blwyddyn cyn gweithredu'r chwyldro cymunedol ei hun, bwriad Byddin Poboliaeth yw cynorthwyo Poboliaeth Caerfyrddin i gynnal cyfres o ddigwyddiadau torfol yn y dref er mwyn ennyn rhagor o ddiddordeb yng nghynllun Gwales. Bydd y digwyddiadau yma'n cychwyn gyda'r fagddu gyntaf ym mis Mehefin 2056 lle cawn gyfle amhrisiadwy i annog pobol y dref i ymgynnull heb y bygythiad y bydd y wladwriaeth yn ysbïo arnom.

Cyn cytuno i gynorthwyo Poboliaeth Caerfyrddin i gipio'r dref, gofynnwyd iddynt ymrwymo'n ddigwestiwn i gynnal e-refferendwm sofraniaeth ar ddiwedd yr wyth deg niwrnod (a allai gynnig sawl model gwahanol, yn ddibynnol ar ddeisyfiadau'r gymuned).

Am ragor o wybodaeth am strwythurau ariannol Poboliaeth Caerfyrddin, strategaeth filwrol Poboliaeth Cymru neu unrhyw wybodaeth arall, cysylltwch â'r grŵp cydlynu.

**Nodyn** – Gwrthodwn goleddu'r term Neo-Gomiwnyddiaeth oherwydd cynodiadau gyda'r USSR gynt. Serch hyn, rydym yn derbyn bod symudiad ar waith ledled Dwyrain Ewrop sy'n gweithredu o dan faner y term hwn ac sy'n rhannu llawer o dir cyffredin gydag egwyddorion craidd mudiad Poboliaeth.

\* **Mae'r uchod yn wybodaeth gwbwl gyfrinachol. Bydd unrhyw dystiolaeth o rannu a thrafod yr wybodaeth yn cael ei thrin yn unol â rheoliadau 8.3 yn llyfr cyfundrefnau Poboliaeth.**

\*

**Neges gan TanwenYang@ysgolbroystwyth.cymru**
**At Brynach2018@gmail.com**
**Pwnc: Nodyn atgoffa – holiadur daearyddiaeth.**
**Ebrill y 26ain, 2056**
Annwyl Dad,
Ti 'di anghofio anfon yr holiadur i rieni 'nôl ETO! Mae Mrs James wedi gofyn

am fe erbyn diwedd yr wythnos – i ni neud y mapiau demograffeg. PLIS hala fe??? Neu byddi di'n edrych fel *loser*! Ma Mam wedi neud un hi.

Tanwen x


**Atodwyd – HoliadurCymraegPYI2056 – YsgolBroYstwyth**

Llanwch yr holiadur mor onest ag y gallwch os gwelwch yn dda.

1.Ble cawsoch eich geni?

2.Beth oedd swydd eich rhieni/gwarchodwyr?

3.Sut fyddech chi yn disgrifio eich hunaniaeth? Cymro/ Cymraes/ Prydeiniwr/Arall?

4.Beth yw eich iaith gyntaf?

5.Pam fod byw yn ardal Aberystwyth yn bwysig i chi? Os nad yw'n bwysig i chi, eglurwch pam?


\*


**Darn o gyfweliad y Seicolegydd Dr Meinir Patel gyda Brynach Yang, Ebrill y 26ain, 2056**

… Fideos mewnol sy'n angori fi? Ym. Wel, weden i taw'r prif un yn bendant yw gweld Tanwen yn ca'l 'i geni. Y foment 'na! O'dd e'n swreal! O'dd mop o wallt du 'da ddi'n barod! A o'dd Mofs off 'i phen ar *gas and air*. Ha.

Ond wir nawr, pan weles i'r pen… yn gwthio'i ffordd mas, yn hollol benderfynol fel'na, sylweddoles i bo fi'n dyst i egni newydd yn dod i'r byd. Egni didrugaredd. A taw beth o'dd Morfudd a fi 'di ca'l mewn gwirionedd o'dd gwŷs, i ddishgwl ar ôl yr egni 'na.

Wy'n cofio synnu mor dreisgar o'dd yr holl broses. Sdim byd pert am y peth o gwbwl. Y corff 'ma'n sownd, yn trial gwthio'i ffordd mas i'r byd. A Morfudd yn gwingo mewn po'n wrth i'w chro'n rwygo a'i chyhyre ledaenu hyd yr eitha.

A wedyn y foment 'na pan gath hi 'i thynnu mas… y gwa'd, y stwff gwyn a'r cortyn. Ges i shwt *hit* o emosiwn yn 'yn frest i bryd 'ny. Fel 'sen i 'di galler llefen mewn hapusrwydd am byth. O'dd hi'n dishgwl fel fi, ac o'dd hi'n dishgwl fel Dad. Ac o'dd hi'n Gymraes Tsieineaidd. O'dd 'na mor bwysig i fi. Yn bwysicach nag o'n i erioed 'di sylwi tan yr eiliad 'na.

Gweud 'ny, wy'n cofio timlo dege o bethe erill yn ystod y foment 'na 'fyd.

Ac un o'r teimlade 'na o'dd meddwl bod cystadleuaeth yn mynd i fod 'da fi nawr, am weddill 'yn o's. Cystadleuaeth rhwng 'y nghariad i tuag at y babi 'ma o'dd yn sgradan nerth esgyrn 'i phen, a'r pethe ro'n i isie neud 'da'n fywyd 'yn hunan. Yr holl frwydre 'ma o'n i moyn wmladd. Yr holl bethe o'dd 'da fi i gyflawni. Ma cwilydd 'da fi gyfadde 'na, yfe. Bo fi wedi timlo shwt rwyg. Ond o'n i'n gwbod o'r dechre... na fydde'r ddou fyd yn galler cyd-fyw'n ddedwydd... Wel yn amlwg ddim. O'n i eisoes wedi ei bradychu hi drwy gytuno i fynd ar y daith...

Fideos erill? Sawl un, o's. Dad a fi a'n frawd yn whare ffwti ar y ca' yn Llanboidy. Diwedd yr ha' ryw flwyddyn. Fi'n sgori a Dad yn 'yn bigo i lan. A fi'n timlo'n ysgafn fel aderyn yn 'i ddwylo fe. Yn ca'l 'yn ddala lan tuag at yr haul fel rhodd i'r duwie. Sai'n siŵr pam yn gwmws wy'n cofio'r pnawn 'ny chwaith. Wharaeon ni lwyth o bêl-dro'd 'da'n dad dros y blynydde. A cha'l 'yn canmol 'da fe 'fyd. Ond am ryw reswm, ma darlunie'r dyrnod 'na'n fyw i fi. A'r union deimlade. Ma'r cof yn beth rhyfedd fel'na, nagyw e?

Fideo arall yw Rali Caernarfon. Rhan o daith Poboliaeth yn '43. Er nad o'dd y daith yn fêl i gyd o bell ffordd, ac er bo fi'n gweld isie Morfudd a Tanwen yn ofnadw, o'dd y dyrnod 'na'n un o'r uchafbwyntie. Tair mil o bobol ar y Maes yng Nghaernarfon. Pawb yn gandryll gyda chyhoeddiad Llywodraeth Cymru eu bod nhw'n mynd i gyflwyno system yswiriant iechyd preifet. Wrth gwrs, ro'dd y gwasanaeth mwy neu lai'n cael ei redeg gan gwmnïau preifet beth bynnag. Ond ddigwyddodd rhywbeth pan gyhoeddon nhw y byddai'n rhaid i bawb brynu yswiriant iechyd. Ro'dd y boblogeth yn timlo fel 'sen nhw 'di ca'l eu bradychu.

Ac o fla'n tair mil o bobol gandryll, siarades i. Brynach Yang. Cyn mynd ar y llwyfan, o'n i'n gryndod o'n ben i'n sgwydde. O'n i'n gwbod – bo raid i fi neud y gore o'r amser o'dd 'da fi. Treial darbwyllo pobol i weithredu, yn hytrach na chonan yn 'u cegine a rhoi postiade dibwys ar Facebook.

Wy'n credu bo'r nerfe 'di helpu. Achos 'na'r areth ore wnes i draddodi erio'd. Yr areth ddwetha 'fyd, siŵr o fod. Atgoffa pobol wnes i. Atgoffa nhw o'u hanes. Sôn am Aneurin Bevan. Ein gwerthoedd ni fel cenedl. Wy'n cofio gwallt 'y ngwar i'n codi wrth siarad y dyrnod 'na. O'n i le o'n i fod. Ac o'dd pobol yn grondo. Bron iawn fel 'se fe'n sŵn.

*

37

**Neges gan Brynach2018@gmail.com**

**At TanwenYang@ysgolbroystwyth.cymru**

**Ebrill y 26ain, 2056**

Annwyl Tani,

Wy'n addo anfon hwn dros y dyddie nesa. Sori bach.

Dad x


**Neges gan TanwenYang@ysgolbroystwyth.cymru**

**At Brynach2018@gmail.com**

**Ebrill y 26ain, 2056**

Ocê Dad,

Mae Mrs James yn gweud iawn.

Tanwen


**Neges gan llion.davies@cyngorcap.cymru**

**At brynach.yang@cyngorcap.cymru**

**Pwnc: Sgwrs**

**Ebrill yr 28ain, 2056**

Diolch am y sgwrs, Brynach. Adeiladol iawn. Gobeithio nad wyt ti wedi dy siomi'n ormodol.


**Neges gan brynach.yang@cyngorcap.cymru**

**At llion.davies@cyngorcap.cymru**

**Pwnc: Re: Sgwrs**

**Ebrill yr 28ain, 2056**

Dim o gwbwl, Mr Davies. Dwi'n gallu gweld y bydd Sioned yn wych yn y swydd. Ac, a dweud y gwir, dwi'n dal i fwynhau'r her sy'n fy wynebu yn yr adran ceisiadau grantiau.


**Neges gan llion.davies@cyngorcap.cymru**

**At brynach.yang@cyngorcap.cymru**

**Pwnc: Re:Re: Sgwrs**

**Ebrill yr 28ain, 2056**

Agwedd gadarnhaol iawn. Dalier ati. Roedd y panel yn *impressed* iawn gyda dy sylwadau ynglŷn ag ailstrwythuro gyda llaw, ynghyd â dy sylwadau am newid strwythurau ymgynghoriadau cyhoeddus. Dwi'n siŵr hefyd y byddai'n llesol i Sioned fwrw golwg dros y papur wnest ti gyflwyno. Rwyt ti'n gaffaeliad i'r tîm. Hwyl i ti dros y Sul.

**Neges gan Brynach2018@gmail.com**
**At MorfuddCaerdydd@hotmail.co.uk**
**Ebrill yr 28ain, 2056**
Heb ga'l y ffycin swydd.

**Neges gan MorfuddCaerdydd@hotmail.co.uk**
**At Brynach2018@gmail.com**
**Ebrill yr 28ain, 2056**
Paid deud ma'r Sioned 'na gath hi.

**Neges gan Brynach2018@gmail.com**
**At TanwenYang@ysgolbroystwyth.cymru**
**Ebrill yr 28ain, 2056**
Llanwch yr holiadur mor onest ag y gallwch chi os gwelwch yn dda.
1. Ble cawsoch chi eich geni?
Cefais fy ngeni yn ysbyty Glangwili, Caerfyrddin a chefais fy magu yn Llanboidy yn Sir Gaerfyrddin.
2. Beth oedd swydd eich rhieni/gwarchodwyr?
Roedd fy mam yn fenyw cinio yn ysgol gynradd Bro Brynach ac roedd fy nhad yn gweithio yn Aberdaugleddau, yn y burfa olew i ddechrau cyn dechrau busnes ei hun o adref.
3. Sut fyddech chi yn disgrifio eich hunaniaeth? Cymro/ Cymraes/Prydeiniwr /Arall?
Rwy'n disgrifio fy hun fel Cymro Cymraeg. Roedd fy nhad yn fab i rieni a ddaeth i Gymru o Hong Kong, felly rwyf hefyd yn ystyried fy hun yn Gymro Tsieineaidd. Er hyn, dydw i ddim yn siarad *Cantonese* rhagor.
4. Beth yw eich iaith gyntaf?
Cymraeg ond rydw i'n gallu siarad Saesneg (ac ychydig bach o *Cantonese* a llai byth o Ffrangeg).
5. Pam fod byw yn ardal Aberystwyth yn bwysig i chi? Os nad yw'n bwysig i chi, eglurwch pam.
Mae byw yn ardal Aberystwyth yn bwysig i fi achos dyma lle mae fy nheulu yn byw, sef Morfudd a Tanwen Yang. Rwy'n falch iawn o

Tanwen am ei bod yn gweithio'n galed yn yr ysgol ond hefyd yn gwybod sut i fwynhau. Mae gen i swydd yn y dref ond fy hoff swydd yw bod yn dad i Tanwen. Rwy'n siŵr y byddai hi'n dweud mai swydd anodd iawn yw bod yn ferch i fi.

**Neges gan MorfuddCaerdydd@hotmail.co.uk**
**At Brynach2018@gmail.com**
**Pwnc: Bore 'ma.**
**Mai yr 2il, 2056**
Sud a'th petha hefo Meinir Patel bora 'ma? XX

**Neges gan Brynach2018@gmail.com**
**At MorfuddCaerdydd@hotmail.co.uk**
**Pwnc: Re: Bore 'ma.**
**Mai yr 2il, 2056**
Do, ie. Da.

**Neges gan MorfuddCaerdydd@hotmail.co.uk**
**At Brynach2018@gmail.com**
**Pwnc: Re:Re: Bore 'ma.**
**Mai yr 2il, 2056**
Falch bo chdi'n ca'l cyfla i siarad. Ar ôl bob dim efo'r swydd…

**Neges gan Brynach2018@gmail.com**
**At MorfuddCaerdydd@hotmail.co.uk**
**Pwnc: Re:Re:Re: Bore 'ma.**
**Mai yr 2il, 2056**
Gwmws.

\*

**Teipysgrif preifat. Sgwrs rhwng Brynach Yang a'r Seicolegydd Dr Meinir Patel. Mai yr 2il, 2056**

**Meinir Patel:** O'r gore. Ry'n ni 'di treulio llawer o'n hamser yn trafod symptomau hyd yn hyn, yn do, fyddech chi'n cytuno? Sôn am y diffyg cwsg, y teimlad o fod yn ddiymadferth. A'r gorbryder.

**Brynach:** Do. Chi'n iawn, do.

**Meinir Patel:** Sy'n grêt. Ma angen trafod y pethau hynny'n agored. Sylwi ar batrymau negyddol ac yn y blaen. Ond beth wedyn am darddiad y teimlad yma o… 'colli rheoleth' oedd eich geirie chi, ontefe?

**Brynach:** Ie. Wel ie. Sai'n siŵr a gweud y gwir. Sai'n siŵr iawn a o's un tarddiad —

**Meinir Patel:** Dy'ch chi ddim yn meddwl mai'r ffaith i'ch tad gael ei gymryd gan yr awdurdodau sy'n benna gyfrifol? Trawma ers 'ych plentyndod?

**Brynach:** Ie. Falle. Ond nage gorbryderu o'n i pryd 'ny. O'n i'n fwy crac falle. Crac 'da'n hunan 'fyd.

**Meinir Patel:** Wrth gwrs eich bod chi'n grac. Mae hynny'n gwbwl ddealladwy o ystyried popeth. Pam oeddech chi'n grac gyda'ch hunan, chi'n meddwl?

**Brynach:** Timlo bo fi 'di gadel e lawr. Gwylio nhw'n mynd â fe. Gallen i fod wedi neud rwbeth.

**Meinir Patel:** Chi wedi crybwyll hyn o'r bla'n. Ond plentyn o'ch chi…

**Brynach:** So 'na'n esgus. Gallen i'n dal fod wedi treial… 'Nes i ddim hyd yn o'd gweiddi ar 'i ôl e. Dangos iddo fe shwt o'n i'n twmlo.

**Meinir Patel:** A beth am eich mam? Odych chi'n meddwl ei bod hi'n teimlo'n grac adeg 'ny?

**Brynach:** Gyda fi?

**Meinir Patel:** Nage. Gyda'i hunan.

**Brynach:** Sai'n siŵr… Falle… Galle hi fod wedi neud mwy 'fyd.

**Meinir Patel:** Fyddech chi'n gweud 'ych bod chi'n hoffi'ch hunan, Brynach?

**Brynach:** Be chi'n meddwl?

**Meinir Patel:** Wel. Ydych chi'n meddwl eich bod chi'n berson… 'neis'? 'Da'?

**Brynach:** Wy ddim yn siŵr am y geirie 'na. Lwcus falle.

**Meinir Patel:** Ym mha ffordd?

**Brynach:** Yr unig wahanieth rhwngtho fi a 'nhad o'dd y ffaith 'i fod e'n oedolyn a bo fi'n blentyn. Tasen i'n ddeunaw, fydden nhw wedi mynd â fi hefyd.

**Meinir Patel:** Ydych chi'n grac am hynny?

**Brynach:** Falle fydden i'n hapusach tasen nhw 'di mynd â fi hefyd.

**Meinir Patel**: Ond plentyn o'ch chi. Plentyn chwech oed.

**Brynach:** Ie. Ond wy wastod wedi teimlo 'na. Bo fi 'di ca'l get-awê…

**Meinir Patel:** Os ga i symud at bwnc arall am eiliad… Dy'ch chi ddim yn ymgyrchu rhagor…

**Brynach:** Ma rhaid i bawb dyfu lan yn diwedd, nago's e?

**Meinir Patel:** Tyfu lan. Fel hyn ry'ch chi'n gweld pethe?

**Brynach:** Nage. Ond o'n i yn anghyfrifol ar brydie.

**Meinir Patel:** Ydych chi'n gweld isie'r Brynach anghyfrifol o gwbwl?

**Brynach:** Ha. Falle.

**Meinir Patel:** Ym mha ffordd yn gwmws?

**Brynach:** Wy'n credu o'dd yr hen Brynach yn… o, sai mo… ma'n swno'n dwp ond wy'n credu o'dd yr hen Brynach… o'dd mwy i edmygu yn'o fe.

**Meinir Patel:** Pam 'ny?

**Brynach:** *Praxis*. Chi'mod? Nage dim ond meddwl am bethe o'n i, o'n i'n neud pethe 'fyd. Treial newid pethe. Ma llai o egni 'da fi nawr. A lleia o egni sy 'da pobol, lleia tebygol yw pethe o newid.

**Meinir Patel:** Beth sy'n bwysig nawr 'te?

**Brynach:** Bod yn dad da.

**Meinir Patel:** Y tad na chafodd eich tad chi y cyfle i fod falle?

**Brynach:** Falle. Neu'r fam ges i ddim. Ma hyn i gyd yn mynd bach yn *Freudian* nawr, nagyw e! Ta beth, y pwynt yw – Tanwen sy'n bwysig nawr, nage'n gredoe i.

**Meinir Patel:** Safiad hunanaberthol iawn, Brynach. Oes man canol, tybed? Rhoi ychydig o le i'r hen Brynach gyd-fyw gyda'r Brynach newydd? Maddeuwch i fi am ddweud hyn, ond yn amlwg dwi'n eich cofio chi fel ymgyrchydd. Arweinydd. Anodd gen i ddychmygu bod y Brynach yna wedi diflannu'n llwyr.

**Brynach:** Na. Chi'n iawn. Ond pan chi'n ymgyrchydd, chi'n teithio drw'r amser. So 'na'n gydnaws 'da bod yn dad da.

**Meinir Patel:** Efallai y byddai modd cyflwyno elfennau o'r bywyd ymgyrchol i'ch bywyd bob dydd yn Aberystwyth? Pethau sy'n caniatáu i chi fod yn 'dad da' ar yr un pryd?

**Brynach:** Sai'n credu. Yr ymgyrchydd sydd wastad yn ennill 'da fi. Wy'n mynd yn obsesiynol.

**Meinir Patel:** Ond beth petawn i'n dweud mai nid unrhyw dad sydd ei angen ar Tanwen, ond Brynach?

**Brynach:** Y tad Brynach. Ha ha. Sori. Gapo. Wy 'di blino.

**Meinir Patel:** Mae wedi bod yn awr ddwys i fod yn deg. Fe ddown ni â'r sesiwn i ben nawr, a chyfarfod yr amser yma wythnos nesa...

**Brynach:** Ie. Iawn. Jiw, mae 'di stopo bwrw.

**Meinir Patel:** Ydy. Yn ôl yr arfer, fe fydda i'n anfon teipysgrif o'r sgwrs hon atoch ar e-bost er mwyn i chi gael pori drosto cyn wythnos nesa. Ma llawer o 'nghleifion i'n cael budd mawr o ddarllen eu geirie yn ôl.

**Brynach:** Dria i neud 'y ngwaith cartre wthnos 'ma, 'de. Ha.

\*

## Darn o ddyddiadur Brynach Yang. Taith Poboliaeth, Chwefror 2043

Wy'n ymwybodol nad ydw i 'di ca'l amser i gadw'r dyddiadur yn ddiweddar, sydd wastad yn arwydd bod bywyd yn ddiddorol. Mae'n rhaid fy mod i'n cyfarfod o leia dwsin o bobol newydd bob dydd. Yn symud o neuadd bentre i neuadd dre... mae'r peth fel chwyldro... neu fel dechreuadau chwyldro beth bynnag. Yn y Drenewydd ydw i heno. Mewn stafell dawel ar fy mhen fy hun.

Wrth deithio'r gogledd-ddwyrain 'da Edith a'r criw wthnos 'ma wy wedi sylweddoli faint o botensial sy 'na, a pha mor bwysig yw hi fod Poboliaeth yn cynnig syniadau i'r bobol am sut mae newid pethau. Mae gan Poboliaeth y grym i arwain pobol at syniadau chwyldroadol. Does dim diddordeb gan yr un ohonom yn y mudiad mewn bod yn arweinwyr 'traddodiadol', ac oherwydd hynny mae gyda ni rym sy'n ddengar i bobol. Grym am nad y'n ni'n deisyfu grym.

Dros yr wythnosau diwetha, mae miloedd yn rhagor wedi ymuno â Poboliaeth Cymru. Rhai yn talu tâl aelodaeth, rhai yn talu rhyw lun ar ddegwm a rhai yn rhoi o'u hamser a'u hegni. Ond waeth sut mae pobol yn cyfrannu, yr un yw nod pawb – rhoi pwysau ar Lywodraeth Cymru i ddileu'r penderfyniad i symud at system yswiriant iechyd preifet.

Mae'r dicter yn cnoi am fod y mwyafrif ohonon ni ar ynysoedd Prydain wedi ein magu i gredu bod dyletswydd ar y wladwriaeth i ddarparu ar gyfer pawb, a hynny am ddim. Mae'r egwyddor hon fel petai'n sefyll yn ein meddyliau fel craig yr oesoedd.

Ond bydd yn rhaid chwyldroi llawer mwy na'r system iechyd os y'n ni am sicrhau cymdeithas decach. Dydyn ni ddim hyd yn oed wedi dechrau trafod hegemoni haearnaidd y cwmnïau fferyllol rhyngwladol ar hyn o bryd.

Gŵr o'r Unol Daleithiau oedd ein siaradwr gwadd yn ein cyfarfod heno. Dyn o'r enw Oskar Matheson o Pennsylvania a ddysgodd Gymraeg ar y we. Prif neges ei anerchiad oedd fod gorfodi pobol i brynu yswiriant iechyd yn ymosodiad uniongyrchol ar garfan o'r gymdeithas. Roedd Mr Matheson yn cydnabod y byddai aelodau mwya bregus y gymdeithas yn derbyn cymorth y llywodraeth er mwyn cael yswiriant. Y rhai sy'n debygol o ddiodde'n waeth, yn ôl Mr Matheson, yw'r rheiny sy ddim yn gymwys i gael cymorth.

O'i brofiad yn yr Unol Daleithiau, nid cael mynediad at wasanaethau brys yw'r broblem fawr sy'n deillio o adael i'r farchnad reoli'r gwasanaeth iechyd; mae mwy neu lai pawb yn llwyddo i gael gwasanaeth brys (er bod yn rhaid i rai dalu bil enfawr yn sgil hynny'n amlwg).

Y broblem fwyaf, yn ôl Mr Matheson, yw'r ffaith fod miloedd o bobol heb yswiriant iechyd yn dewis peidio mynd i weld y doctor ynglŷn â mân broblemau am fod rhaid talu. Wrth gwrs, dros amser, mae peidio cael cyngor am fân bethau yn gallu arwain at broblemau mwy fel clefyd y siwgwr, a hynny'n gallu arwain, yn ei dro, at gymhlethdodau gwaeth fyth. Fe agorodd Mr Matheson lygaid sawl person yn y stafell. Byddai masnacheiddio'r gwasanaeth iechyd yn newid diwylliant iechyd Cymru yn gyfan gwbwl, a hynny dros nos.

Wrth gloi ei ddarlith, fe atgoffodd Mr Matheson ni fod y Cymry wedi diodde enbydrwydd system debyg cyn i'r gwasanaeth iechyd ddod i fodolaeth. Ac fel pob Americanwr gwerth ei halen, dyfynnodd hen bennill i ni:

O diar, diar, doctor,
mae pigyn yn fy ochor.
'Sa well gin i roid pwmp o rech
na thalu chwech i'r doctor.

Rhyfeddol! Roedd ein cyn-neiniau a theidiau wedi hen gydnabod y tyndra sy'n deillio o fasnacheiddio'r gwasanaeth iechyd!

Serch y ffaith fy mod i'n teimlo'n fwy penderfynol nag erioed yn sgil gwrando ar bobol fel Mr Matheson, mae'r holl deithio 'ma'n 'yn flino i. A thra bod 'da fi gwmni gwych yn Edith a Max a Julie Hunter, wy'n sychedu'n aml am noson yn ôl yn Aberystwyth gyda Morfudd a Tani. Ishte ar y soffa yn gwylio teledu gwael. Morfudd yn gwylio rwbeth arall ar ei thabled. Dished gyda lwtsh o la'th. Y normalrwydd 'na wy'n hiraethu amdano fe. A'r ffordd ma'r pethau normal 'na'n neud iti deimlo. Yn neud i dy fola di deimlo.

Wy ddim yn meddwl 'mod i 'di bod i'r tŷ bach yn iawn ers wythnos nawr – yn rhannol achos ry'n ni'n bwyta gormod o fwyd cyfoethog. Ma pobol yn hael ofnadw – yn rhoi'r bwyd gore sy 'da nhw i ni. Weithe, wy'n dychmygu fel oedd Evan Roberts yn teimlo ar ei daith rownd Cymru bron gant a hanner o flynyddoedd yn ôl. Digon hawdd teithio mewn ceir trydan nad oes yn rhaid i neb eu gyrru. Ond ar gefn ceffyl a chart?! Does ryfedd i'w iechyd dorri.

Fy achubieth fawr i ar hyn o bryd yw cwmni Edith. Yn hynny o beth, mae'r daith yn gyfle cyfrin i dreulio amser yn ei chwmni. Weithie, ar ôl cyfarfod, mae'r ddou ohonon ni'n rhy effro i fynd i'n gwlâu, felly ry'n ni'n cwrdd yn stafell y naill neu'r llall i sgwrsio. I gomio, fel wedodd rhywun yn y cyfarfod heno. Echnos, fe naethon ni siarad tan bod yr haul yn codi y tu ôl i'r llenni a'r bore newydd wedi glanio yn ein côl.

Ond dy'n ni ddim yn comio heno. Dy'n ni ddim yn gomio, achos mae Llawen wedi teithio i'r Drenewydd. Dyna pam mae gen i amser i lenwi'r dyddiadur. Wrth i fi ishte fan hyn yn teipio ar ddesg gyfyng fy stafell, mae'n siŵr eu bod nhw'n gorwedd mewn coflaid ar ei gwely hi. Efallai'n noeth. Efallai'n hepian. Ond siŵr o fod yn chwerthin. Dyna mae Edith yn ei wneud sydd mor heintus; chwerthin a dy gael di i chwerthin gyda hi. A gweud y gwir, hi yw'r person dwysa ac ysgafna dwi'n ei nabod. Fe wneith hi ddal yn dynn mewn gwên fach ar dy wyneb di a gwneud iti chwerthin nes fod y ddau ohonoch chi'n rholio ac yn crio.

Do, fe wnes i a Morfudd chwerthin pan naethon ni gyfarfod gynta. Ond yn rhy sydyn o lawer, fe droeon ni'n bobol ifanc ddifrifol oedd yn teimlo cyfrifoldebau'r byd yn drwm ar ein hysgwydde. A pha syndod? Ro'n ni'n rhieni cyn inni droi rownd.

Does gen i mo'r amser i sgwennu rhagor. Er 'y mod i mor effro â rhywun sy 'di yfed chwe dished o goffi, ma angen ifi ymateb i lwyth o negeseuon gan bobol sydd wedi ebostio ers y cyfarfod heno. Wedi 'ny, fe wna i ymdrech lew i gysgu. Achos ry'n ni'n symud eto fory ac yn cynnal tri digwyddiad yn y Rhyl. Does dim ffordd arall o ddeffro pobol ond mynd atynt a dechrau trafod. Felly waeth i fi heb â chwyno.

*

**Darn o ddyddiadur Brynach Yang, Mai 3ydd, 2056**

Neithiwr, orweddes i drws nesa i Morfudd yn y gwely a ffaelu'n lân â chwmpo i gysgu. Wrth iddi chwyrnu'n dawel, 'na gyd oedd yn rhedeg drw'n feddwl i oedd bod yn rhaid i fi gwrdd ag Edith ar ôl darllen y ddogfen. Gweud 'y ngweud. Rhybuddio'r mudiad o'r pethe wy'n gallu gweld alle fynd o le. Dyw Poboliaeth erio'd wedi trio dim byd fel hyn o'r blaen, a wy'n becso gormod am ddyfodol y mudiad (a phobol Cymru) i beidio rhannu fy meddyliau.

Os bydd cynllun Gwales yn annibendod llwyr, dyna fydd diwedd Poboliaeth yng Nghymru. A diwedd unrhyw obaith o chwyldroi'r wlad am ddegawd a mwy. Fydd hi'n rhy hwyr i gynnig cyngor unwaith fydd pethau ar waith. Ac er mai Edith yw'r person dwetha wy isie gweld, mae'n ddyletswydd arna i i gyfarfod â hi. Un waith. Wyneb yn wyneb. Ac wedyn dyna ni.

Rwyt ti wedi bod yn aros i rywbeth fel hyn ddigwydd yng Nghymru ar hyd dy oes, Brynach Yang. Rhaid iti chwarae dy ran. Yn dawel bach. Mewn un cyfarfod.

Sdim angen i Morfudd wybod dim.

*

**Mai y 4ydd, 2056**
**Neges gan Cêt18900**
Ni'n gwybod bod ti 'di darllen y ddogfen.

**Neges gan BrynachBrynach**
Wrth gwrs bo chi.

**Neges gan Cêt18900**
Wyt ti'n fodlon cyfarfod Edith?

**Neges gan BrynachBrynach**
Ydw – i roi fy marn ar y strategaeth ddrafft. Ond dim ond ar yr amod 'ych bod chi'n addo gadael llonydd i fi wedi 'ny.

**Neges gan Cêt18900**
Sdim isie bod mor oeraidd, o's e, Bryns? Ni'n ffrindie.

**Neges gan BrynachBrynach**

Wy'n gwbod. Sori.

**Neges gan Cêt18900**

Wy'n rhoi 'ngair. Wna i ddim cysylltu gyda ti yn enw Poboliaeth ar ôl y cyfarfod.

**Neges gan BrynachBrynach**

Diolch.

*

**Teipysgrif o gyfarfod Edith Hutchingson a Brynach Yang. Ystafell gynhadledd 43A. Neuadd Penbryn. Prifysgol Aberystwyth, Ceredigion. Mai y 9fed, 2056**

**Edith:** Diolch am cyfarfod, Brynach.

**Brynach**: Mae'n iawn.

**Edith**: Mae heddiw yn cwpwl cyfrinachol. Neb yn recordio.

**Brynach**: Felly be ti moyn gynta? Sylwade cyffredinol am y cynllun?

**Edith**: Dwi'n eisiau i ti arwain Gwales. Bod y wyneb 'cyhoeddus'.

**Brynach**: Wy 'ma i drafod y ddogfen. Dim byd arall.

**Edith**: Ond Brynach. Ddim yn strategol rwyt ti mwyaf cryf... rwyt yn mwyaf cryf o flaen y pobl. Yn siarad. Yn ysbrydoli.

**Brynach**: O'n i'n gwbod.

**Edith**: Plis Brynach, paid sefyll. Eistedd. Plis. Dere. Dim cerdded mas ... dim cau y drws... Brynach... Plis...

**Brynach**: Chi 'di neud yn iawn hebdda i ers degawd – a mwy.

**Edith**: Mae pethau gen i... i rhannu gyda ti.

**Brynach**: Sai moyn gwbod.

**Edith**: Mae sawl pobl yn cynnig ariannu Gwales, er enghraifft.

**Brynach**: Pa bobol?

**Edith**: Ariannu tawel. Rhoi benthyciadau i ni am arfau ac adnoddau.

**Brynach**: Pa bobol, Edith?

**Edith**: Pobl cefnogol sydd mewn safleoedd lle byddai fe ddim yn 'derbyniol' iddynt cael eu gweld yn cefnogi. Y pwynt yw, ma arian gyda ni nawr. I ddechrau ar y cynlluniau. Gwneud pethau i digwydd. Paid dweud ti'n ddim yn cael dy temtio...

**Brynach**: Wrth gwrs 'y mod i. Ond wy 'di neud 'y mhenderfyniad i. A Tanwen sy'n dod gynta tro hyn.

**Edith**: Dyma trwbwl pobl Cymru. Rydych yn *part-timers*. Roeddwn i'n tybio bod ti yn gwahanol, achos popeth digwyddodd i dy teulu ti. Ond yn amlwg, roeddwn anghywir.

**Brynach**: Plis cofia fel o'n i, Edith... Ar ddiwedd y daith... Heblaw am Morfudd, wy ddim yn gwbod a fydden i dal 'ma heddiw.

**Edith**: Rwy'n deall faint mae Morfudd wedi gwneud i ti. Ond nid hi yw Duw. Nid hi sydd wedi rhoi bywyd newydd i ti. Amser sydd wedi gwella ti.

**Brynach**: Sai'n mynd i newid 'yn feddwl, Edith.

**Edith**: Brynach. Gwranda. Ar hwn yn unig os wyt yn gwrando ar dim arall. Rwy'n gwybod rwyt yn meddwl bod dynion yn y carchar am dim reswm ar ôl ymgyrch tro diwethaf. Ond doedd e dim yn ofer. Doedd ymgyrch '43 dim yn llwyddiant – na, doedd e dim. A wnaeth y pobl dim ymuno gyda ni yn eu miloedd fel roedd angen – na, wnaeth nhw dim. Ond wedi dweud hynny yn cyfan, roedd *yn* dechrau rhywbeth. Daeth llawer pobl yn gwleidyddol. Cannoedd. Miloedd dros y byd. Dechreuodd pobl wir gofyn i'w hunain am Neo-Farcsiaeth, Neo-Gomiwnyddiaeth a gwerthoedd Poboliaeth. Dechreuodd pobl edrych ar ideoleg y chwith eto a sylwi bod y rhai sydd wedi cael gormesu angen sticio gyda'i gilydd.

Roeddem wedi deffro rhannau o'r corff, Brynach. Roeddem wedi dechrau y proses. Wyt ti'n dim yn gweld? Mae popeth yn arwain at y moment yma yn Cymru. Rydym yn barod nawr. Yn barod i fynd am beth ni yn credu. Popeth wnaeth ni trafod yn yr ystafelloedd gwely yn yr *hotels* yna yn ystod y taith yr holl blynyddoedd yna yn ôl; mae cyfle gyda ni nawr i gwireddu y cymdeithas yna!

**Brynach**: A wy'n gobeithio ddigwyddith 'na. Wy wir yn. Ond alla *i* ddim arwain Gwales.

**Edith**: Wedyn bydd yr ymgyrch dim yn llwyddiant. Dim yn Caerfyrddin a dim yn Cymru. Mae ni yn angen y tîm gorau rownd y bwrdd am y chwyldro cymunedol cyntaf. Dangos gall bod yn llwyddiant. Fel tro dwetha, ni'n angen ti.

**Brynach**: Ond ma 'na wahanieth, Edith, rhwng nawr a tro dwetha. Tro 'ma, fe fydden i'n marw. A ma 'na ferch ifanc fan hyn yn Aberystwyth sydd angen i fi fod yn fyw.

\*

**Neges gan MorfuddCaerdydd@hotmail.co.uk**
**At Lleucu@fi.cymru**
**Mai yr 11eg, 2056**

Lleucu,

Wedi trio dy ffonio di, ond ches i'm atab. A dwi'm yn gwbod at bwy arall i droi. Ti'n gweld, dwi yn 'y nagra yn fama. Heno, ar ôl i Tanwen fynd i'w gwely mi ddoish i i'r stydi (lle rydw i rŵan) yn y gobaith o neud awr o waith cyfieithu. Ond roedd 'na rwbath yn chwara ar 'y meddwl i. Do'n i'm yn gwbod be oedd o'n union i ddechra. Ryw deimlad o anesmwythyd ella, fatha tasa petha jyst ddim yn iawn efo Brynach. Dio'm 'di bod yn fo'i hun ers misoedd lawar ond mae 'di bod yn waeth eto ers iddo fo fethu cael y dyrchafiad. Tydi hi'm yn hawdd egluro'r petha 'ma, nacdi. Be yn union sy'n deud wrth rywun fod petha ddim fel maen nhw i fod. Rhwbath yn iaith 'i gorff o hwyrach. Ia, ella. Achos roedd 'i eiria fo'r un fath â'r arfar.

Mae o allan heno, yn cefnogi cyd-weithiwr sydd 'di cychwyn band am 'i fod o'n ca'l *midlife crisis*. Wedyn, ges i gyfla. Heb feddwl bron iawn, mi esh i at y cyfrifiadur a logio i mewn i'w gyfri e-bost. Dwi'n gwbod 'i gyfrinair o ers blynyddoedd ond bo fi byth wedi meiddio sbiad o'r blaen. A dyna 'nesh i heno. Mynd i sbio. O'n i'n binna bach i gyd.

A phan agorodd y cyfri, doedd 'na ddim oll i'w weld. Dim ond dogfenna gwaith ac amball i beth arall. A dyna pryd 'nesh i sylweddoli, y bysa unrhyw beth werth 'i ddarllan yn siŵr o fod ar y we dywyll. Wedyn dyna 'nesh i. Trio dyfalu'i gyfrinair o, a mynd i chwilio. Yndi, dwi'n gwbod, mae o fath â logio i mewn i ymennydd rhywun… ond mi 'nesh i, Lleucu. A dyma fi i mewn i'w gyfri o…

Ers wthnosa rŵan ma Cêt Huw wedi bod yn anfon negeseuon. Ac echddoe mi nath o gyfarfod Edith! Yn Aberystwyth! Hi a fo, Lleucu. Ffyc sêcs!! A rŵan dwi'n dallt pam ma petha 'di bod yn rhyfadd. Achos ma Brynach wedi ca'l 'i hudo 'nôl i weithgareddau Poboliaeth. Pwy a ŵyr nad ydy o wedi bod yn gweithio hefo nhw ers misoedd heb i mi wybod! Blynyddoedd ella!

Nath o addo pan briodon ni. Nath o **ADDO** ar fywyd Tanwen na fysa fo'n gneud efo nhw eto. Dim ar ôl tro dwetha. A mi 'nesh i goelio fo, Lleucu. 'I goelio fo, ar ôl bob dim.

Tydw i ddim yn gorymatab. Ti'n cofio fel oedd o. Ar ôl y daith. Nath o ddim gadal 'i wely am bump wthnos! O'dd o'n hollol paranoid fod pobol

49

am ddod i'r tŷ i'w nôl o. Fi ddaru fagu fo o farw'n fyw. Ond fedra i ddim gneud hynny eto, Lleucu. Ma Tanwen yn dair ar ddeg rŵan, mi fysa hi'n gweld. Ac yn waeth byth, yn cofio am byth.

Ma fy hannar i isio ffonio Edith a bytheirio wrthi. Paid â ffycin gneud hyn i ni eto!!!! Ond ti'n gwbod be, Lleucs? 'Swn i byth yn neud. Achos dwi'n gwbod be 'sa'r ast *twisted* yn ddeud yn ôl. Mi fysa hi'n gofyn yn garedig i fi ganiatáu i Brynach fod yn pwy ydy o. A mi fysa hi'n gofyn i fi ystyried gwerth cyfraniad Brynach i Gymru dros 'i gyfraniad i'r teulu. Mi fedra i 'i chlŵad hi rŵan. Ond ydw i'n 'i ddal o 'nôl, Lleucu? Ynta fi sy'n trio'i achub o?

Bora fory, cyn iddo ddeffro, 'dan ni'n gadal. Sgin i ddim rheolaeth dros neb arall, ond mi ga i wneud penderfyniadau dros fy mywyd i fy hun. A fy merch. Wyt ti'n hapus i ni ddod ata chdi?

Dwi 'di dallt rhwbath heno, wrth ista yma yn twllwch. A dyna pam dwi'n ddagra wrth deipio rŵan hyn. Fedri di ddim newid neb, Lleucu. Fedri di ddim. Matar o amsar o'dd o nes i Brynach 'yn gadal ni eto.

Morfudd x

\*

**Darn o ddyddiadur Brynach Yang. Taith Poboliaeth, Mawrth 2043**
Heddiw, ro'n i 'di blino gymaint cyn siarad yn Llanidloes da'th Edith i edrych ar fy ôl i ryw ddwy awr cyn i fi annerch. Ma Edith yn aml yn dod i fy stafell i ar ôl cyfarfod, neu finne ati hithe. Ond doedd dod i fy stafell westy cyn 'perfformiad' ddim yn rhan o'r drefn arferol, ac felly roedd yn deimlad rhyfedd a'r ddau ohonom yn swil braidd.

Wy wedi blino achos dy'n ni ddim yn stopio. Mae cyment o waith i'w neud. Trefnu cyfarfodydd, cynnal cyfarfodydd ymylol, siarad gyda'r wasg, ailwampio areithiau. Mae'r rhestr yn ddi-ben-draw. Wrth fod ar yr hewl fel hyn, rwyt ti'n dod i adnabod dy hunan (a dy gyfyngiadau) yn glou.

Roedd Edith yn dyner iawn 'da fi. Ishteddodd hi ar erchwyn 'y ngwely ac estyn mwged twym o fêl a lemon. Yna fe siaradodd hi. Dweud ei bod hi'n llwyr ymwybodol 'mod i'n rhoi popeth i'r daith 'ma. Wnes i ddim cytuno, dim ond gwrando. Y gwir amdani yw ei bod hi'n dibynnu arna i i fod yn ddigon iach i annerch y cyfarfodydd nesa. Wedi'r cyfan, mae'r pwysau'n drwm ar ein hysgwyddau ni nawr. Ymhen llai na thri mis fe fydd y siarad cyhoeddus a'r trafod yn dod i ben a byddwn yn rhoi'r streic yn erbyn yswiriant iechyd preifet ar waith. Y streic trethi fydd cyfle cynta Poboliaeth i ddangos ein bod yn rym credadwy yng Nghymru. Ar yr un pryd â'r streic, y bwriad yw y bydd pawb sydd wedi ymaelodi'n gudd â Phoboliaeth yn datgan yn gyhoeddus eu bod yn aelodau.

Byddwn yn gweithredu'r streic trethi drwy hacio meddalwedd *payroll* Llywodraeth Cymru a Phrydain Fach. Bydd pob taliad treth gan y rhai sy'n streicio yn cael ei gadw yng nghyfrif Poboliaeth, yn hytrach na mynd i goffrau'r ddwy lywodraeth.

Yn ystod y mis o weithredu, byddwn yn galw ar y bobol sy'n gweithredu'r streic trethi i feddiannu ardaloedd poblog yn eu cymunedau yn eu hamser sbâr er mwyn dangos yn glir bod mudiad Poboliaeth ar waith. Os bydd y system yn ein carcharu oherwydd y streic byddwn yn barod i gymryd cyfrifoldeb. Bydd carcharu aelodau yn esgor ar ragor o gefnogaeth i'r ymgyrch am nad oes dim yn fwy effeithiol i ddenu cefnogaeth i ymgyrch na charcharorion cydwybod.

Wrth gwrs, mae posibilrwydd mawr y bydd cwmnïau sy'n cyflogi pobol sy'n gweithredu'r streic trethi yn diswyddo'r gweithwyr hynny. Ein bwriad yw blac-listio'r cwmnïau hynny a thynnu sylw'r cyhoedd at eu gweithredoedd, yn ogystal â defnyddio'r arian treth sy'n cael ei gadw gan Poboliaeth i ddigolledu teuluoedd fydd yn diodde o'r herwydd.

Mae'r ffaith fod dyddiad y streic yn agosáu ac fy mod i'n llai egnïol nag y bues i ers sbel yn codi ofon arna i. Nid nawr yw'r amser i wanhau a cholli nerth. Mae misoedd o waith pwysig ar ôl i'w wneud a channoedd yn rhagor o enwau i'w casglu.

Mae Edith yn argyhoeddedig bod heddlu cudd yn barod ar waith yn ein cyfarfodydd a bod 'y system' yn gwybod popeth am fanylion y streic. Yr hyn sy'n fy mhoeni i fwya, fodd bynnag, yw'r ffaith y gallai'r streic fynd y tu hwnt i'n rheolaeth ni.

Yn amlwg, mae Poboliaeth wedi pwysleisio a phwysleisio drachefn ein bod yn fudiad sy'n gweithredu'r dull di-drais, ond does dim modd yn y byd i ni wybod sut y bydd pob unigolyn yn ymateb pan fydd heddlu yn eu bygwth neu ryw sefyllfa neu'i gilydd yn codi.

Fe wnes i grybwyll fy mhryderon wrth Edith pnawn 'ma, ac fe wnaeth hi drio 'mherswadio i nad oes diben mynd o fla'n gofid. Yna, heb rybudd, fe gusanodd fi. Ac fe wnes i ei chusanu yn ôl. Yn hytrach na gafael yndda i'n nwydus wedyn, fe estynnodd amdana i a fy nal i.

Fe wnaethon ni aros felly am ryw hanner awr. Ar y gwely sengl hwn yn Llanidloes. Ac yna am hanner awr wedi chwech, fe es i i gael cawod a pharatoi fy anerchiad ar gyfer y cyfarfod nos.

*

**Neges gan MorfuddCaerdydd@hotmail.co.uk**
**At Brynach2018@gmail.com**
**Mai y 25ain, 2056**
Dwi'm yn meddwl ei fod o'n syniad da iti anfon rhagor o negeseuon meddw, Brynach. Dio'm yn helpu neb. Er ei bod hi'n ddyddia cynnar, dwi'n awyddus i unrhyw drafodaethau am hawliau fynd drw'r twrna o hyn allan.

**Neges gan Brynach2018@gmail.com**
**At MorfuddCaerdydd@hotmail.co.uk**
**Mai y 25ain, 2056**
Twrne? Pam so ti jyst yn dod 'nôl gytre a gallwn ni drafod pethe'n gall?

**Neges gan MorfuddCaerdydd@hotmail.co.uk**
**At Brynach2018@gmail.com**
**Mai y 25ain, 2056**
'Na i'm trafod rhagor heno, Brynach. A beth bynnag, 'dan ni 'di bod drw hyn wthnos dwytha.

**Neges gan Brynach2018@gmail.com**
**At MorfuddCaerdydd@hotmail.co.uk**
**Mai y 26ain, 2056**
I ti ga'l gwbod, o'n i ddim yn feddw neithwr. Ffaelu cysgu o'n i. Achos bod fy ngwraig i 'di GADEL 'da'n plentyn ni bythefnos 'nôl. Wy dal yn ffycin tampan 'da ti am dynnu hi o'r ysgol, Morfudd. Ma wthnose tan wylie'r haf! Ma hanner meddwl 'da fi riporto ti i'r gwasanaethe cymdeithasol. MOR FFYCIN ANGHYFRIFOL.

**Neges gan MorfuddCaerdydd@hotmail.co.uk**
**At Brynach2018@gmail.com**
**Mai y 26ain, 2056**
Ti o'dd yn anghyfrifol yn mela hefo Poboliaeth eto. Tisio fi adrodd hynna wrth yr awdurdoda?

Gan nad wyt ti wedi gofyn – ma Tanwen wedi cael lle dros dro yng Nglantaf. Fydd hi'n cychwyn yna ar ôl hannar tymor. Dyna lle aeth dy dad di, 'de. Ma Cadi (Mostyn a Claire) yn yr un flwyddyn â hi, felly bydd hynna'n beth braf.

O.N. Dwi'n dallt bo chdi'n brifo, ond plis paid ag anfon yr holl negeseuon 'ma. A plis paid â defnyddio *CAPS LOCK* – mae'n ymylu ar fod yn ymosodol.

**Neges gan Brynach2018@gmail.com**
**At MorfuddCaerdydd@hotmail.co.uk**
**Mai y 26ain, 2056**
Ymosodol yw mynd â phlentyn rhywun i ochr arall y wlad. Ti mor hunanol, ma fe'n anhygol. Dylen i fod wedi deffro i hyn flynydde 'nôl. Tanwen ddylse ddod gynta – ei haddysg hi a bod gyda'i chylch ffrindie hi!!!!

**Neges gan MorfuddCaerdydd@hotmail.co.uk**
**At Brynach2018@gmail.com**
**Mai y 26ain, 2056**
Mae croeso i chdi yma, dwi 'di deud hynna o'r blaen. Ond ti'n gwbod yn IAWN pam esh i. Ma'r blynyddoedd nesa am fod yn bwysig i Tanwen a ma isio i betha fod mor sefydlog â phosib iddi ga'l stydio. Fysa gynni'm gobaith hefo tad sy isio bod yn *freedom fighter* eto.

**Neges gan Brynach2018@gmail.com**
**At MorfuddCaerdydd@hotmail.co.uk**
**Mai y 26ain, 2056**
Sefydlog???!!! Yfe jôc yw 'na fod???

Os wyt ti'n meddwl bo ti'n mynd i ga'l cadw hi lawr yn G'rdydd nawr (yfe 'na beth ti newydd gyhoeddi???) alli di siarad 'da 'nghyfreithiwr i 'fyd. Mae ei FFRINDIE hi i gyd yn Aberystwyth. Ma lot o'i PHETHE hi dal yn Aberystwyth. Mae ei DOCTOR hi yn Aberystwyth. Wy'n gwbod shwt beth yw bod heb dad wrth dyfu lan, Morfudd. Paid ti MEIDDIO neud hyn iddi hi.

**Neges gan MorfuddCaerdydd@hotmail.co.uk**
**At Brynach2018@gmail.com**
**Mai y 26ain, 2056**
Nest ti groesi llinell pan wnest ti gyfarfod Edith heb ddeud 'tha i. Mater o amser fysa hi. Dwi'n dy nabod di.

**Neges gan Brynach2018@gmail.com**
**At MorfuddCaerdydd@hotmail.co.uk**
**Mai y 26ain, 2056**
Paid gweud wrtha i PWY YDW I a beth bydden i'n NEUD, MORFUDD. Un cyfarfod o'dd e. Ac ydw, wy yn *pissed* nawr. Ashcos mae'n nos Wener os ti ddim wedi sylwi, achos bod it'n rhy styc lan dy ben ôl dy hunan i wbod. Aberystwyth is keeping *JUST finef* i ti gal gwbdo.

Pam na nest ti hyst gofyn i fi beth o'dd yn mynd mlân yn lle gadel fel nest tii????? Neith Tanwen fyth fadde i ti pan ddysgith hi beth ddigwyddodd. Nest ti jys penderfynu beth oedd yn mynd i ddigwydd yn lle YMDDIRIED YNDDOF FI>>DY ŴR Di. Nest ti fynd yn hollol paranoid a penderfynu ar ran fi beth o'n i yn Mydn i Neud. A dyma fi nawr, mas yn ymchgyrchu gyda Pooblieth? NA!!! FI YN TŶ NI yn *pissed*. achos fan hyn wy isie bod. GYda ti a GYDA'N FERCH I. Be fi fod i neud nawr? Be fi fod i neud? Jyst cario mlân>??? Heb teulu fi?

Wel i ti ga'l deall, fi dod lawr Caerdydd wthnos nesa. I weld Tanwen. Fi'n mynd i ca'l amser off GQwaith. Alli di ddim jystt cerdded bant a DWYN hi.

**Neges gan MorfuddCaerdydd@hotmail.co.uk**
**At Brynach2018@gmail.com**
**Mai y 26ain, 2056**
Ma gynnon ni wythnos brysur wthnos nesa. Mae'n hannar tymor. Wedyn, pwylla – ocê?

*

54

**Neges gan gaynor.trewyn@cyngorcap.cymru**

**At brynach.yang@cyngorcap.cymru**

**Mai y 29ain, 2056**

Brynach,

Diolch am y neges. Ynglŷn â dy gais i gael tridiau o'r gwaith… wyt ti ar gael am sgwrs amser cinio?

Gaynor

O.N. Wyt ti wedi cael cyfle i lenwi'r ffurflen adborth am y diwrnod hyfforddi? Llion yn holi amdanynt. Diolchgar am bob sylw. Sioned wedi anfon sylwadau, ond angen mwy.

**Neges gan brynach.yang@cyngorcap.cymru**

**At gaynor.trewyn@cyngorcap.cymru**

**Mai y 29ain, 2056**

Ydw. Mewn chwarter awr?

Brynach

**Neges gan gaynor.trewyn@cyngorcap.cymru**

**At brynach.yang@cyngorcap.cymru**

**Mai y 29ain, 2056**

** wedi ei encryptio**

Diolch am y sgwrs, Brynach. Deall nad yw'n gyfnod hawdd iti ar hyn o bryd.

Fel soniais i, mae'r cynnig diswyddiadau gwirfoddol yn gymharol hyshhysh ar y foment ond roeddwn i'n meddwl y byddwn yn rhoi rhagrybudd fod hyn ar y gweill fel bod gen ti gyfle i gnoi cil dros y peth tra bo ti ffwrdd.

Rwyt ti'n berson hynod garismataidd a hoffus, Brynach. Pawb yn y swyddfa yn dweud hyn amdanat. Ond tybed a wyt ti wedi ffeindio'r alwedigaeth sy'n caniatáu iti arddangos dy holl sgiliau?

Os hoffet ti gael sgwrs am y materion yma, neu unrhyw fater arall, rho wybod. Fe fydd y rownd nesaf o doriadau yn ergyd a hanner ac yn fygythiad mawr i ni fel corff. Y pecyn diswyddo hael yn sicr werth ei ystyried felly? Rwyt ti mewn sefyllfa dda iawn i ffeindio swydd wych iawn – yng Nghaerdydd neu yn Aberystwyth.

Ac os wnei di… dan dy het?

**Neges gan brynach.yang@cyngorcap.cymru**

**At gaynor.trewyn@cyngorcap.cym**

**Mai y 29ain, 2056**

*Mae Brynach Yang allan o'r swyddfa. Bydd yn ôl wrth ei ddesg ar ddydd Iau, Mehefin y 1af, 2056. Os yw'n fater brys, ffoniwch 7817 370 567*

*Brynach Yang is out of the office. He will be back at his desk on Thursday June the 1st, 2056. If it's urgent call 7817 370 567*

*

Cerdyn Adnabod

**Enw:** Edith Hutchingson

**Dyddiad Geni:** 7/5/2003

**Man Geni:** Jos, Nigeria.

**Cyfeiriad Presennol:** Ffarm y Dolau, Ger Cwmfelin Mynach, Sir Gaerfyrddin.

**Galwedigaeth:** Rheolwr Canolfan y Farchnad.

**Statws:** Priod.

**(MEWNOL) Bygythiad:** Uchel.

*

Sgwrs a recordiwyd gan yr heddwas cudd Tomos Newman

'Ocei, so croeso plis i Sandy a Tomos. Gwirfoddolwyr newydd ni. Pawb clapo? Ies, ies. Lyfli.'

'So, i ni egluro, beth ni'n gwneud ar dydd Llun yw diwrnod *outreach*. Dim ots pa prosiects ti'n gweithio arno am gweddill yr wythnos, dydd Llun, mae pawb yn mynd allan ar y strydoedd yn Caerfyrddin. Hyd yn oed Mindy, *isn't it*, Mindy? A mae Mindy ddim hyd yn oed yn deall lot o Gymraeg... eto.'

'Bydd pobl arall yn ddangos chi beth i wneud, ond *basically*, ni'n gweithio ffordd ni lan Heol Awst, a lan Heol Santes Catrin *and so on - you get the drift*... chi dim yn ca'l y *drift*? Chi'n edrych yn *confused* arno fi nawr. *Ah ok*, dim problem. *So basically*, ry'n ni gyd yn mynd allan i gwahanol siopau, tafarns, canolfans a ry'n ni'n siarad gyda bobl. Siarad am bywyd a siarad am os nhw yn gallu siarad Cymraeg. A ni'n gwneud rwbeth o'r enw mapio sy'n gadel ni gwybod pwy yw pobl Caerfyrddin. Ni'n eisiau ffeindio mas amdano bywyd nhw. Gwybod stryglau nhw. 'Ok. Cyfle i chi ca'l coffi nawr. *Get to know the gang.* Ond ar ôl coffi, bydd chi dau yn dod i weld fi a bydd ni'n cynnal sesiwn personol am y Prosiect Gwallt. *Very exciting.*'

'Mindy, *lovely.* Ti'n ok? Diwrnod braf heddiw. Haul yn gwenu ar Canolfan y Farchnad!'

'The BBC have been on the phone, want to do an interview with you about the Hair project.'

'Gwych, Mindy. Trio dweud hwnna yn Cymraeg nawr.'

'*Ummmh.* Mae'r BBC ffôn?? Eisiau... chyfweliwr gydag ti? Am slot Gymraeg One Radio Wales.'

'Perffaith, Mindy! Byddi di'n rhugl erbyn y Nadolig!'

'So you'll do it?'

'Gofyn yn Cymraeg, Mindy.'

'Bydd chi yn gwneud ef?'

'Yn pendant. Danfon Sandy a Tomos i'r swyddfa mewn deg munud?'

'Dim problem. Ar fy union.'

'Ar fy union. Rwy'n *impressed*, Mindy, mae hwnna'n Cymraeg da.'

*

Neges gan ChloeMann@crwbanod.cymru

At EdithHutchingson@canolfanyfarchnad.cymru

Mai y 30ain, 2056

Edith,

Mae fi wedi cael clywed heddiw bod *huge influx* newydd o bobl wedi cyrraedd Caerdydd dros nos. Yn amlwg, achos dwi'n gweithio i'r cyngor rwy'n clywed gan swyddogion arall ac roeddwn i eisiau dweud i ti fel ti'n dweud i bobl arall ac mae'r *chain* yn dechrau.

*Apparently*, mae tua mil wedi cyrraedd dros yr penwythnos. Rhan fwyaf o Middle East ond rhai o de Sbaen. Efallai chi gallu cymryd rhai mewn yn y Buarth i gweithio yn y *greenhouse*? Ti dweud. Mae Caernarfon yn chwenychu rhai hefyd.

*On another note*, bydd ti ddim yn synnu fi yn dweud – mae ffrindiau i fi sy yn byw yn Nicaragua a Guatemala wedi cysylltu i ddweud bod pethau yn rili anodd yna ar hyn o bryd achos y *cocoa crops* ac ati yn brin iawn a *inflation through the roof.* Ond mae gobaith yn y *region* achos mae llawer iawn o *grassroots groups* yn fformo hefyd, ac maen nhw â ddiddordeb yn Poboliaeth.

Poboliaeth yn cyrraedd pob man ar hyn o bryd. Un dydd, byddwn ni'n rhydd.

Ac, mewn newyddion eraill... roedd fi a fy *eldest* Neil yn *A and E* neithiwr am pedwar gloch bore - *can you believe?* Mae fe wedi llosgi ei llaw ar ffwrn cariad newydd e pan roedd nhw'n 'trio' coginio *bolognese* (yn *drunk!*). Roedd Orla a fi wedi rysho fe draw i'r sbyty achos mae fe na'r cariad newydd heb car (nac *insurance* iechyd) ac yn waeth na hwn i gyd - roedd y *bolognese* roedden nhw wedi coginio yn blasu'n ofnadwy. Rwy yn jocio. Ond, ti'n gwbod. Rwyf wedi codi fe i gwybod beth sydd yn blasu'n dda... Ac mae prynu cig yn cymaint *luxury* nawr. *Such a waste!*

Bydd fi'n gobeithio siarad gyda ti yn hwyr yn yr wythnos. Gweld dy eisiau.

Chlo X

**Neges gan Edith@poboliaeth.cymru**
**At ChloeMann@crwbanod.cymru**
**Mai y 30ain, 2056**
Mae'n flin gen i clywed am Neil. A diolch am gwybodaeth. Ond faint o weithiau sy'n rhaid i fi dweud wrthot ti, Chloe? **Paid defnyddio e-bost y canolfan i anfon pethau personol** ac os ti'n gorfod, anfon fi llythyr llaw gyda'r holl gwybodaeth am ffoadurs. Mae pawb yn gallu ddarllen POPETH electronig!!

E

**Neges gan Edith@poboliaeth.cymru**
**At Cet@poboliaeth.cymru**
**Mai y 30ain, 2056**
Ymateb:
Cêt, mae hyn yn *fucking travesty*. Os yw Morfudd yn gwybod unrhyw beth am y cynllun, bydd angen ystyried beth i wneud amdani hi. Ydy e'n unrhyw posibilrwydd mae'n wedi cael *sniff* ar beth sydd yn mynd ymlaen?????! Rhaid ni cymryd unrhyw risg o bobl yn gwybod am y cynllun yn *serious* iawn.

Dwi'n flin clywed am Brynach a beth sydd wedi digwydd gyda nhw ond mae hwnna'n ddim yn problem ni. Problem ni yw bod e yr amser iawn i gweithredu Gwales yn Caerfyrddin cynnar gwanwyn blwyddyn nesaf a rhaid dechrau ar y waith caib a rhaw NAWR.

O ran Caerfyrddin, mae'r data yn dangos ni gyda lot o cefnogaeth. Mae'r data hefyd yn dangos bod cael Brynach gyda ni (arweinydd carismataidd sydd yn mynd i gallu helpu egluro Gwales) yn mwy pwysig nag erioed. Gall ti dod 'nôl o Berlin heno o posibl? Trefnu cyfarfod gydag ef yn Caerfyrddin ar y 3ydd? Dyma dyddiad y fagddu cyntaf. Byddai'n dda ei cael yn y dref. Mae hwn y peth mwyaf pwysig gofynnais iddot gwneud erioed. I ddwedyd y gwir, rwyf yn meddwl o hyn ymlaen dylet fod 'nôl yn Cymru yn gweithio. Felly pacia dy bagiau a gwelaf ti yn fuan.

**Neges flaenorol**
**Mai y 30ain, 2056**
Haia Edith,
Diolch am y neges. I ddweud y gwir, wy'n becso lot am Brynach. Ers i ti gyfarfod gyda fe ma Morfudd wedi ffoi i Gaerdydd at ei chwaer. Roedd hi wedi busnesu yn ei negeseuon a gweld eich bod wedi cwrdd. Bob tro dwi'n cysylltu gyda fe mae'n dweud wrtha i fynd i'r diawl. Dwi'n becso ei fod e'n dost eto.

O.N. Eitha siŵr na fyddai Morfudd wedi gallu darllen am Gwales achos byddai'r ddogfen wedi diflannu erbyn hynny. Ond methu dweud i sicrwydd.

**Neges flaenorol**
**Mai y 30ain, 2056**
Cêt,
Ti'n gallu trio siarad gyda Brynach ers i fi cyfarfod gyda fe? Mae e wedi cael llawer amser i feddwl nawr - rwy'n meddwl byddai'n amser da i cysylltu eto. Bydd sgwrs ti a fe yn gwneud llesol achos rwyt nabod e fel cefn dy llaw. Rwy'n sicr mae'n dal gyda diddordeb. Gwelais hynny mewn ei lygaid.
Edith

*

Sgwrs a recordiwyd gan yr heddwas cudd Tomos Newman.

'Dewch mewn, dewch mewn. Eisteddwch, eisteddwch. Cwestiynau? Paid â bod yn swil! Ie fan'na, yn y cadeiriau yna.

'Ok, wel, dim *pressure* yw'r peth cyntaf i dweud. Mae'n amser *exciting* iawn. A chi yn dechrau ar gwaith pwysig iawn. Mae ni wedi gwneud rhwbeth tebyg i'r prosiect yma gyda *nail artists* yn Llanelli ond hwn y tro cyntaf ni wedi gallu ffindo arian i gael dau person llawn amser i weithio ar Prosiect Gwallt. Rwy'n gwybod chi dau â profiad, drwy canolfannau iaith y llywodraeth – ond yn canolfan y marchnad ni yn gwneud pethau 'chydig bach yn wahanol i y llywodraeth. Wel *actually*, yn hollol wahanol. So, bydd fi'n redeg trwy y plan?

'*Great*. Wel yn syml, mae dim plan. Mae y plan yn mynd i dod o'r pobl chi'n dod i nabod yn y tref. Ond, un peth yn glir iawn i dechrau. Dydyn ni ddim yma i gwasanaethu y "dosbarth ffodus" fel ry'n ni'n galw nhw. Mae y dosbarth yna, y pobl sydd yn ennill yn ok ac yn siarad Cymraeg yn barod bob dydd – y crachach mae Llawen fy ngŵr yn eu galw nhw – maen nhw dim angen help ni. Maen nhw dim angen caffi *exclusive* a maen nhw dim angen lle i cynnal cyfarfods Clybiau Gwawr. Bydd y digwyddiadau hynny yn digwydd beth bynnag.

'Y pobl ni'n eisiau cyrraedd yw "the oppressed" yn *lexicon* Neo-Gomiwnyddiaeth Dwyrain Ewrop. Yr "have nots". "Y rhai sy'n mynd yn angof" yn geiriau Poboliaeth. Wrth gwrs, mae pawb yn rhan o "y corff" ond y pobl sy'n cael sylw gyda ein prosiectau ni yw'r "rhai sy'n mynd yn angof". Y pobl heb yswiriant iechyd, y pobl gyda teuluoedd yn delio cyffuriau, sydd yn methu prynu bwyd gyda *vitamins* ynddynt. Cofiwch hynny. Bob tro. Gall y crachach ein helpu i cyflawni y nod ond nid nhw sydd yn cael ein sylw.

'Pawb yn iawn? Rwy'n gwybod, rwy'n siarad lot. Ac mae fi wedi mynd yn twtsh *intense* fan'na. *So here's the non-plan* yn syml... *Get to know this town*. Mae'n dim wastad am y Cymraeg. Mae'n dim wastad am hysbysebu digwyddiadau ar Facebook chwaith. Mae am *actual chats* gyda *actual* pobl. Rydych eisiau derbyn nhw am pwy nhw yn. Ond cofio – casglu *as much* gwybodaeth *as you can* amdanynt. Y gwybodaeth yma yw yr allwedd i dyfodol newydd i'r Cymraeg. A Cymru. A Caerfyrddin. Gwybodaeth, fel maen nhw'n dweud, yw'r brenin.

'Iawn. So bydd fi'n egluro *background* y Prosiect Gwallt... Roedd fi wedi gweld prosiectau yn Affrica lle mae merched sy'n breido gwallt yn

hyrwyddo arfer da am *safe sex*. Menywod trin gwallt yn rhoi condoms
i menywod mewn saff amgylchedd, a cael sgwrs ymlaciol am sawl peth
arall am iechyd. *Genius.*

'Wel, mae'n yr un math o egwyddoriau gyda Prosiect Gwallt
Caerfyrddin. Ond dim yn trafod HIV, na breido lot o gwallt (heblaw fi
efallai!). Byddwn delio 'da rhwbeth llawer mwy cymhleth na *sex* yn
Caerfyrddin! Y Cymraeg. *Basically*, mae tystiolaeth yn dangos mae pobl
yn prowd bod nhw'n gallu siarad Cymraeg. Y problem yw mae dim hyder
gyda nhw *actually* siarad e.

'Ond y newyddion da yw - mae *hairdressers* yn siarad gyda pawb!
Ac mae pobl, am ryw reswm, yn tueddol siarad gyda *hairdressers*. A
dyma'r pwynt pwysig.

'Mae ymchwil ni yn dangos mae dros 61% o'r *hairdressers* sydd yn
gallu siarad Cymraeg yn Sir Caerfyrddin dim yn siarad Cymraeg gyda
*customers* nhw achos dydyn nhw eu hunain dim yn digon *confident*, neu
maent yn meddwl mae *customers* nhw ddim yn ddigon *confident*. Felly
dyma y prosiect! Gweithio gyda'r pobl trin gwallt yma a codi *confidence*
nhw lan i yr awyr! Ha ha!

'Dwi'n dweud i ti - mae *hairdressers* yn pobl pwysig iawn. Dim ots dy
safle yn y cymdeithas, mae pawb yn gorfod torri eu gwallt. Maen nhw'n
clywed y storis i gyd.

'So. Digon am y plan. Beth amdanoch chi? Beth yw stori chi,
Tomos?'

'O Grymych 'yf fi. O'n i'n gweitho i Heriaith yn Aberteifi tan, wel, tan
y toriade. Ma'r ganolfan wedi cau nawr.'

'Wrth gwrs, ie, rwy'n cofio yn yr cyfweliad. A Sandy?'

'Wel? Ha, ym, *in a nutshell*? Mam i dau o plant sy'n mynd i Ysgol y
Dderwen. Ac mae'n amser ddechrau 'nôl yn y gwaith i fi nawr. Mae fy
gŵr yn GP yn Meddygfa'r Cwrwgl. Ond gallaf ddim eistedd yn y tŷ drwy'r
amser - mae gen i eisiau mynd yn ôl i'r gwaith.'

'Grêt. Rwy'n edrych ymlaen dod i nabod chi yn llawer gwell. Un *golden
rule* sydd gen i i chi nawr, ac wedyn rydych yn rhydd i fynd i weithio yn y
dre. Paid disgwyl i pobl dod atoch chi - rhaid i ti mynd atyn nhw. Wneud
i'r prosiect gweithio i bywyd nhw. Yn ble maen nhw yn gweithio neu dim
yn gweithio. Ymarfer Cymraeg yn y *local caff*. Ar oriau sy'n gweithio
iddyn nhw. Dysgu am nhw. Dysgu am strygls nhw. A cofnodi hynny yn y
*bas data*. Pwysig, pwysig iawn. Pob lwc! Chi yw bòs eich hunan nawr!

'Paid edrych yn sioc, Tomos! Mae'n wir. Dim targedau. Dim cyfri faint o pobl sydd wedi siarad Cymraeg yn dy digwyddiad. *Results* i ni yw bod allan yna, gyda pobl go iawn. Gweld y newid ar y stryd. Rydym yn credu mewn "praxis"! Gwneud! Ok, wel, diolch am dod. Ymddiheuraf os rydwyf wedi siarad yn gormodol. Unrhyw cwestiynau, dewch i fy gweled unrhyw bryd. Rhaid i fi mynd i gwneud cyfweliad gyda'r BBC nawr. Am y prosiect yma! Beth am cyd-ddigwyddiad hyfryd!'

*

**Cerdyn Adnabod**

**Enw:** Shan McKinley
**Dyddiad Geni:** 23/6/2028
**Man Geni:** Ysbyty Glangwili, Caerfyrddin.
**Cyfeiriad Presennol:** 32, Park Hall, Caerfyrddin.
**Galwedigaeth:** Di-waith. Dibynnol ar gyflog ei brawd.
**Statws:** Sengl.
**(MEWNOL) Bygythiad:** Isel.

*

**@twyrn**
Ie, fi yn diall. Fi yn timlo yr un peth lot. Mae'r byd ma'n ffycd yp ie.

**@shan712**
*Totally!* Ti'n gallu anfon pic 'te?

**@twyrn**
*Broken record!*

**@shan712**
Wel – Ma *profile* ti'n neis… ond fi methu gweld corff ti…

**@twyrn**
Bydd raid ti aros gweld. *Good things come to those who wait…*

**@shan712**
Ti'n hoffi dynion ti'n 'fawr'? Achos v da llunie…

**@twyrn**
*Fuck off.* Ti heb di hyd yn oed gofyn *fuck all* amdano fi eto. *Go hassle someone else.*

**@shan712**
O cym on. Jôc yfe.

…

**@shan712**
Rili? *That's it?*

…

**@shan712**
Suit yourself. Your loss.

★

**@dyfanhwyaden**
Haia. Fi gwybod ni ddim sharad ragor. A ni wedi dweud *goodbyes* ni. Ond *just tell me you're not dead.* Bydde hwnna yn rili boring…

**@shan712**
Dal yn fyw.

**@dyfanhwyaden**
Ffiw. Ti gyda rywun arall nawr?

**@shan712**
Pam nest ti ddim dod i gwrdd â fi?

**@dyfanhwyaden**
Achos ti gyda gwraig.

**@shan712**

Pam anfon neges nawr 'te? A gofyn y cwestiyne 'ma i gyd...

**@dyfanhwyaden**

Achos v miso banter ni, Dyf. A achos pawb arall yn bastards.

**@shan712**

A v ddim?

**@dyfanhwyaden**

*At least I know with you.* A ti'n ddiddorol. Eisiau sharad am y byd. Ni yn ffrindiau, nagy'n ni? Wy'n gwbod ni heb gwrdd. Ond ni yn ffrindiau?

**@shan712**

Caerfyrddin dal yn sefyll?

**@dyfanhwyaden**

Az amazin az eva.

**@shan712**

Ha. Da iawn. Nos da, Shan.

**@dyfanhwyaden**

Mor glou?

**@shan712**

Fi'n cynnal cyfweliade fory. Angen bod *on it.* Hwyl Tywysoges X

**@dyfanhwyaden**

Hwyl, Dyfan X. Ond cofia, os ti eisiau chat rywbryd, fi ar gael. A fi yma i ti. Dwi'n hoffi clywed *musings* ti. A dwi'n hoffi clywed ti'n compleino am y prifysgol. Sai'n ca'l siawns i sharad 'da pobol 'da *brains* yn aml.

\*

Gan shan712@gmail.com

At Mami@gmail.com

Mami,

Fi methu credu'r peth, ma fe'n mish Mehefin nesa. Fel nath hwnna digwydd? Er, so fe fel 'se fe'n haf chwaith. So ni 'di ca'l dim haul yn ddweddar. Dim barbaciw. Dim byd. Gweud 'ny, beth bydden ni'n galler roi ar barbaciw dyddie 'ma ta beth? Falle alle Bruv hela cwningen... A falle alle Dai drws nesa roid rai o'i domatos e i neud salad pan ma nhw'n barod. Ma fe'n roid dŵr arnon nhw bob dydd, *bless*. Fel 'se nhw'n blant iddo fe.

Ma Bruv yn ok gyda llaw. Ma fe'n dod 'nôl yn hwyr eitha lot dyddie 'ma achos ma fe'n helpu ail-neud tŷ Ellie lawr Priory Street. Peinto walydd a fficso ffenestri – pethe fel'na.

Ma nhw 'di bod rownd gyda *notice* i Park Hall wthnos 'ma. *Apparently* yn Ionawr 2057 ma nhw moyn cued y *community centre*. Ma *public consultation* yn mynd i fod yn ôl y llythyr. A fi'n mynd i ateb e. Mwy i ti na i fi. Achos fi byth yn mynd 'na. Ond fi'n cofio ti a Mam Dale Williams a Carys a Emma yn neud *massive fuss* am y peth yn y *letter section* o'r *Journal* blinidde 'nôl. A fi'n cofio ti'n sharad ar y radio am y peth hefyd. Yn *best Welsh* ti. A fi'n cofio'r *councillors* yn ca'l llun o ni gyd i'r papur. Ar y glaswecht ar bwys y siop. O'dd gwynt haf bobman. Concrit. BBQs. Cachu ci. Sŵn y fan hufen iâ. A nethoch chi ennill. Nethoch chi cadw'r lle ar agor, dofe? A achos 'na, fi'n mynd i sgwennu llythyr. A bydd fi'n gofyn i Bruv i sino fe hefyd. Fel y llun o'r *Journal*, fi'n mynd i brinto'r llythyr a selotêpo fe arno'r ffrij. Dangos i'r byd bo ni ddim yn cysgu lan yn Park Hall.

Nath Bruv yn rili gwd ar y *stalls* ddoe. *Apparently* o'dd bysus o pobol o Llambed lawr ar *summer trip* a pawb eisie prynu *tea towels*. Da'th e â dou tywel 'nôl i fi 'fyd. Jocan bod e wedi gwerthu nhw a slipo nhw mewn i'w fag. Ma un yn gweud 'Barmy Benidorm' arno fe. *Bit baffling*. Ond *free* yfe. A ma'r un arall yn gweud 'Freedom city', *which* sai'n *really* diach chwaiff ond dim ots. Fi sy'n neud y sychu lan, so ie, o'n i'n hapus. Achos so Bruv yn roi anrhegion lot, ody fe?

Bore 'ma, bues i'n darllen 'to. Llyfr o fan trydan y llyfrgell yw e sy'n gweud shwt o'dd America yn arfer bod yn *super power* a pawb yn meddwl taw New York o'dd sentyr yr iwnifyrs.

O'dd Miss Jenkins yn Merlins arfer gweud taw Beijing yw *super city* y byd nawr ond o'dd hi byth yn swno'n hapus. Gweud bod isie bod yn garcus o'r *Chinese* ar ôl y ryfel ddigwyddodd. Wy'n cofio Sophie Kadrill yn gweud 'tho fi bod y *Chinese* wedi slasho pen tad-cu Miss Jenkins off mewn *battle*. Falle 'na pam so hi'n lico Beijing. 'Yf fi'n cofio'r ryfel, Mami? Neu yfe jyst ti'n sharad amdano fe? Fi yn cofio ti'n gweud 'tha i fod yn garcus o'r bobol *Chinese* o'dd yn byw rownd dre. Ond ar wahân i 'ny ma fe gyd yn *fuzzy*.

Es i lawr y Doctors heddi 'fyd. Ma Doctor Huw yn retiro, Mami. O'dd e'n dishgwl yn seriys iawn heddi, isie gwbod os o'n i wedi clŵed pa *benefits* bydden i'n collid dros y mishodd nesa. Eglures i bod yr *authorities* wedi bod ar y ffôn a gweud bo fi ddim yn *entitled* i taliade tan bo fi yn ffindo job. Ond sneb moyn dodi job ifi. Fi 'di treial a treial a treial. Ma nhw'n cymryd un pip arno fi ac yn desido bo fi ffaelu neud dim. Wy'n credu weithe bydden i'n rili gwd mewn *call centre*, ond shwt 'yf fi fod i gyrradd lawr i Abertawe fel 'yf fi? Wy'n *dead weight* a bydde neb i ga'l i gario fi on ac off y *bus*. O'dd Doctor Huw yn dishgwl yn drist arna i pan o'n i'n gweud hyn – fel 'se fe 'di torrid 'i galon e.

Nath e *blood test* arna i wedyn a ma *iron* deffishynsi fi 'nôl. Wedodd Doc Huw i fi fyta mwy o *spinach* a'r cwningod ma Bruv yn hela. Wedodd e 'fyd dyle Bruv safio lan yn sbesial i ga'l rwbeth fel cig *beef* weithe 'fyd. Ond wy'n gwbod shwt ma Bruv. So fe'n meddwl yn bellach na'i drwyn a ma fe'n pyrnu gormod o *skunk* i safio. Falle of'na i iddo fe fynd mas i hela 'to fory. Ac os yw e ffaelu ffindo cwningen gallith e saethu aderyn. Unrw beth. Jyst bod e'n cig.

Wrth i fi neud 'yn hunan yn barod i adel y stafell nath Doc Huw ddal 'yn fraich i, a dishgwl i'n lliged i. Ma isie ti neud yn siŵr bo ti'n mynd dros y top pan ma'r *checker-uppers* yn interviewo ti nesa, wedodd e. Ma nhw'n mynd i dreial neud mas bo ti ddim yn ddigon tost i beido gweitho. So ti'n galler mesur po'n, wedodd e. Wedyn gwed 'tho nhw bo ti mewn po'n weithe, hyd yn oed os ti ddim. So hyd yn oed y peirianne newydd yn galler mesur celwi. 'Na be wedodd e.

Wy yn lwcus bo fi'n ca'l *health coupons* achos compliceshyns fi. So Bruv yn *entitled* i dim byd nac yn galler ffordo *health insurance*. Ma fe'n gweud so fe wedi bod i weld y doctor ers deuddeg mlynedd. A fi'n credu bod 'na'n wir. Wy'n cofio'r noson dynnest ti a Dai drws nesa 'i ddant e mas 'da cortyn. Sai'n meddwl bo fi erio'd 'di wherthin gyment. O'dd gwa'd yn bobman.

Wedodd Doc Huw y bydden i'n ca'l *go* ar un o'r peirianne tro nesa. Ecseiting yfe, achos wy wedi clŵed amdanyn nhw ar y radio ac ar y *Morning Campers Show* ar y teli. Besicli, ma nhw'n *state of the art* – yn tsieco drosto ti gyd ac yn hala *full-blown report* i *email* ti. Ma nhw'n gweud bo nhw'n llawer gwell na doctor *human* achos ma nhw'n galler mesur ti tu fiwn a tu fas mewn *flash*.

Ar ôl 'ny 'nes i shiglo llaw Doctor Huw, a nath e agor y drws i fi. Tro cynta i fi twtsha rywun arall am wthnose. O'dd e'n dimlad lyfli. Yn dwym i gyd, ac yn sofft. Ond nago'n i'n hapus chwaith. O'n i'n twmlo'n drist. Welen i mono fe 'to fel hyn a ma fe wedi gweld fi'n tyddu ddar bo fi'n ferch fach.

Well 'da fi pan ma pethe jyst yn digwydd heb fi wbod. Yn siort ac yn siarp. Achos wedyn, ma wthnose tan bo ti'n sylweddoli taw na'r brecwast dwetha gethoch chi, a taw 'na'r ffeit dwetha gethoch chi. Lot gwell pan so chi'n gwbod am y pethe mowr.

Nos Da,

Shan X

P.S. Ma Whiskers yn llefen yn y nos yn ddweddar. Wy'n clywed hi pan wy'n deffro angen mynd i'r tŷ bach. Weithe wy'n meddwl taw jyst mewian mae'n neud, ond weithe wy'n becso falle bod hi mewn po'n. Neu'n gwel' isie fel o'dd pethe. Neu falle'n *pregnant*. Alla i byth ffordo mynd â'i at y *vet*, wedyn ma rhaid gobeitho'r gore. Siŵr taw fi sy'n becso heb isie, achos bo whant bwyd arna i. Sai'n galler stopid meddwl am tomatos Dai drws nesa. *I wonder* pryd byddan nhw'n barod? Alla i ga'l nhw ar ddarn o fara gwyn gyda siwgwr wedyn. Gwmws fel o't ti'n arfer neud, Mami. Ar ddwrnod braf o haf.

P.P.S. Wy'n credu falle bod *leak* 'da ni achos pam fi ar y landing weithe, ma drop o ddŵr yn bwrw pen fi. Fel 'se fe'n bwrw glaw tu fiwn. 'Na i ffono'r cownsil.

\*

Fy nghyfaill Gwilym,

Anodd yw credu mai dyma'r diwrnod olaf y bydda i'n ddoctor yn y dref hon. Mae Margo wedi ei gweld hi'n anodd iawn delio gyda fi drwy'r dydd ac felly, er mwyn osgoi dadl arall ynglŷn â *courgette*, dwi wedi mentro i'r stydi i sgwennu ambell i beth ar gyfer cofnod hanes.

Wel, mae pethau wedi mynd i'r gwellt dros y blynyddoedd, Gwilym, wir i ti. A'r robotiaid iechyd 'ma? Diolch i'r nef fy mod i'n ymddeol ddweda i! Fedrwn i ddim byw drwy'r ail 'phase' bondigrybwyll 'ma.

Ond pa ots am fy marn i am y pethau hyn bellach? Deinosor ydw i, ers blynyddoedd. Un o'r doctoriaid olaf weithiodd o dan hen drefn y gwasanaeth iechyd cenedlaethol. Hen beth sy'n perthyn mewn siop henebion yn barod.

Os ga i, Gwilym, dwi am fanteisio ar y cyfle i fod yn onest gyda thi am stad fy enaid. Mae'r ego wedi diodde cnoc enbyd wrth wynebu'r ymddeoliad 'ma. Nid fy mod wedi disgwyl ffanffer na charped coch wrth i mi adael heno, cofia. Ond dagrau pethau oedd nad oedd yna neb ar ôl yn y dderbynfa wrth i mi adael hyd yn oed!

Na, unwaith rwyt ti'n cyhoeddi dy fod ti'n mynd, rwyt ti mwy neu lai wedi mynd ym meddyliau dy gyd-weithwyr yn barod. Fel y gwyddost, roedd yna ddoctor ifanc, pranciog wedi fy mhrynu i mas o'r busnes cyn i mi fedru dweud 'Cydweli'. Ac wrth gwrs, roedd hyn yn newyddion penigamp i'r feddygfa, ac i bobol y dref. Ond i Doctor Huw? Aeth gwayw drwy'r galon. Byddai pawb wedi anghofio amdana i ymhen y rhawg.

Iawn, ydyn, mae Geraint a Mabli yn trefnu parti sypréis yn y Quins i mi, ac fe fydd yn noson hyfryd iawn, dwi'n siŵr (hynny yw, os nad yw Gwyneth Ifan yn penderfynu traddodi araith 'hwyl fawr' sy'n siŵr o fod yn gyfan GWBWL fyfiol). Ond heno? Dim ond tair neges destun arswydus o ystrydebol laniodd ar fy ffôn. Byddai'n well gen i dderbyn dim na hynny.

A dyma gwestiwn arswydus i ti nawr, Gwilym. Ydw i'n ddoctor mwyach? Yng ngwir ystyr y gair? Wedi'r cyfan, fydda i ddim yn derbyn galwadau ffôn gan y feddygfa. Fydda i ddim yn cael e-byst gan y BMA am wendidau strwythurol diweddaraf y gwasanaeth iechyd. Bron dros nos, dwi wedi troi'n neb. Wrth gwrs, fe wyddost o'r gorau nad ydw i wir yn meddwl hyn. Byddaf yn feddyg hyd fy niwrnod olaf. Mae'n alwedigaeth. Yn ymrwymiad oes. Ac eto, siawns y ca i fod yn hollol onest am fy nheimladau dyfnaf gyda fy ffrind gorau ar noson mor ansicr?

Y gwir amdani yw fy mod wedi mwynhau bod yn brysur, Gwilym.

Wedi mwynhau gwasanaethu. Do, ces fy nhynghedu i geisio gwella pobol yn dragywydd ond roedd hynny o fudd i fy iechyd fy hun, onid oedd? Oblegid rhoddodd imi... och... rhoddodd imi bwrpas penodol mewn bywyd. A beth nawr?

Pnawn 'ma, wrth i mi dynnu lluniau o'r teulu oddi ar wal fy swyddfa, fedrwn i ond teimlo bod dyddiau olaf gyrfa oes yn gorffen mor ddi-ffrwt. Pacio bocs o betheuach sy'n werth dim i neb. Cloi drws y swyddfa am y tro olaf un. Mae'r holl beth mor chwerthinllyd o anarwyddocaol mewn sawl ffordd. Onid yw diwedd pethau wastad mor afiach o ddiseremoni mewn gwirionedd? Marwolaeth fy nhad a fy mam yn enghreifftiau perffaith. Dyn mor abl a disglair â fy nhad yn cael harten mewn siop gornel. Fy mam wedyn. Yn syrthio dros ei bag llaw yn y cartref. Mae'r holl beth yn ffars rywffordd. Yn gwneud hwyl am ein pennau ni un ac oll.

Cofia di, efallai ein bod ar fai yn rhy aml wrth ystyried bywyd fel petai'n teithio ar hyd llinell syth. Popeth yn adeiladu ar ben ei gilydd. Yn anelu tuag at y man o'r enw 'y diwedd'. Popeth i fod i wneud mwy o synnwyr bob blwyddyn. Dyw'r peth ddim yn gweithio fel hynny o gwbwl, yn nac ydy?

Dwi'n cofio sylwi ar griw o ddisgyblion chweched dosbarth Caerfyrddin un tro, yn crwydro o amgylch y dref yn ystod gwers rydd. Ac wrth i mi eu gwylio nhw'n llusgo'u bagiau ac yn piffian chwerthin, fe sylweddolais. Sylweddoli eu bod nhw wedi cael eu cyflyru i ffynnu, i weithio'n galed er mwyn cyflawni rhyw nod. Dyddiau da yw'r rheiny, onid e? Dyddiau pan wyt ti'n blasu rhyddid am y tro cyntaf ac yn meddwl y daw pethau mawr yn sgil dy fodolaeth ar y ddaear hon.

Ond... ac mae'r ond yn fawr, Gwilym. Diau y byddai'r bobol ifanc hynny yn wynebu sylweddoliad enfawr ryw bryd. Wedi iddynt adael ysgol efallai, neu orffen yn y brifysgol. Sylweddoli nad oes cynllun clir a chynhyrfus i bawb. Ac nad yw bywyd, yn y bôn, yn gwneud synnwyr. Mae'r sylweddoliad hwnnw yn aml yn un treisgar all arwain at iselder ac eto, does neb yn crybwyll y peth. Fe ddylen nhw rybuddio pobol ifanc am hyn yn yr ysgolion. Wrth gwrs fod bywyd yn antur, ond mae'n antur bigog ar y diawl os wyt ti wedi disgwyl cyfres o ddigwyddiadau destlus a chynnydd ar ben cynnydd!

Ac yn waeth eto na hyn i gyd, ry'n ni'n cael ein cyflyru i feddwl bod gennym reolaeth dros y pethau hyn. Rheolaeth dros ein gyrfaoedd, ein carwriaethau a'n plant. Ac am ffars yw hynny, Gwilym!

Ond yn ôl ata i nawr. Fy hoff bwnc, fel y gwyddost. Sut alla i deimlo fy mod yn werthfawr i'r gymdeithas o hyn ymlaen? Sut alla i barhau i ddarbwyllo fy hun fy mod i'n cyfri? Oblegid dyna yw'r peth pwysig, onid e? *Meddwl* dy fod yn cyfri. Deffro yn y bore a theimlo bod gen ti bwrpas clir. Mae'n gynhenid ynom ni i gyd. Y dyhead hwnnw i fod yn rhan o'r jig-so, mewn ryw ffordd neu'i gilydd.

Dyna pam roeddwn i wastad yn gallu deall meddylfryd y bobol fyddai'n arfer dod i'r fferyllfa i gasglu eu methodon er mwyn ei werthu ymlaen. Dyna pam dwi'n deall y bechgyn ifainc sydd wedi ymrwymo i weithio i'r cartéls cyffuriau ar hyd a lled y sir. Mae'r swydd yn rhoi pwrpas i'w bywyd. Ac, yn fwy elfennol na hynny, mae'n rhoi pres!

Y sôn yw fod Llanelli mwy neu lai yn frith o werthwyr a defnyddwyr cyffuriau caled erbyn hyn. Mae'n economi fyw, lewyrchus. Gwarthus, mae rhai yn ei weiddi. Ofnadwy! Ond pwy ydym ni i feirniadu, Gwilym? Pwy ydym ni i feirniadu crwtyn ifanc sy'n gweld ei gyfle i ennill arian a bod yn rhan o rywbeth? Mae'n iawn i ni, y breintiedig rai, bregethu am foesau. Beth yw moesau pan mae angen bwyd ym mol dy blentyn a robot wedi dwyn dy swydd? A beth yw moesau pan mae angen dwfn ynom ni i berthyn i lwyth? Teimlo, Gwilym, dy fod yn *rhan* o rywbeth.

Dyna lle yr aethon ni o le os wyt ti'n gofyn i mi. Meddwl y byddai creu gwladwriaeth les yn ddigon. Doedd e byth yn mynd i fod yn ddigon, oedd e, Gwilym? Fe wyddost ti hynny'n well na'r rhelyw. Doedd e ddim yn mynd i greu'r teimlad hwnnw o berthyn, nac oedd? Rhoi arian i bobol wneud dim ond eistedd ar eu tinau? Wrth gwrs, fe wyddai gelynion y system hyn yn well na neb ac roedden nhw'n hapus ddigon nad oedd y peth wir yn cyflawni'r nod. Byddai'n llawer haws ei saethu i lawr wedyn. A dyna mae'r diawled wrthi'n ei wneud nawr, onid e?

Fe fydda i'n chwerthin bob tro mae Bob Treharne ar y radio yn pregethu bod 'bechgyn a merched glân Cymoedd y de' yn parhau i gael eu hudo i fyddin Prydain a hynny er ein bod ni'n byw mewn Cymru led-ffederal erbyn hyn (beth bynnag mae hynny'n ei olygu!). Wel siŵr iawn eu bod nhw'n cael eu hudo! Pe bawn i yn eu sefyllfa nhw, diau y buaswn innau'n cael fy hudo hefyd! Y dewis yw ymuno gyda'r fyddin neu gang cyffuriau. Ac ar ben hynny, yn y fyddin, rwyt ti'n cael dy hyfforddi i fod yn ffit! *No brainer*, ys dywed y Sais. Os nad yw'n gyfnod rhyfel (a byddai hynny, wrth reswm, yn fater gwahanol) maen nhw'n ei chael hi'n reit dda, ddwedwn i.

Na. Wna i fyth feirniadu neb sy'n chwilio am gyfle i berthyn. Yn enwedig o deimlo'r hyn rwy'n ei deimlo ar hyn o bryd. Fe gofi di am fy syniad o greu Byddin Cymru? Byddin sy'n canolbwyntio ar bethau amgen na dryllau? Ond o na, byddai hyn yn syniad llawer rhy echreiddig i'n gwleidyddion. Wedi'r cyfan, mae milwyr yn handïach pethau o lawer na phobol sy'n twtio cloddiau ac yn dysgu sut i goginio bwyd maethlon i'w plant.

Ymddiheuriadau iti, Gwilym. Rwy'n bod yn hollol hunanol wrth chwydu fy mherfedd ar e-bost iti fel hyn. Dwi ddim wedi gofyn dim am dy fywyd personol, dim am y golff a dim oll am Barry. Dwi'n dy glywed di'n piffian chwerthin, achos gwn o'r gorau faint rwyt ti'n hoffi stori dda. Ac onid straeon difyr yw hanesion dwysaf ein ffrindiau? Wel, dyma i ti'r dwysaf eto, hen ffrind! Achos dwi ar fin siarad am... fy mhlant!

Och a gwae! Yn barod rwy'n gwneud yr hyn addewais i na fydden i'n ei wneud. Rwy'n bogelsyllu am fod gen i amser. Efallai'n wir fod hanner botel o Malbec wedi helpu i iro'r dweud, ond y ffaith amdani yw fy mod i'n teimlo'n athronyddol iawn ar ddiwrnod mor rhyfedd o symbolaidd.

Heno, wrth i Margo a fi ddadlau am y *courgette* (beth yw ystyr *al dente* oedd gwraidd y ddadl, os alli di GREDU), fe sylwais nad oedd gen i syniad yn y byd beth roedd fy merched yn ei wneud yr wythnos hon. Wrth gwrs, mae'r ddwy wedi gwneud sioe dda erioed o fy anwybyddu ond rywsut teimlais y peth yn ddwysach fyth heno. O'r eiliad y daeth Cêt ac Elen i fy mywyd, ces fy ngorfodi i ffeindio sêt a gwylio perfformiad nad oedd yn ddim oll i'w wneud â mi. Rhoddais i (a Margo) enedigaeth i endidau cwbwl annibynnol. Ond dwed y gwir wrtha i nawr, Gwilym. Ai dyna pam mae'r ddwy wedi dewis byw mor bell o Gaerfyrddin? Am eu bod yn annibynnol? Neu ydyn ni wedi creu plant oedd yn teimlo bod yn rhaid iddynt ddianc oddi wrthym er mwyn byw? Yn enwedig oddi wrth y ffaith fod pawb yn y dref hon yn adnabod Doctor Huw.

Efallai mai'r broblem oedd i fi ddangos gormod o'r byd iddynt. Agor eu llygaid yn ormodol. Wrth gwrs, dwi ddim wir yn credu hynny. Fi o bawb a gafodd ei fagu yn Sierra Leone gan rieni dysgedig. Ac eto, alla i byth wadu bod hyn wedi croesi fy meddwl.

Pam ydw i mor rhwystredig? Fe geisia i egluro. Efallai am nad yw'r syniad o'r merched yn dianc i wledydd eraill yn ffitio'n dwt i fy stori bersonol i. Wedi'r cyfan, des i â Margo i Gymru. Menyw o'r Iseldiroedd a ddysgodd Gymraeg. Roedd yn stori dda, yn doedd? Yn sgŵp i'r Gymraeg. Un arall ohonon ni, a chyfle i fagu teulu fyddai'n parhau i ddod â dylanwadau'r byd i'r Gymraeg ac i Gaerfyrddin. Wyt ti'n deall? Weithiau, dyw geiriau ddim yn cyfleu fy nheimladau...

Ond nid fel'na mae Cêt ac Elen yn gweld pethau. Mam yw Margo iddyn nhw. Dim stori dda. Dim ond Mam. A dacw fy nwy i felly. Un yn Valencia, wedi priodi consuriwr (dwi'n dal i gael gwaith sgwennu hynny heb beswch) fydd byth bythoedd yn dysgu Cymraeg, a'r llall yn Berlin ac yn gwbl argyhoeddedig mai hi yw Che Guevara'r byd modern. Hyd y gwn i, doedd Che ddim yn ddibynnol ar arian ei rieni i gynnal y freuddwyd sosialaidd, oedd e, Gwilym? Chwerw? Myfi? Nefar. Beth bynnag, dyna ddigon am y plant. Mae meddwl amdanynt yn ddigon i wahodd y felan.

At bethau brafiach. Pryd ddoi di i ymweld nesaf? Pan ddoi di, fe wna i dy atgoffa di o'r hanes pan fûm ar ymweliad ag Istanbul gyda'r gwaith. Cawson ni shwt sbort, Gwilym! Yr holl de afal melys 'na, a'r ddynes 'na'n dawnsio... ti'n cofio fi'n sôn? Fe yfais i de tebyg am flynyddoedd wedi hynny, dim ond er mwyn consurio'r atgof yn fyw yn fy meddwl. Te oedd bron yn boenus o felys, wyddost ti? Sdim syndod bod gen i glefyd y siwgwr erbyn hyn!

Pori dros fy atgofion y bydda i'n ei wneud mwyach yn hytrach na chreu rhai newydd. Ailymweld â digwyddiadau a thripiau y bûm i'n rhy brysur i'w treulio ar y pryd. Dichon y byddaf yn newid eu hystyron ac yn rhoi cyd-destunau newydd iddynt hefyd. Yn dweud celwyddau wrthyf fy hunan dro ar ôl tro, ond pa ots? Dwi'n bensiynwr sydd wedi ymddeol yn awr. Mae hawl gen i edrych yn ôl a gweithio naratifau. Dwi wedi gwasanaethu fy mhobol. Dyma fy amser i ffantaseiddio am fy hanes fy hun!

A nawr – os alli di gredu – at y prif reswm y bwriadodd fy nghydwybod anfon neges atat yn y lle cyntaf! Cânt fy saethu i os dymunant, ond fe wnes i newid nodiadau rhai o fy nghleifion tlotaf heddiw. Mae'n gwbwl anfoesol, mi wn. Ei gwneud yn haws i rai gael budd-daliadau drwy or-ddweud. O leia wedyn fe fyddan nhw'n derbyn ychydig yn fwy o gymorth gan y wladwriaeth.

Mae'n fy nghnoi i fy mod i wedi gwneud hyn ond, Gwilym, roedd yn rhywbeth bach y gallwn ei wneud cyn ymadael. O hyn ymlaen, fe fyddan nhw ar drugaredd y gwynt. Wyt ti'n fy meio? Paid â theimlo fod yn rhaid i ti lunio ymateb manwl, yr hen ffrind, oblegid mae cael sgwennu'n onest fel hyn yn ddigon o therapi i fi. Iesgob Dafydd, roeddwn i wir wedi dychmygu y byddwn yn ddoethach dyn ar ddiwrnod fy ymddeoliad. Ond hei ho am hynny.

Yn gywir ac yn llawn edmygedd fel arfer,

Huw (cyn-ddoctor ond doctor yn dal i fod. Ac amen i hynny. Lle mae'r port, dwedwch? Dwi newydd edrych ar y cloc – bûm yn sgwennu am ddwy awr! Mae Margo siŵr o fod yn gobeithio fy mod wedi cael harten. Dwi'n edrych ymlaen at weld ei gwep pan ddychwelaf i'r lolfa a datgelu fy mod yn holliach!)

*

**Darn o ddyddiadur Morfudd Yang, Mehefin y 1af, 2056**
Toedd gynna i'm dewis ond gneud be 'nes i – nagoedd? Nid fo gododd ofn arna i. Ond ro'n i ofn rhwbath. Dwn i'm. Ella'r teimlad yna, fod petha allan o reolaeth ac y basa fo wedi medru gneud niwed iddo'i hun, neu ni, heb drio.

Dim ond heno, ar ôl i ddiwrnod cyfan basio, dwi'n dechra cofio sud ddigwyddodd o. Un eiliad ro'n i ar y soffa a Tanwen ar fin mynd i'w gwely hefo fy hen gopi o *Harry Potter*, a'r peth nesa mi o'dd o wrth y drws. Yn gaib. 'I wynab o fath â gwynab rhywun arall. Dim arlliw o wên lle roedd y wên yn arfar bod. Golwg y fall arno fo. Golwg ar goll. Roedd gynno fo wên, wedi meddwl. Gwên gwin coch yn ddau driongl bob ochr i'w wefusa.

Oedd o'n ddigon clên i gychwyn. Deud 'helô' ar y rhiniog ar nos Fercher glawog. Ydy Tanwen yna? Yna, mi welodd o'r olwg ar 'y ngwynab i. Fatha bo fi'n medru gweld sens a bod o o'i go' yn lân.

Ga i ddod mewn?... Mi oedd hi'n piso bwrw ac mi oedd o'n dal 'i gôt

73

dros 'i ben erbyn hyn a'r dŵr yn llifo oddi ar yr eiddew uwchben y rhiniog a dros 'i gôt o. Wy newydd fod i gwrdd â Mostyn, athon ni am cwpwl o drincs. Ges i dacsi draw.

Ella fyswn i 'di bod yn hapus i'w adal o fewn tasa Lleucu yna. Ond ella ddim chwaith. To's 'na'm modd dal pen rheswm efo meddwyn waeth pwy sy'n ceisio rhesymu hefo fo.

Mi a'th bob dim o ddrwg i waeth pan ddoth Tanwen at y drws. Llygid mowr crwn a fynta'n penderfynu gwenu. Y wên ddiffuant yna. Tani, cariad, shwd 'yt ti? Tanwen yn medru gweld yn iawn bod 'i thad yn hannar call. Cyhyra'i wynab o'n llac a chorneli coch fatha tatŵs bob ochr i'w geg. Ond roedd hi'n dal wrth 'i bodd i'w weld o. 'Nesh i wthio hi wedyn, yn galad, yn ôl i mewn i'r tŷ. Dos di fyny, medda fi. Ddo i ar d'ôl di 'munud. Ond oedd hi'n cau gneud. Mi oedd hi isio siarad hefo fo. Hefo Dad. Gad iddo fe ddod mewn, Mam, mae'n bwrw. Ond fedrwn i ddim. Achos mi oedd yr holl beth mor annifyr. Ddim fel oedd o fod.

Sbiad yn ôl, ro'n i 'di ca'l braw. 'Y mol i'n gnotia i gyd. Roedd o wedi bygwth dod yma wthnos dwytha. Ond troi fyny go iawn? O sbiad arno fo, mi fedrwn i weld fod 'na rwbath cwbwl desbret amdano fo. Rhwbath ar gyfeiliorn yn lân. Sud dda'th petha i hyn, dwi'n cofio meddwl.

Ond ar waetha'r meddwdod, Dad oedd Tanwen yn dal i'w weld. Dad oedd angan gorfadd ar 'yn soffa ni a cha'l panad cynnas o de.

Am eiliad, welish i. Brynach dio. Brynach dio, gad o fewn. Ond mi stopiwyd fi eto gan lais arall. Fo oedd yr 'arall' rŵan. Y rheswm roeddan ni'n dau yng Nghaerdydd. Yn nhŷ Lleucu. Yn nhŷ rhywun arall. Fo oedd y broblem. Yn cuddio tu ôl i'r wynab dwi 'di'i nabod ar hyd y blynyddoedd. Y gwefusa gusanodd fi yn erbyn wal yr Hen Lew Du. Y meddwl sy'n fy nabod i tu chwith allan. Yn well na neb. Oddi wrtho fo roeddan ni'n rhedag rŵan.

Fedra i ddim, Brynach, rhaid i chdi fynd. A dyma fo'n trio eto, yn glên. A hitha y tu ôl i fi, fatha ymgyrchydd ar 'i ran o - gad fe mewn, Mam. Y glaw. Plis, Mam. Finna'n dal y drws ac yn sbio arno fo. Ffonia Bedwyr. Neu Mostyn a Claire. Fedri di'm aros fama. A dyna pryd drodd o. 'I wynab o'n chwerw fatha ci 'di ca'l anaf. Callia nawr, Mofs, yfe? Pa hawl oedd gin i i newid y telera'n sydyn reit? Morfudd - fi yw e. Gad fi mewn. A wedyn dyma fo'n dod gam yn nes a dyma fi'n cau y drws yn glep yn 'i wynab o.

A fynta'n cnocio fatha ffŵl. A hitha Tanwen a'i dagra'n powlio dros

74

'i gruddia. Gad e mewn, Mam. Falle bod dim ffôn gyda fe. Ond fedrwn i ddim. Cyn i mi ga'l 'y ngwynt ataf, mi oedd o wrth y drws cefn. Yn trio'r bwlyn. A finna ofn am 'y mywyd. Nid ei ofn o. Naci, byth ei ofn o. Ond y sefyllfa roeddan ni i gyd ynddi hi rŵan. Tanwen yn sbiad arna i. Mi oedd 'y nghalon i yn 'yn llwnc a 'nychymyg i'n neidio i lefydd arswydus. Dyna pryd ffonish i'r heddlu. Rhedag i'r lle chwech wrth ymyl y gegin, deialu'r rhif a ffonio.

Erbyn i mi gyrradd y gegin, roedd Tanwen wedi 'i adal o fewn ac mi roedd o'n sefyll yn y gegin, yn siarad efo hi. Esh i mewn atyn nhw, a dyma hi'n sbio arna i hefo'r llygid 'na eto. Gad iddo fe, Mam. Dim ond isie siarad ma fe. Ond ro'n i'n dallt yn well, yn dallt mor hyll ma petha'n gallu mynd pan ma'r ddiod wedi cydio yn rhywun.

Mi 'nesh i drio deud wrtha fo am fynd wedyn, ond toedd o'm isio rhesymu. Roedd y gwin wedi troi petha'n athronyddol. Yn fawr, fatha llyn o ddŵr diwaelod. Dewch 'nôl i Aberystwyth. So'r lle'n neud sens hebddoch chi. Tanwen yn cytuno'n frwd. Mi roedd hitha'n torri'i bol am ga'l mynd yn ôl at ei ffrindia hefyd. Dim ond crio ma Mam wedi'i neud ers cyrraedd Caerdydd. Finna'n sefyll yno. Yn sbio ar Brynach. Mor flin hefo fo am neud hyn i'n merch ni. Ein merch naïf ni oedd yn cytuno hefo'r meddwyn. Y meddwyn oedd wedi'n bradychu ni.

Finna'n ceisio bod yn ofalus wedyn. Wrth ymatab i'r gri am fynd adra i Aber. Mi fysa'r heddlu'n siŵr o fod ar y ffordd erbyn hyn. To'n i'm isio deud dim fysa'n corddi'r dyfroedd. 'Na ni siarad am hyn fory, ia? Sortio bob dim. Na. Mi oedd o isio atab rŵan ac yn cau gadal llonydd. Fysan ni'n tri yn medru mynd yn ôl fory - yn 'y nghar i? 'I siarad o'n floesg ac yn hyll ac yn desbret. Tanwen isio coelio a hefyd yn methu peidio clywed mor dew oedd 'i dafod o. Y triongla bach yn gneud iddo fo edrych fatha clown.

Gewn ni McDonald's ar y ffordd gydre, Tani, medda fo wedyn. Tanwen yn dechra gwenu eto wedyn. Roedd hi am gredu'r freuddwyd feddw. Yn medru blasu'r byrgyr ar 'i thafod. Ond mi welodd o. Mi welodd o yn fy llygid i ar yr eiliad honno. Na faswn i fyth yn cytuno. Ac mi saethodd frawddeg o'i geg o. So Mam yn caru Dad ragor, Tani, 'na beth yw'r ffycin gwir. Iaith! medda fi, ond mi oedd o'n flin rŵan. Ac mi ro'n inna hefyd. Mi a'th o ar rant wedyn. Cyfarth 'mod i wedi cam-ddallt. Tanwen wedi rhewi yng nghornel y gegin yn 'i wylio fo. Yn clŵad rhai petha am y tro cynta. Am Edith, am fanylion y *breakdown*. Pob dim dwi 'di bod yn ceisio'i hamddiffyn hi oddi wrtho fo'n taro'i chlustia bach diniwed hi'n un fflyd.

Stop! medda fi'n gadarn. Mi roedd o wrthi'n gneud gormod o ddifrod. Stopia fo rŵan, ond 'nâi o ddim. Dim ond carlamu yn 'i flaen. Cloch y drws yn canu. Lleucu, ma rhaid, medda fi. Tanwen, dos di i atab. Achos fiw i mi adal hi yma hefo fo erbyn hyn, rhag ofn iddo'i chipio hi.

Ymhen dim, mi roeddan nhw yn y gegin. Un ddynas ac un dyn yn 'i arwain o o 'na. Nath o'm gneud ffys. Dim ond sbio arna i'n dawal ac yn hollol bwyllog gystal â deud – be ti'n neud? Gneud i fi ama fy mhenderfyniad. Wedi gorymatab. Wedi neidio i gasgliada unwaith eto.

Mi oedd 'na hannar dwsin o bobol yn sbecian rhwng y llenni wrth iddo fo ga'l 'i hebrwng at y car. Pawb isio'r stori go iawn.

Wedi i'r car ddiflannu rownd gornal, mi redodd Tanwen ar ei hunion i'w stafall. Mi drish i siarad hefo'i, a chnocio, ond nath hi'm agor y drws na siarad yn ôl. Esh i lawr i'r gegin. Gneud hen dric blin efo botal win a'i chlecio hi. Erbyn hannar nos, mi roedd 'na ddwy wedi diflannu.

Bora 'ma, dros frecwast, roedd Tanwen wedi llyncu'i thafod. Diolch byth, roedd Lleucu yno hefyd – i atgyfnerthu fy mhenderfyniad. Mi nath Mam y peth iawn, sti. Finna'n dawedog hefyd. Yn yfad fy nghoffi ac yn diawlio 'mod i 'di cytuno i gyfieithu rhyw ddogfen hirfaith i ryw elusen a bod y dedlein yn prysur garlamu tuag ata i.

Mi a'th Tanwen draw at 'i ffrind newydd pnawn 'ma ar ôl ysgol ac mi gesh inna ryw gysur tawal o wbod bod bywyd yn mynnu mynd yn ei flaen.

Mi gath y cyfieithu aros am heddiw. Ro'n i isio treulio amsar efo Lleucu oedd yn rhydd am 'i bod hi'n gweithio shifft nos. Gwylio ffilm. Yfad te. Bwyta creision. Carthan. A'i cha'l hi'n deud wrtha i dro ar ôl tro imi wneud y peth iawn. Nad oedd 'na opsiwn arall. 'Mod i 'di neud y peth cyfrifol. Geiria da. Geiria sy'n stopio fi feddwl am rŵan.

Ma 'na lun o Bleddyn ar y cwpwrdd bach pren sy'n dal teledu Lleucu. Y brawd dilychwin. Mae o bob tro'n sbio arnan ni fatha tasa fo hefo ni. Heno, mi oedd o'n teimlo fatha tasa fo'n 'y meirniadu i. Sbia'r holl fywyd gest ti chesh i ddim. A sbia mès ti 'di neud. Neith Tanwen fyth anghofio hyn. Y blerwch. Y camgymeriada. Ma'r blerwch 'ma am fod yn rhan ohoni hi. A chdi sy'n gyfrifol am hynna. Chdi a neb arall.

Mi ffonish i'r orsaf heddlu pan oedd Lleucu'n paratoi carbonara i ni cyn iddi adael am y gwaith. Mi gath Brynach 'i ryddhau ar fechnïaeth amser cinio ac mae o wedi gadael am Aberystwyth. Dio'm 'di anfon neges. Dio'm 'di gneud dim. A mi dwi'n sâl isio gwbod 'i fod o'n iawn. Mae o fatha tasa hannar fi fy hun ar ddisberod.

Nid bywyd go iawn ydy hyn, yn naci? Nid Brynach go iawn oedd y Brynach alwodd neithiwr. Cysgod y person dwi'n 'i nabod go iawn welish i neithiwr. Ysbryd. Y gwir ydy 'yn bod ni'n dau yn dal yn Aberystwyth, yn magu Tanwen, yn tydan, Brynach? Yn ymyl y môr.

\*

**Rhan o gyfweliad Brynach Yang gyda Heddlu De Cymru, Mehefin y 1af, 2056**

**Brynach** – 'Nes i ddim torri mewn. 'Yn ferch i nath adel fi mewn i'r tŷ.

**Ditectif 09819837Y** – Ond roedd 'ych gwraig chi'n amlwg yn timlo o dan fygythiad, iddi fod wedi ffonio'r heddlu… Roeddech chi yn feddw iawn…

**Brynach** – Ddreifes i lawr i Gaerdydd i'w gweld nhw. Ond o'dd dim digon o gyts 'da fi fynd 'na'n syth. Wedyn es i gwrdd â ffrind. Ca'l cwpwl o ddrincs gynta.

**Ditectif 09819837Y** – Dydy ymweliad fel hyn ddim yn mynd i helpu eich achos chi o gwbwl, gyda'r gwasanaethau cymdeithasol.

**Brynach** – Newn nhw ddim helpu fi beth bynnag, fi yw'r tad.

**Ditectif 09819837Y** – Chi wnaeth ddewis mynd i loches eich gwraig a'ch merch, Mr Yang.

**Brynach** – Wy 'di neud 'yn ddatganiad i. Licen i ga'l fy rhyddhau nawr plis.

**Ditectif 09819837Y** – Ry'ch chi'n deall difrifoldeb yr hyn naethoch chi neithiwr?… Pam wnaeth eich gwraig eich gadael chi, Mr Yang?

**Brynach** – Oherwydd camddealltwriaeth. Ro'dd hi'n meddwl 'y mod i'n gweld menyw arall.

**Ditectif 09819837Y** – Yn cael affêr.

**Brynach** – Ie.

**Ditectif 09819837Y** – Gyda'r mudiad Poboliaeth… Gewch chi ishte'n dawel drwy'r bore, Mr Yang. Ond yn y diwedd bydd raid i chi siarad.

**Brynach** – Wy moyn cyfreithiwr.

**Ditectif 09819837Y** – Amhosibl, mae arna i ofan.

**Brynach** – Gwarthus! Shgwlwch, sai'n neud dim gyda Poboliaeth rhagor, ok? A chi'n gwbod 'na'n iawn. Wedyn, gadwch fi mas o fan hyn.

**Ditectif 09819837Y** – Allwn ni ddim, Mr Yang. Ddim eto, ma arna i ofan. Ddyliwn i ddweud hefyd – ma gyda ni'r grym i'w gwneud yn amhosibl i chi weld eich merch, heb sôn am gael yr hawl i ddishgwl ar ei hôl hi.

**Brynach** – Sori?

**Ditectif 09819837Y** – Ry'n ni'n gwybod am gynllun Gwales, Mr Yang… (Mae Mr Yang yn edrych arnom nawr. Yn siglo ei ben.) Hoffech chi ddweud rhywbeth am y cynllun?

**Brynach** – Sai'n gwbod dim byd am y cynllun, oreit?

**Ditectif 09819837Y** – Ond mae 'na gynllun.

**Brynach** – Chi'n gwbod yn iawn bod 'na gynllun.

**Ditectif 09819837Y** – Ry'n ni'n gallu cadw llygad, yn amlwg, ond dy'n ni ddim yn gwybod popeth.

**Brynach** – Drychwch, wy wedi golchi 'nwylo o Poboliaeth ers blynydde.

**Ditectif 09819837Y** – Ond roedd eich gwraig yn teimlo'n wahanol yn amlwg…

**Brynach** – 'Y ngwraig i 'nes i ddewis! Hi a'n ferch i. 'Nes i ddewis y teulu dros ymgyrchu.

**Ditectif 09819837Y** – Ond ry'ch chi wedi darllen pethau. Y ddogfen am Gwales ar y we dywyll, er enghraifft.

**Brynach** – Yr un un ry'ch chi wedi ei darllen yn amlwg.

**Ditectif 09819837Y** – Dydyn ni ddim wedi llwyddo i ddarllen yr un ar y we dywyll, fel mae'n digwydd.

**Brynach** – O dewch mlân, ma gyda chi bobol sy'n neud y pethe 'ma i chi. Sai'n mynd i'ch helpu chi.

**Ditectif 09819837Y** – Ond ry'n ni isie'ch helpu chi, Mr Yang. Mae'n drosedd darllen deunydd radicaleiddio ar y we dywyll. Bydde hi'n biti tase hynny'n mynd yn 'ych erbyn chi yn ystod eich achos llys i gael gweld eich merch.

**Brynach** – Achos llys? Fydd dim achos llys. Bydd Morfudd a fi'n dod i gytundeb.

**Ditectif 09819837Y** – Gallwn ni wneud unrhyw beth yn bosibl, Mr Yang… Ry'n ni wedi cael ar ddeall bod yna her i'r dull di-drais yng nghynllun Gwales. Nad mudiad protest fydd Poboliaeth mwyach ond mudiad sydd am geisio cipio grym.

**Brynach** – Swno fel bo chi'n gwbod popeth sydd i wbod.

**Ditectif 09819837Y** – Dim o gwbwl.

**Brynach** – Pam so chi'n holi Edith Hutchingson? Neu un o'r lleill. Chi'n gwbod pwy y'n nhw.

**Ditectif 09819837Y** – Ni moyn eich help chi, Mr Yang.

**Brynach** – Pam? Wy ddim yn bwriadu ca'l dim i neud â'r peth.

**Ditectif 09819837Y** – Byddai'n help mawr i ni petaech chi... Ac, yn gyfnewid am hynny, allwn ni eich helpu chi. Sicrhau fod hawl gyda chi i weld Tanwen.

**Brynach** – ... Sai'n whare'r gêm hyn. Mae'n droëdig.

**Ditectif 09819837Y** – Ond beth ddigwyddodd neithiwr. Sdim modd dileu hynny. Bydd yn siŵr o fynd yn eich erbyn chi mewn achos.

**Brynach** – Wy ddim moyn dim i neud â Poboliaeth. So chi'n deall? Wy moyn 'yn deulu i 'nôl. Nagyw'r ffaith bo fi wedi teithio lawr o Aberystwyth i'w gweld nhw ddo yn profi beth sy'n bwysig i fi?

**Ditectif 09819837Y** – Mae'n rhaid i chi gyfarfod Cêt Huw. Hi oedd eich ffrind gore chi yn y chweched dosbarth, ondyfe?

**Brynach** – Sdim rhaid i fi neud dim byd.

**Ditectif 09819837Y** – Nac oes. Ond ry'ch chi'n gwbod beth fydd y canlyniad nawr.

**Brynach** – Chi yn gwbod beth yw hyn, y'ch chi? Ma fe'n hollol ffycin warthus.

**Ditectif 09819837Y** – Dim mor warthus â beth mae Poboliaeth yn bwriadu gwneud yng Nghaerfyrddin.

**Brynach** – Beth? Trio neud i Gymru weithio i bobol gyffredin? Peidwch gweud 'tho fi bo chi ddim yn cydymdeimlo. Wy'n gwbod yn iawn mor wael ma'r heddlu 'di ca'l 'u trin dros y blynydde dwetha. Toriade. Amode gwaith gwael.

**Ditectif 09819837Y** – Ma job o waith gyda ni i neud, Mr Yang. Ni am i chi gasglu gwybodaeth.

**Brynach** – 'Na i ddim bradychu'r achos. Wy isie i Poboliaeth lwyddo, hyd yn oed os wy'n ddim i neud â'r peth.

**Ditectif 09819837Y** – Dy'n ni ddim yn gofyn i chi atal cynllun Gwales yng Nghaerfyrddin. Dim ond canfod gwybodaeth. Pwy sy'n ariannu'r prosiect. Pwy yw'r arweinwyr.

**Brynach** – Chi'n gwbod pwy yw'r arweinwyr.

**Ditectif 09819837Y** – Pwy yw'r arweinwyr go iawn.

**Brynach** – Chi'n gofyn i fi fradychu popeth wy'n credu ynddo fe.

**Ditectif 09819837Y** – Dibynnu'n gwmws faint ry'ch chi eisiau bod yn rhan o fywyd eich merch.

**Brynach** – Gwarthus.

**Ditectif 09819837Y** – Cerwch yn ôl i Aberystwyth pnawn 'ma, fel petai dim wedi digwydd. Ond pan fydd Cêt Huw yn gofyn i chi gyfarfod â hi yng Nghaerfyrddin nesa, cerwch yno a gweithredwch fel petaech chi wedi penderfynu ailymuno â Poboliaeth. Neu wynebwch y realiti o fod yn dad sydd ddim yn cael gweld ei ferch.

**Brynach** – Oes unrhyw syniad 'da chi be chi'n gofyn i fi neud...?

**Ditectif 09819837Y** – Yn anffodus, Mr Yang, fe wnaethoch chi gamgymeriad mawr neithiwr. Eich dewis chi yw gwneud camgymeriad arall.

*

81

Neges gan shan712@gmail.com
At Mami@gmail.com

Mami,

Ma cefen Bruv yn dost. Mae e ar ei gefn yn y ffrynt rŵm yn smoco *weed*. Ma Ellie yn ffili dod i ddishgwl ar ôl e achos ma mam hi'n dost 'fyd.

Wy 'di treial ca'l e i fynd at y doctor ond ma fe'n gweud bydd e'n costi gormod. Licen i tasen i'n galler roi un o'n *health coupons* i iddo fe, ond ma'n enw i drostyn nhw i gyd.

Ma Bruv wastad yn becso pan ma fe'n dost bod dim ceinog yn dod mewn i'r tŷ heblaw y taliade wy'n ca'l 'da'r wlad. Ma fe hefyd yn gwbod taw fi sy'n cwcan swper pan ma fe'n dost a ma gas 'da fe 'na 'fyd.

Wedyn, rhwng popeth ma fe rili yn grac ar hyn o bryd. Yn hwthu tân fel draig *stoned* ar lawr y ffrynt rŵm. Ma'r *skunk* yn drewi'r tŷ mas yn ofnadw. Ond ma Bruv yn drewi'r lle 'fyd, achos so fe'n galler ca'l *shower* achos cefn fe. Neithwr, ar ôl fi ddod â *beans on toast* miwn iddo fe wedodd e bo fe'n hêto fi. A wy'n deall 'na. Wy'n hêto'n hunan. A ran fwya'r amser, wy'n hêto fe.

Wy 'di iwso un o'r *tea towels* newydd tan bod e ddim yn teimlo'n newydd ragor achos ma bod yn y gegin yn golchi a sychu popeth ddwyweth yn well na bod yn y lownj gyda Bruv pan ma fe fel hyn. Yr unig beth neith e weithe, 'blaw gorwedd a ffidlo 'da'i ffôn, yw whare *computer games* ar y we gyda pobol o Japan. Weithe, wy'n meddwl bod e fel bachgen bach mewn corff person mwy. Alla i ond preio *to God* nawr bod e'n mynd i fod yn well bore fory. Achos os bydd e fel hyn am lot mwy, eith e mwy a mwy crac ac *annoyed* 'da fi a hogo'r lownj o bore tan nos. *Worst case scenario*, neith e redeg mas o *skunk*. A falle *weed* 'fyd.

Ar ôl gweud bod e'n hêto fi gyda llaw, da'th e mas 'da rwbeth arall 'fyd. Gweud bod e moyn mynd i fyw 'da Ellie yn Priory Street. Wedes i *go for it*, streit awei. Bydden i yn iawn ben hunan fi. Ond nath e wherthin yn grac wedyn. Allen i ddim gadel ti, hyd yn o'd tasen i moyn. Man a man bo ni'n *Siamese twins* achos ni besicli fel nhw, wedodd e. Wedes i wrtho fe bo ni ddim yn *Siamese twins*, nac yn *twins* hyd yn o'd, a bod dwy flynedd rhwngthon ni. A wedyn nath e lefen. Achos o'dd e'n dal yn *stoned* ac achos o'dd e'n starfo. O'dd

82

*beans on toast* ddim yn ddigon o swper iddo fe achos bod 'da fe'r *munchies* ar ôl smoco. So ordres i pitsa, o'dd yn mega drud achos bod cig arno fe. A nath e fyta fe gyd, mewn un *sitting*. O'dd dim ots 'da fi bod e heb gynnig sleis i fi, achos ma *meat feast* yn troi stwmog fi. Ma meddwl am yr holl wahanol cig 'na'n gorwedd 'da'i gilydd fel'na yn neud fi feddwl am *zoo*. Wrth i Bruv sychu'i geg gyda cefn 'i law, sylwes i bod e'n tyddu cysgod mwstásh achos bod e'n ffili symud. Ticlodd hwnna fi am tamed bach. Achos mae e'n dishgwl mor pathetic.

Ar ôl byta, a'th e'n dawel a nathon ni watsio'r *news*. Wedi 'ny, nath Dai drws nesa bopo mewn i ddod â *recycling bags* i ni a gofyn os o'n i'n ocê. Yn ganol stinc y *skunk*, wedes i bod ni. Achos erbyn 'na, o'n ni. Ma Dai 'nôl ar y wisgi, wy'n credu, Mami. Ma fe ond yn galw rownd 'da *recycling bags* ar ôl bod yn yfed yn y tŷ ar ei ben ei hunan a pan ma fe'n mynd i dwmlo tamed bach yn *lonely*.

Wy mor sori i sgwennu 'da'r holl *doom and gloom* 'ma, Mami. Wy'n siŵr deith yr houl dros y bryn cyn bo hir. Shwt ma helpu pan ma cefn tost 'da rywun, gwed? Ni moyn Bruv 'nôl yn *fighting fit* mor glou â gallwn ni.

Falle drycha i ar y *web* heno. Wy'n siŵr bydd lot o *advice* i ga'l fan'na. A cyn bo hir, bydd e'n bownso rownd y lle 'to, fel fferet. O'dd arfer bod 'da ti stori am fferet, nago'dd e, Mami? Fi'n galler cofio ti'n gweud e nawr. A ti'n ticlo llaw fi wedyn i drial ga'l fi cisgi. O'n i bob tro'n cau lliged wrth i ti fynd mas o'r rŵm, Mami. Ond o'n i byth yn cisgi. Dim in *real life*. Ffyni, yfe?

Nos da,

Shan X

P. S. Ma'r *leak* o'r to yn wa'th nawr, wedyn ni 'di dodi bwced ar y landing. Sdim neb 'di ffono 'nôl o'r cownsil ond gadwa i mlân i drial.

\*

**Darn o ddyddiadur Brynach Yang – Taith Poboliaeth, Mehefin y 18fed, 2043, mis y streic trethi.**

Ma wyth o blith ein haelode ni wedi eu harestio ac yn y ddalfa. Arawn Myfyr a Theresa Morgan, Llanelwy, yn eu plith.

Y si sydd ar led yw fod yr awdurdodau'n bwriadu bod yn hynod lym ar yr wyth. Gallasen nhw wynebu cyfnod hir yn y carchar. Mae'r ffin wastad yn denau – rhwng creu arwyr a gwneud bwch dihangol o bobol. Mae gen i deimlad cryf bod yr awdurdodau'n bwriadu dangos yn gwmws beth sy'n digwydd i bobol sy'n cicio yn erbyn y tresi yn yr achos 'ma. Ry'n ni yn y broses o sicrhau fod arian a chefnogaeth yn mynd at deuluoedd y sawl sydd dan glo, a bod yr wyth yn cael cynrychiolaeth gyfreithiol addas.

Wy'n hynod ymwybodol na ddaeth yr heddlu i fy arestio i na neb arall o blith y criw canolog. Dwi'n amau'n gryf eu bod wedi dewis pwy i'w harestio yn ofalus iawn. Pe baen nhw'n fy ngharcharu i, byddai modd i Poboliaeth gael llawer iawn o sylw yn y cyfryngau ac fe allai hynny weithio yn eu herbyn.

Yn ystod wythnos ola'r streic, fe aeth rhai o'r protestiadau o chwith. O chwith yn fy marn i, beth bynnag. Mae Edith yn meddwl fy mod i'n becso gormod. Mae hi'n beio'r heddlu am wylltio'r dorf yn fwriadol. Wel, waeth sut ddechreuodd pethau, torrwyd ffenestri a gwthiwyd heddweision mewn un brotest. Ac yn ystod y brotest fwya, rhoddwyd siop, yng Nghasnewydd, ar dân. Diolch i'r drefn, doedd neb ar gyfyl yr adeilad. Ond lwc yn unig oedd hynny. Mae'r ymgyrch yma'n teimlo fel bwystfil weithiau. Creadur sydd ar grwydr ganol nos.

Er ein bod ni wedi llwyddo i gadw trwyn Poboliaeth yn lân gan bellhau ein hunain oddi wrth y trais, y gwir ydy fod gyda ni broblem yn cyniwair – pobol sy'n dod yn rhan o'r ymgyrch nad ydyn nhw'n ymrwymedig i'n hegwyddorion di-drais. Mae cydwybod Edith yn glir. Ei dadl hi ydy nad yw'r rhelyw sydd wedi creu trwbwl yn aelodau o Poboliaeth ac felly, dydy eu gweithredoedd nhw ddim yn gyfrifoldeb arnom ni. Ond nid dyma mae'r awdurdodau'n ei ddweud wrth y wasg. Maen nhw wrth eu boddau yn ein portreadu ni fel criw o thygs â'n bryd ar greu anhrefn.

Mae'r arolygon barn yn barod yn dangos ein bod ni'n llai poblogaidd nag yr oedden ni a'r ymgyrch yn colli hygrededd. Dim ots faint o stomp wnaiff Poboliaeth wrth dynnu sylw at y carcharorion cydwybod, mae 'na ddegau o luniau gwell o bobol 'Poboliaeth' yn rhacso siop ac yn taflu cerrig at yr heddlu. Mae degau o'r bobol hynny mewn celloedd hefyd. Ry'n ni'n colli rheolaeth ar y stori.

A thra bod hyn i gyd yn mynd ymlaen, rydw i, Brynach, yn y broses o whalu'n ddarne. Licen i ddim byd mwy na dringo i gragen; wy'n siŵr y gallen i gysgu am fis. Wy'n rhy wan fy enaid i gynnig cyfeiriad a chymell eraill. Mae gormod o ddicter a lo's i'w reoli a bron i chwe mis o fod ar yr hewl wedi fy mlino i'n rhacs.

Neithiwr, roedd gofyn i fi siarad mewn cynhadledd undebau llafur ym Mangor. Egluro yr hyn sy'n cael ei gyflawni gan y streic trethi. Ond pan ddeffrais bore ddoe, roeddwn i'n daer nad o'n i am gymryd rhan, ac fel sach o datws yn fy ngwely – mae'r felan yn aml fel niwlen amdana i yn y bore. Fel roeddwn i wedi disgwyl, dyma Edith yn galw draw i'n stafell i. Ro'n i'n gwbod y bydde hi'n trio'i gore glas (ac yn llwyddo) i'n ga'l i ar y llwyfan eto.

Ti yw yr unig un sy'n gallu tanio pobl, Brynach. Maen ni angen ti. Finne'n gwrthod. Yna, ni'n dau'n cusanu. Rwy'n gwybod ti yn blinedig ofnadwy. Efallai yn dioddef *exhaustion*.

Mae ei hwyneb hi yn fy meddwl i drwy'r amser yn ddiweddar. Ei sawr hi. Ei blas hi. Ei dannedd perffeth hi. A'i chryfder hi hefyd. Weithie, ei syniade hi yn fy mhen i sy'n fy ngharaio. Y gyriant anhygoel 'na na weles i mewn person arall o'r blaen. A heno... mae hi wedi fy ngwrthod.

Dwi'n meddwl taw'r hyn yrrodd fi i wneud beth 'nes i oedd 'y mod i'n gwbod fod diwedd y daith yn agosáu a bod siarad gerbron miloedd o bobol ar y Maes heddi wedi rhoi hwb i fi. Llond y lle o bobol oedd yn parhau i fod ar dân dros egwyddorion Poboliaeth, yn y gobaith o ddod â rhyddid gwirioneddol i Gymru ryw ddydd.

Wy moyn dweud wrthot ti, medde fi wrthi, dros bastai bara lawr a chaws gafr mewn bwyty lleol, wy moyn bod 'da ti. Fe edrychodd hi arna i am eiliad. Yn ystod yr eiliad honno mae'n wir gweud nad o'n i'n siŵr be fydde hi'n gweud nesa. Brynach, medde hi, dydy ti a fi... dydy e'n ddim yr un peth â ti a Morfudd ac fi a Llawen. Bysai ni byth yn gweithio yn bywyd go iawn. Gyda llaw, mae Llawen yn wybod am beth sydd wedi digwydd rhyngom. Rydym yn siarad yn agored ac does ganddo fe dim problem gyda'r peth. Mae e'n deall mae pethau fel yma yn digwydd.

Suddodd tarth tywyll i fy mol a chaledu fel carreg. Ro'n i wedi camddeall yr holl sefyllfa. Ond doedd Edith ddim wedi gorffen gyda fi. Roedd ganddi gais. Rwy'n falch ti wedi gofyn fi am bwyd, Brynach, achos rwyf angen ofyn rhwbeth i ti. Rwyf eisiau dy wahodd i dod ar y taith Poboliaeth nesaf trafodon ni amdano. Bydd yn dechrau yn mis Hydref eleni. I lawr y de a 'nôl yma i'r gogledd-orllewin. Ceisio casglu barn mewn cyfarfodydd corff a sylweddoli beth yw y ffordd ymlaen i Poboliaeth. Mae cyllid ar cael.

Er mwyn cael bywyd hawdd, fe ddwedes i iawn, a gwenu. Ond wy'n gwybod na fydda i'n mynd. Ma'r daith hon wedi'n chwalu i. Ma'n bryd i'r tonne 'ngolchi i i'r lan yn Aberystwyth. Fel broc môr.

Ddaw Edith ddim yma heno. Ddim ar ôl i mi ddweud sut rwy'n teimlo. Ddaw hi ddim i'n ddala i. I 'nghusanu i.

Ond dwi newydd glywed y drws... ac mae'r gnoc yn gyfarwydd...

*

**Mehefin y 1af, 2056**

**Neges gan Cêt18900**
Wy 'nôl yn G'fyrddin, Edith. A ma Brynach wedi cytuno i gwrdd â fi dydd Sadwrn fel ofynnest ti.

**Neges gan EdithH**
Gwaith da, Cêt. Cam nesa cael e cytuno neud tasg bach fel rhan o'r cynllun. Mae'n amlwg *intrigued* achos mae'n dod i cyfarfod ti.

**Neges gan Cêt18900**
Sai mor siŵr. Ma fe a Morfudd dal 'di gwahanu. Wy wir ddim yn siŵr 'i fod e'n meddwl yn strêt.

**Neges gan EdithH**
Mae hi wedi neidio i casgliad – meddwl mae Brynach mynd i bod *involved* eto.

**Neges gan Cêt18900**
Do.

**Neges gan EdithH**
Weithiau, pobl eraill sydd yn creu ni.

**Neges gan Cêt18900**
Doedd e ddim eisie cymryd rhan tro hyn. Wy'n timlo'n euog am wthio fe.

**Neges gan EdithH**

Paid mynd yn meddal nawr, Cêt. Fydd popeth gweithio allan.

*

**Dyddiadur Brynach Yang. Mehefin yr 2il, 2056**

Nawr yw'r amser. Yn hytrach na wedyn. Fan hyn, rhwng Aberystwyth a Chaerfyrddin. Yn ddisymwth. Yn ddiseremoni. Bydde'r trên yn parhau i glecian ar hyd y cledre a fydde neb ddim callach. Ac, a chymryd na fyddet ti'n marw'n syth, fe fyddet ti'n clŵed y trên yn pellhau yn ara deg bach. Y byd yn gadel llonydd i ti. Swp o gnawd ar yr haearn fydde'n weddill ohonot ti wedi 'ny. Yn sychu yn houl y pnawn. Fel wiwer. Neu gadno. Gwna fe, Brynach. Gwna fe.

Gad lonydd. Dyw e ddim yn opsiwn. Ydy mae e. Nac ydy. Ody, ma fe. Ac unweth 'yt ti wedi mynd, gei di orffwys. Na, caria yn dy flaen. Cer yr holl ffordd i Gaerfyrddin, fel ti 'di addo i Cêt. O leia wedyn fydd pawb sy'n dilyn dy symudiade di, sy'n tracio dy ffôn di, yn gwybod dy fod ti ar y ffordd i'r lle iawn. Galli di brynu tamed o amser i d'unan wedi 'ny. Er mwyn neud yn gwbwl sicr taw dyma ti am neud. Wrth gwrs taw dyma ti am neud.

Wyt ti wir isie bod yn gyfrifol am rannu rhagor o wybodeth am Poboliaeth gyda'r wladwriaeth? Wyt ti wir yn mynd i *allu* neud 'ny? Ti 'di gwrthwynebu'r drefn ar hyd dy fywyd a nawr ti 'di cael dy ddal yn y fagl. Fel cwningen waedlyd. Yn gwmws fel dy dad. A jyst fel fe, sdim dewis 'da ti ond marw mewn gwirionedd.

Mewn gwaed oer, mae bradychu'r mudiad yn teimlo'n bosib. Mae'n teimlo fel rhywbeth y gallen i neud er mwyn goroesi. Ond unweth wy'n meddwl yn ymarferol am 'i neud e… Eistedd yno'n cyfogi'r ffeithie gerbron y gelyn – beth fyddai ar ôl ohono i, Brynach Yang? Dim ond croen ac esgyrn?

Lladd dy hunan, Brynach. Ry'n ni'n byw yn llawer rhy hir yn y byd gorllewinol beth bynnag. Yn ca'l llawer gormod o amser i stiwio dros 'yn bywyde 'yn hunen. Ry'n ni mor boenus o hunanymwybodol. Yn rhoi shwt werth ar ba mor dda fydd pobol yn ymateb i'r cam diweddara yn ein gyrfa neu pwy ry'n ni wedi priodi. Ry'n ni wedi mynd mor ymwybodol nes ei fod e'n salwch. A hynny am 'yn bod ni, yn eironig ddigon, mor iach.

Fel arfer wy'n teimlo ryddhad o adael Aberystwyth ar y trên. Heibio i Lanrhystud. Oedi yn Llanilar. Gwibio drwy'r coed a rhwng y bryniau bach. Ond ddim heddi. Heddi wy'n teithio am 'y mod i wedi cael gwŷs i deithio. Nid fi, mewn gwirionedd, sy'n teithio. Mae'r broses o fatryd dy enaid wedi dechre yn barod felly. Rwyt ti'n dechre troi'n groen ac yn esgyrn. Oni bai…

Oni bai fod modd cyfiawnhau'r brad… a byw! Oes 'na? Oes ffordd o neud iddo deimlo'n iawn yn dy ben? Dyma mae rhai pobol yn ei wneud ar hyd 'u bywyde. Gweithredu ac yna ffeindio ffordd o gyfiawnhau pethe wedyn. Fuest ti erioed â'r gallu dy hun, Brynach. A llai fyth felly pan wyt ti'n isel. Mae fy meddwl i wedi blino ac mae pawb yn haeddu gwell na'r hyn alla i gynnig.

Syniad! Fe allen i ymuno â Gwales a datgelu wrth Edith fy mod i'n clustfeinio ar ran y wladwriaeth… ac fe allen i ddatgelu'r wybodaeth anghywir iddyn nhw. Neu… fe allen i ddarparu hanner gwybodaeth. Dal yn ôl yn y mannau pwysig. Fe alle hynny weithio… ond byddai'n risg. A phe bai pethau'n mynd o chwith, byddwn mewn perygl o golli Tanwen am byth. Mae'r risg o droi'n atgof pell yng nghof dy blentyn dy hun yn waeth na dim. Fel fy nhad yn fy mhen i.

Rho amser i hyn, Brynach. Chei di ddim cyfle i feddwl eto. Ddim fel hyn. Beth petaet ti'n llwyddo i gyfiawnhau'r brad? Sut fyddai hynny'n teimlo i ti, ar yr ochr arall? Fedret ti fod yn dad da wedi hynny?… Fedrwn i ddim byw gyda fi fy hun.

Y gwir amdani felly yw 'u bod nhw wedi fy nryllio i eisoes. Mater o amser yw'r chwalfa derfynol nawr. Cytuno i'r carn. Man a man i ti adael y byd gyda dy enw da felly, Brynach. A phwy sy'n becso am fy enw da yn gwmws? Wel, ti dy hun yn un. Fe gysgi di'n dawel o wybod dy fod ti wedi gadael cyn gorfod bradychu dy hun, siawns? Wedi'r cyfan, beth sydd gan berson ar y diwedd un, heblaw hynny?

Mae rhyw ddihiryn 'di tisian ar y ffenest 'ma. Wedi gadael 'i ôl llysnafeddog ar y ffenest. Llysnafedd sydd wedi sychu bellach, fel plisgyn dros y gwydr. Mae tri pherson arall yn y goets hefyd. Dynes ifanc dalsyth sy'n amlwg yn fyfyrwraig wrth olwg 'i dillad a'r llyfrau yn 'i chwêl. Menyw cro'n lledr â llygaid hapus. Ac am y dyn? Dim ond 'i gefn e wy 'di gweld. Cefn, gwar, cefn pen a dwylo sy'n byseddu sgrin tabled. Pe baen nhw ond yn gwybod taw nhw yw'r bobol ola fydd yn teithio gyda fi ar drên o Aberystwyth.

Falch dy glywed di'n cydnabod hyn, Brynach. Mai dyma dy ddiwrnod ola di. Os felly, neidia nawr a phaid ag oedi eiliad yn hwy. Neidia mas o'r trên. Ar y traciau. Byddi di wedi cyflawni'r dasg wedyn. Na. Aros. Aros, a cher i weld dy fam am noson. Rwyt ti'n ei chasáu ond mae hi'n haeddu dy weld di un waith eto. Ac yna, diflanna.

Wy'n siŵr fod y fyfyrwraig yn edrych arna i bob nawr ac yn y man – mae'n amlwg yn meddwl bod rhywbeth rhyfedd amdana i. Falle'i bod hi'n synhwyro dy fod ti'n rhith ohonot ti dy hunan yn barod, Brynach. Ar erchwyn marwolaeth. Ynteu ar erchwyn bywyd? Falle 'i bod yn synhwyro dy fod ti'n rhydd am y tro cynta yn dy fywyd. Am dy fod wedi gwneud y penderfyniad.

Neges destun gan Mam. Yn dweud y bydd hi'n 'y nghasglu o orsaf Hendy-gwyn. Siom fawr fy mam ydw i. Yr holl botensial. Pedair A yn fy arholiadau a rhoi fy mryd ar fod yn ymgyrchydd... cyn setlo fel gwas sifil di-nod.

Efallai dy fod ti'n gwneud camgymeriad drwy hunan-farw, Brynach. Cêt? Ti sy 'na? Ie. Dwyt ti ddim yn feistr ar dy fywyd dy hun, pwy a ŵyr beth sydd rownd y gornel. Does neb yn ymwybodol o'r troeon yn 'u straeon 'u hunain. Ond does gen i mo'r egni, Cêt fach. Dim egni i ymdopi gydag un tro yn rhagor, hyd yn oed pe bai'n dro da. Mae'r arian wedi'i wario. Does dim petrol ar ôl yn y tanc.

Ma 'nghalon i newydd suddo'n ddu ac yn drwm i waelodion rhyw lyn llwyd. Tybed pa mor dawel yw ein tŷ ni nawr heb yr un ohonon ni ynddo? Fe fydd yn rhaid i Morfudd ei werthu ar ôl i fi fynd. Cyn hir, fydd dim tystiolaeth o'n hanes ni'n weddill.

Mae'r fyfyrwraig newydd edrych arna i eto. Rhwng Llambed a Llanybydder. Ydw i wedi siarad heb sylweddoli neu rywbeth?

Y peth rhyfedd yw fod popeth mor llachar ac mor real heddiw. Yr adar. Y coed. Clecian y traciau. Fe ddylet ti ymdrechu i gael diwrnod i'r brenin heddi, er mai dyma'r diwedd. Wy ddim yn credu mewn brenhinoedd, ac eto maen nhw'n dal i lechu yn fy iaith i.

Atgof am sŵn trên. Trên bach ar dracie. Ar garped brown y parlwr yn Llanboidy. Diwrnod braf ar ddechre Ionawr a Mam wedi agor y ffenestri'n llydan agored am bum munud am 'i bod hi'n amser clau ac yn gyfle i fwrw aer drw'r tŷ. Fi a 'mrawd wedi ymgolli ym myd y trên, a sliperi piws Mam yn bygwth ein tracie. Gwynt polish. Sŵn y piano yn cael 'i ddwsto a'r trên yn parhau i bwffian. Roedd hynny ar ôl i 'nhad fynd i'r gwersyll ond cyn iddo farw. Wy'n cofio achos ro'n i'n casglu storis yn 'y mhen er mwyn adrodd y cyfan wrtho mewn llythyr. Wy'n cofio bod yn argyhoeddedig y bydde fy llythyre yn 'i gadw fe'n fyw 'fyd.

Bydd pob un atgof yn diflannu ymhen dim, Brynach. Ac fe fyddi di'n rhydd o'r lo's i gyd. O'r diwedd.

\*

Neges gan shan712@gmail.com
At Mami@gmail.com
Glẁes i heddi fod fan trydan y chlyfrgell yn mynd i ga'l ei stopo cyn bo hir achos sdim arian ar ôl 'da'r cownsil.

Ond y newyddion da (yn ôl y cownsil) yw bod y chlyfrgell yn mynd i fod yn aros ar agor achos ma Argos yn mynd i ga'l siop yn y bac a rent nhw sy'n mynd i dalu i gadw'r lle ar agor. Wedyn diolch byth am Argos rili, yfe.

Ffindes i mas bod rhew o'r *freezer* yn dda i gefen tost, Mami. Ond ma Bruv yn meddwl bod e'n syniad ridicilys.

Hefyd, ma tomatos Dai yn tyddu yn dda. Cyn mynd i'r gwely, wy'n pipo arnyn nhw drw'r ffenest gefn lan lofft a ma gwbod bod nhw 'na yn neud fi'n hapus.

Shani X

P.S. Ma'r *leak* o'r to dal 'na pan ma glaw, Mami, a ni 'di gorfod dodi dou bwced ar y landing nawr. Ond dim ots faint wy'n gweud wrth y fenyw o'r cownsil ar y ffôn, sdim neb yn dod 'nôl i fi ambytu fe. *I give up* nawr.

\*

**@Dyfanhwyaden**
Ti 'na?
...
Falle bod ti'n cisgi.

**@shan712**
Sai moyn ti gysylltu rhagor, Shan.

**@Dyfanhwyaden**
Pam?

**@shan712**
Wy'n gweld rywun arall. A so ti'n fodlon cwrdd. Shwt ydw i fod i wbod bo ti'n bodoli? Falle taw *chatbot* 'yt ti.

**@Dyfanhwyaden**
Hales i lunie. A eniwei, so *CHATBOTS* yn sharad Cymrâg mor shit â fi!

**@shan712**
Hwyl, Shan.

**@Dyfanhwyaden**
Aros. 'Na i gwrdd â ti. 'Na i… ti 'na?
**@Dyfanhwyaden**
Plis, Dyfan?
**@Dyfanhwyaden**
Dyfan?

★

**@tidymale**
Like your profile pic.

**@shan712**
Thanx. U on your own?

**@tidymale**
Yes.

**@shan712**
What you wearing?

**@tidymale**
Nothing.

**@shan712**
Show me, Shan.

**@tidymale**
FUCK OFF.

**@shan712**
Wow. No banter, no?

**@tidymale**
Don't you want to know something about me?

**@shan712**
Ok.

**@tidymale**
Oh. Forget it.

**@shan712**
Ok, hun.

**@tidymale**
Nos da.

**@shan712**
O. Cymraeg?

**@tidymale**
Na. *Russian.*

**@shan712**
LOL!!! Le ti'n biw?

**@tidymale**
C'fyrddin. Ti?

**@shan712**
Crymych.

**@tidymale**
Hambon.

**@shan712**
IE. Sbo. Le ti'n biw?

**@tidymale**
Ti'n siriys? Fi newydd GWEUD!

**@shan712**
Helô???
**@shan712**
Helô, Shan?
**@shan712**
Waw. O'dd hwnna'n short-lived.

★

**@rantaday**
Keeps the doctor away?

**@shan712**
I'm not doctor.

**@rantaday**
I wasn't sayin you we're.
...
★ were. Just playing on words. Because of your profile. Ha!

**@shan712**
Wot??? My name Ranta.

**@rantaday**
Oh right. I see. Ti'n sharad Cymrâg?

**@shan712**

You wot???! U been walking on ur keypad lol!!

**@rantaday**

It's Welsh. Where are you based?

**@shan712**

Swansea. I'm new to Wales. Four weeks. Live with my friend. Work in restront. You can teach me Welsh.

**@rantaday**

Good luck with ur work.

**@shan712**

Thank you very much. I would like to meet you. When you in Swansea text me – 7816 637 284. I think we get along.

**@rantaday**

Bye.

*

Neges gan cet.huw@gmail.com
At elen.bernard@cazoozle.com

A ti'n holi dy hunan pam bod y ddwy ohonon ni wedi gadael y wlad? Dwy funed wy 'di bod 'nôl a ma nhw'n hala fi lan y wal yn barod. Yn amlwg, ody, ie, ma fe'n neis gweld nhw. Mae e hefyd yn dda gweld bod nhw wedi parhau i fyw o dan yr un to heb ladd 'i gilydd na'u hunen yn y broses. Ond *Christ almighty*, Els, ma nhw mor yffachol o *ANNOYING*!

Ma Dr Huw wedi ca'l llwyth o anrhegion ymddeol gan bobol y fro (wisgi *basically*, ac un boi wedi trial ca'l gwared ar gas o win coch gwael) ond mae e'n dal i fod *in denial* yn llwyr ei fod e wedi ymddeol. Yn ôl Margo, mae e'n ffono hanner 'i gleifion (yn wythnosol!) i 'holi shwt ma pethe'. Ymyrryd *more like*. Cwestiynu penderfyniade'r doctoried ifenc. Ac yn wa'th byth, cwestiynu diagnosis y robotied newydd 'ma - rhwbeth sy'n hala'r cleifion, druen, yn hollol paranoid.

Yn ôl Doctor Huw, ma'r syrjeri'n trial trin hanner y cleifion gyda robotied neu gŵn erbyn hyn. Alli di gredu? Ma'r peth yn hollol mental! Cŵn sy'n dy sniffo di y tu ôl i sgrin, i weld a wyt ti'n diodde o gancr ai peidio. A wedyn robotied sy'n dy sganio di ac yn hala adroddiad oeraidd at dy gyfeiriad e-bost. Ma'r peth yn ffycin *INSANE*. O ganlyniad i hyn, naratif Doctor Huw yw ei fod e wedi 'ca'l 'i bwsho mas gan robots' (sydd ddim yn hollol wir - mae e hefyd wedi ca'l 'i bwsho mas gan GŴN!!). Tase'r peth ddim mor *tragic* bydden i'n piso'n hunan yn chwerthin.

Wrth gwrs, ma pethe'n fwy cymhleth na hynny. Ma'r cleifion sy'n gallu ffordo yswiriant iechyd yn ca'l eu harwain drwy'r broses newydd gan Dr Bridewell neu Gwyneth Ifan. (Bydde well 'da fi weld peiriant na hi, actiwali. Neu rhowch i mi gi!) Ta beth, y pwynt yw bod y cyfoethog yn talu am *human contact*. Gwasanaeth personol. Ti'n gwbod beth ma'r astudiaethe 'ma i gyd yn gweud am *human contact* erbyn hyn. Bod e'n neud byd o wahanieth i wellhad claf.

Ac o ie, tra bo fi'n cofio, ma Margo'n gweud bod Dr Huw wedi bod yn YMWELD â rhai o'i gyn-gleifion hŷn achos bod y system ar fin ei neud hi fwy neu lai'n amhosib i unrhyw un ga'l ceinog a bod angen help arnyn nhw i lenwi'r e-ffurflenni newydd. Mae'i galon e'n mynd i ffrwydro un o'r dyddie nesa 'ma.

A bod yn onest, Els, wy yn timlo dros yr hen foi i radde. Mae e'n cadw siarad am 'i hunan fel 'deinosor weithiodd mewn sefydliad o'r enw'r NHS'. A so fe wir yn rong.

Ta beth, digon am Dad. Ma isie siarad am Margo hefyd - sy wedi ca'l 'i gwthio i'r *sidelines* erio'd, nagyw hi? Y peth cynta i weud yw 'i bod hi mewn i ioga *in a big way* ar hyn o bryd. Pan gerddes i mewn i'r tŷ ar ôl cyrradd 'nôl ar y bws (o Ferlin!!! Ar ôl yr holl flynydde!), y peth cynta wedodd hi wrtha i oedd 'i bod hi wedi bod yn fflôto uwchben y tŷ jyst cyn i fi gyrradd! 'Nes i werthin i ddechre. Meddwl taw jôc oedd e. Ond, o'dd hi'n *deadly serious*. Wy 'di byw 'da sawl cymeriad yn y comiwns 'ma ar hyd y blynydde yfe, ond alla i weud wrthot ti gydag argyhoeddiad bod 'yn mam ni off 'i ffycin phen. Ond wedyn pa syndod? Mae wedi gorfod byw o dan yr un to ag ego mwya Cymru fach.

Y gwir amdani, Els, yw'n bod ni'n dwy'n normal iawn o gymharu â'r ddau 'na. Sy'n gweud lot, achos ni'n ddigon anarferol 'yn hunen. *I mean*, ti 'di priodi *magician* (ie, wy'n gwbod bod e'n neud yn dda ac yn Ffrancwr, sy'n neud e'n *fascinating*. Ond *still*.) a fi'n dri deg wyth ac wedi byw mewn comiwn Poboliaeth yn Nwyrain Berlin ers blynydde.

Gobeithio bod Bruno yn iawn gyda llaw. O'n i ddim yn lico clywed bod y tric 'na gyda'r cleddyf 'di mynd yn rong eto – o's inshiwrans gyda fe gyda llaw??? A shwt ma Faye ar ôl 'yr anaf'??? Risgi busnes, nagyw e – consurio. *Who knew*?

Shwt ma Seren a Jacob? Valencia ym mis Mehefin yn neis siŵr o fod. Wy'n gwbod, wy'n gwbod – wy fod wedi trefnu ymweliad ers sbel, ond ma'r ffaith bo fi 'di gorfod dod gydre 'di neud mes o'n drefniade i i gyd.

Ma Mam a Dad yn dal i glingo mlân i'r syniad *nebulous* 'ma bo chi'n meddwl symud 'nôl i Gymru mewn... DWY flynedd??? Wyt ti actiwali yn bwriadu delio gyda hyn, neu gadel i'r pŵr dabs farw mewn limbo? Wy'n credu weithe bod 'u calonne nhw'n parhau i bwmpo achos bod nhw'n meddwl falle neith e ddigwydd. Ni'n bethe delicet, Els, pan ni'n mynd yn hŷn... *DEAL WITH THIS*.

'Se well fi fynd nawr. Ma Doc Huw newydd weiddi lan i'r atic bod swper yn barod. Fi fel 'se fi'n un ar bymtheg 'to, wy'n gweud tho ti.

Caru chi, Cêt x

Neges gan elen.bernard@cazoozle.com
At cet.huw@gmail.com

Cêt,

Plant newydd fynd off i gysgu. 10:30!!! Ma pobol y fflats rownd ni yn neud gyment o sŵn amser hyn o'r nos! Sai byth yn mynd i gyfarwyddo ag arferion y Sbaenwyr (neu'r Valenciagwyr, neu be bynnag ma nhw moyn ca'l eu galw!). Gweud 'ny, mae e mor braf i ga'l pum munud i fi fy hunan o'r diwedd. Sai'n siŵr odw i 'di ca'l siawns i ddweud wrthot ti ond fi yw *assistant* Bruno ar hyn o bryd. Hynny yw, ers i Faye ga'l 'yr anaf'. Dyw hi ddim yn mynd i siwio mae'n debyg, ar yr amod bod Bruno yn fodlon cymryd hi 'nôl – tipyn o ryddhad i fi a Bruno druan. Mae e'n diolch i Dduw bob dydd bod hi ddim wedi colli llygad. Ydy'n bywyde ni wedi troi mewn i ffars, dwed?

Ma gwydred o win coch 'da fi wrth 'yn ymyl i fan hyn ond, yn anffodus, ma fe'n afiach. Ma'r pethe 'ma'n digwydd yn Valencia hyd yn oed!

Ma Bruno mas yn perfformio yn Barcelona. O'dd dim angen yr *assistant* arno achos mae e'n rhan o ryw sioe fwy gyda syrcas o Lydaw heno. Ma'r syrcas a chonsurio yn boblogaidd tu hwnt yn sydyn reit, sy'n meddwl 'yn bod ni'n fishi IAWN. Ma Sbaeneg Bruns yn dod mlân yn aruthrol o glou 'fyd, i fod yn deg. Thema Tsieineaidd sydd i'r act newydd.

Ma Tsieina mor 'en vogue' ma fe'n *no brainer.* Ma fe'n neud un tric 'da *spring roll.* Yn agor y *spring roll* a thynnu clustdlws aelod o'r gynulleidfa mas ohono fe. Ond wrth gwrs, fel pob gwraig i gonsuriwr, wy'n gwbod shwt ma fe'n neud y tric. Wedyn dyw e ddim mor hudolus i fi, ody e? Gweud 'ny, ma fe'n brofiad gweld ymateb y rhes flaen. Ma nhw'n dishgwl arno fe fel tase fe'n Feseia. Hud a lledrith. Y peth lleia hudol yn y byd unweth ti'n gwbod y cyfrinache.

Am faint ti'n bwriadu bod 'nôl 'da Mami a Dadi, 'de? Fyddi di dal 'na pan fyddwn ni'n lando dros yr haf? Bydde fe'n lyfli dy weld di. Wy'n deall na alli di egluro'n gwmws pam ti 'nôl - ond o's siawns ca'l gwbod rwbeth? Ar adege fel hyn, nelen i unrhyw beth i dy weld di a ca'l *chat* dros ddished... Ochenaid.

*Beso y beso,*

xxxx ELS xxxx

O.N. Cofia fi at Mami a Dadi, 'nei di? Ac atgoffa nhw bod angen ca'l gafel ar *airbed* cyn i ni lando? A wy'n gwbod bod e'n boring ond bwyda ego Dadi. 'Ti yw'r GP gore welodd G'fyrddin erio'd. *Good on you. Etc. etc. type thing.'* Ma ymddeol yn gallu bod yn anodd IAWN. 'Nes i ddarllen stori fer yn Sbaeneg am y feri pwnc. Falle dylet ti ei annog e i ddechre blog?? Neu sgwennu... *dare I say it...* hunangofiant? (*shockedface emoji*)

O.O.N. Gweud y gwir, sgrapa'r syniad 'na am blog a hunangofiant. Cyfrannu colofn i *Carmarthen Online* yn well. Ie. SYNIAD DA. Neu falle cael slot ar un o raglenni One Radio Wales? Wy'n gwbod bod lot o gystadleuaeth ond ma fe'n nabod Eirlys Pearl a ma hi'n dal i gynhyrchu i'r BBC o beth fi'n deall. Werth galwad ffôn?

O.O.O.N. Ma dychwelyd i Gymru dal ar y *cards* (!), ond sdim cynllun pendant 'to. Fydd raid i fi drefnu amser i drafod y peth 'da Bruno.

*

Neges gan shan712@gmail.com

At Mami@gmail.com

Ma Whiskers wedi marw, Mami. Nath Dai ffeindio fe ar gwaelod gardd e bore 'ma. O dan y goeden le o'dd e'n lico mynd i gysgu yn yr houl. Wedodd Dai o'dd e'n dishgwl yn hapus ac *at peace* ond yn itha stiff. Ma Bruv yn mynd i gladdu fe nes mlân ar ôl dod 'nôl o'r farced.

Er bod e dal yn neud lo's weithe, ma cefn Bruv lot yn well nawr, sy'n mefwl bo fi yn y tŷ ar ben 'yn hunan lot 'to. Achos bo fi 'di mynd yn iwsd i ga'l rywun ambytu wy yn timlo bach yn unig weithe. Yn ca'l meddylie tywych. Meddylie bo fi'n mynd i fod yn styc yn y tŷ 'ma am weddill bywyd fi. A bo fi ddim yn mynd i gwrdd â Mr Right. A bo fi ddim yn mynd i ga'l *white wedding* a gŵr a plant.

Wy yn trial cwrdd â pobol, Mami. Wy'n trial siarad 'da pobol ar yr *internet*. Ond so nhw wastod yn neis. A pan ma nhw'n neis, wy ddim yn gwbod shwt i egluro popeth wrtho nhw. Wedyn ma nhw'n colli mynedd ac yn symud mlân. Fi yn *trapped*, fi'n mefwl weithe.

Ar ôl clŵed am Whiskers, 'nes i whare cân ti ar ffôn fi. Nath e fi'n hapus. A 'nes i wafo dwylo fi a wherthin. A wedyn da'th y gân i ben ac a'th popeth yn dawel 'to.

Ma Bruv 'di prynu rhagor o *weed* a *skunk* ond wy'n credu bod y *skunk* sy 'da fe tro 'ma yn *mega* cryf achos weithe wy'n timlo'n *giddy* jyst o paso'r lownj pan mae'n smoco fe. Wy'n gobeitho neith e ddim dod â bois Belvedere draw 'to. Tro dwetha gath e *skunk* da dechreuodd e showan off a rhannu peth 'da nhw jyst i fod yn boblogedd. Ond sai'n lico bois Belvedere. Yn enwedig yr un sy'n dishgwl arno fi'n od.

Os neith e infeito nhw, falle 'na i jwst aros yn stafell fi. Darllen y llyfr newydd wy 'di ca'l o'r fan. Droiodd e lan heddi am y tro ola yn bywyd fi. O'dd y fenyw yn y fan yn ypsét. Gweud bo hi 'di bod yn dreifo fans y chlyfrgell ers *twenty four years* a cyn hir bydd hi ar y clwt heb *a word of thanks*.

Wedodd hi wedyn bod hi'n timlo drosto pobol fel fi, achos bydd rhaid fi ffindo ffordd hunan fi lawr y dre os fi isie llyfre *in future*. ('Nes i ddim gweud wrthi bo fi rili *excited* i fynd i Argos 'run pryd, Mami. O'n i ddim yn meddwl fydde fe'n apropriyt.)

Shan X

*

Llythyr gan Brynach Yang (yn 6 oed) at ei dad yng ngwersyll Trostre, Llanelli

Ionawr 2025

Annwyl Dad,

Mae Rhuon a fi yn adeiladi trac trên newydd ni o gwmpas y parlwr. Ma'r tywydd fynyn yn braf gyda houl a rew ar y llawr. Fi wedi gweud i mami fi moyn dod i weld ti. Hoffet ti loshin sbeshial? Mae gyda fi dau dant yn y bocs i ti weld nawr. Mae Mam yn helpi fi sgwenni hwn ond fi 'di neud granfwya o fe ar ben hin fi.

Brynach Yang.

*

**Darn o ddyddiadur Brynach Yang, Mehefin yr 2il, 2056**
**Glan y ddôl, Llanboidy, Sir Gaerfyrddin**
O'r eiliad ddringes i mewn i'w char yn Hendy-gwyn dechreuodd hi drial rheoli popeth – yn ôl ei harfer. Ac erbyn amser te o'n i'n gallu gweld 'i bod hi wedi trefnu amserlen o ymweliadau.

'Allith e ddim galw rwbryd 'to?' Fy mrawd wedi ca'l gwŷs. 'Fydd e ddim 'ma am sbel, ys. Ma ffwtbol 'dag e.' Ei llyged mowr yn fy astudio i. Yn whilo am gliwie.

'Beth sy mlân 'da ti yn y dre fory, 'de?'

Cwrdd â Victoria Jones, medde fi, mae'n whilo am grant arall. Wy'n itha sicr nagyw Mam yn gwbod pwy yw Victoria Jones ac mewn ffordd wy'n ei dallu hi'n fwriadol. Mae'n gwawrio arna i'n fwy llachar nag erioed bod ein diwylliant ni yn farw hoel. Mae Victoria Jones wedi teithio'r byd ar bwrs y wlad, ac eto dydy Mam ddim yn gwybod dim amdani.

Mae'n ffysan wedyn, ambytu be weithith hi i swper nes mlân. Bron iawn yn desbret o awyddus. Mae'r unigedd mae'n ei dryledu yn salw.

Ar ôl rhai eiliadau mae hi'n gadel y parlwr i hwylio te pnawn. A wy'n gryndo ar y radio ac yn staran ar garped brown fy mhlentyndod. Rhaglen Saesneg o Loegr sy ar y radio, lle mae arbenigydd wrthi'n egluro 'yn bod ni'n treulio gormod o amser o lawer dyddie 'ma yn meddwl mewn brawddege byr o amser. Yn rhannol oherwydd ein defnydd cyson o ffonau symudol. Dwi ddim yn gwrando am yn hir. Mae ei llais hi'n rhy ailadroddus.

Wy'n symud o ganolbwyntio ar y radio i syllu ar y llenni. Syllu mor hir nes 'y mod i'n gweld môr-leidr yn y plygiadau. A wyneb hir rhyw wrach. A dyn yn ei gwrcwd yn estyn am flodyn. Ac yna'n sydyn reit, wy'n chwech o'd eto ac ma amser wedi slofi.

'Dished.' Ei llais gyntaf. Yna ei hwyneb hael, ar ei hanner o'r tu cefn i'r drws. Mor hael nes ei fod yn helbulus.

'Wyt ti 'di ffono Morfudd? I weud bo ti'n saff?'

'Dim ond o Aberystwyth wy 'di dod, Mam.'

Chwerthin wedyn, gwenu wrth gofio'r llun diweddara o Tanwen gafodd hi ar e-bost 'nôl yn y gwanwyn. Dyw hi ddim yn nabod ei hwyres. Ddim go iawn. Ond mae ganddi gasgliad o lunie mewn rhes i brofi nad yw hi'n colli gafel. Mae ganddi storfa o chwech stori ar y tro hefyd, rhag ofn ddaw ymwelwyr i'w chroesholi...

Wy ddim yn ddigon o ddyn i egluro fod Morfudd yng Nghaerdydd. Wy ddim chwaith yn ddigon o ddyn i ofyn y pethe ddylen i ofyn i'r fenyw 'ma sy'n syllu arna i. Mae gen i gyfle nawr. Cyfle i ofyn cwestiyne am fy nhad. Cwestiyne sydd wedi llosgi yno' i ers cyn i fi allu cofio. Am ei angladd. Ei fywyd. Ei hanallu hi i ddelio gyda phob dim ddigwyddodd i ni ar hyd y blynydde.

Mae'n siŵr fod 'na lo's, rhywle y tu mewn iddi. Ond cha i fyth glŵed am hynny. Ac achos 'ny, cheith hi fyth glŵed am fy lo's i. Peth felly yw rhannu. Os nag'yt ti'n neud, ti'n colli nabod ar bobol. Ac ar hyd yr amser ro't ti'n meddwl dy fod ti'n gwneud peth arwrol yn peidio dweud.

Ymhen dim, daeth y brawd. Ar ei ffordd i hyfforddi plant y pentre i chwarae pêl-dro'd. Un o hoelion wyth y gymdeithas erbyn hyn. Sip arian ei siwmper yn disgleirio. A'r sgwrs yn rhygnu mlaen. 'Dylet ti a Morfudd fod wedi dod i fortieth Meleri, ti'n gwbod. O'dd e'n real gwd sbort.' Mae e'n syllu am eiliad wedyn. Ar y llyfrau yn y cabinet. Llyfrau 'nhad. Go brin ei fod wedi darllen yr un ohonyn nhw.

Yna'r llais bach eto. 'Dished.' 'Jolch, Mam.' Fy mrawd yn joio gweld 'i hwyneb hi'n codi cyn gadel y stafell. 'Ma hi'n falch o dy ga'l di 'nôl, t'mod.' ''Nôl?' medde fi. 'Pwy 'nôl?'

Yn 'i ffordd ddihafal 'i hunan mae e'n anwybyddu'r ymateb athronyddol.

Mae e 'di llwyddo i neud hynny erio'd; ysgaru'i hun rhag y dwys a'r dwfwn.
Ochri gyda'r gole. Mlân â fe wedyn, i adrodd stori hurt am fois y clwb pêl-dro'd. Rhywbeth am griw ffilmio ddaeth i'r pentre wythnos yn ôl, a fynte'n ca'l hanner canpunt yn ei boced am gyfweliad tri deg eiliad.
Ar ôl chwarter awr, fe gododd a gadel. Yr hyfforddiant pêl-dro'd yn galw. Wy'n sicr bod 'y ngweld i'n 'i atgoffa fe fod bywyd yn drwm i rai pobol. Shwt na etifeddodd e'r ddawn i orfeddwl a gorbryderu? Gweud 'ny, wy'n siŵr fod 'da fe'i siâr o lo's yn cronni tu fewn iddo fe'n rhywle.
Wy'n dechre dyfaru mai yn y tŷ 'ma fydda i'n treulio fy noson ola ar y ddaear. Dylen i fod mewn clwb nos yn 'i rhwygo hi ar draws y *dance floor*. Yn trial tynnu menyw smart. Yn trial byw. Ond yn hytrach, wy'n ddiymadferth. Heb ddigon o nerth i redeg o 'ma. Nerth esgyrn bach 'y nhra'd.

*

Neges gan Edith@poboliaeth.cymru
At Pedro@poboliaeth.cymru
Mehefin yr 2il, 2056
Ydy'r llysiau'n barod? Fydd angen delifro nhw yn cyflym â posibl i dwy bwyty. Bwyty Iolo ar Sgwar Nott yn y tref a Te yn y Crug yn Llandysul. Maen nhw i gyd angen mwy o tatws na tro diwethaf heffyd os ti'n gallu sortio hyn????? Diolch! Wela i ti yn y cyfarfod heno!

Neges gan Pedro@poboliaeth.cymru
At Edith@poboliaeth.cymru
Mehefin yr 2il, 2056
Ychydig bach yn hwyr i anfon hwn heddiw? Pam na chawsoch gyfle i anfon nodyn yr wythnos diwethaf???
     Nos da

Neges gan Edith@poboliaeth.cymru
At Pedro@poboliaeth.cymru
Mehefin yr 2il, 2056
Ow. 'Chi' ydy fe? Mae'n rhaid bod fi wedi eich wylltio chi (!). Dwi'n gwybod. Sori. Cyfnod aruthrol prysur. Ymddiheuriadau llu.

Neges gan Pedro@poboliaeth.cymru
At Edith@poboliaeth.cymru
Mehefin yr 2il, 2056
Bydd raid i chi ffeindio ffordd o ddiolch i mi...

Neges gan Edith@poboliaeth.cymru
At Pedro@poboliaeth.cymru
Mehefin yr 2il, 2056
Dwi'n yn fy pump degau, Pedro. A ti yn 42???. Dim amser gen fi am gemau rhagor. Na egni. Nac chwant. Fel dwedais i, wela i ti yn y cyfarfod heno. Lot i trafod.

\*

**Darn o ddyddiadur Brynach Yang, Mehefin yr 2il, 2056**
**Glan y ddôl, Llanboidy, Sir Gaerfyrddin**

Un o'r pethau wy wastod yn ffeindio'n heriol am lefydd y tu fas i Lanboidy yw sŵn y nos. Sŵn traffig. Cyfarchiad. Pesychiad. Ffeit. Yn Llanboidy gyda'r hwyr a lan 'yn stryd ni, digwyddiad yw clywed sŵn. Fwy na heb, does dim yn bodoli heblaw am dy stafell wely a'r synau yn dy ben. Wrth gwrs, fydde'i ddim yn amhosibl iti glŵed cyfarthiad cadno. Y cyfarthiad anghyflawn hwnnw sy'n cipio ac yna'n celu yn y cysgodion. Gall bref buwch darfu ar y tawelwch bob nawr ac yn y man hefyd. Ond ar wahân i hynny? Ac ar y cyfan? Tawelwch braf.

Ac eto heno, mae'r tawelwch yn fyddarol ac wy'n ffaelu'n lân â chysgu o'i herwydd. Mae'n denu meddylie a lleisie styfnig.

Wrth orwedd yma, dim ond un person alla i feddwl amdani. Morfudd. Morfudd adawodd gyda'n merch ni. Morfudd ffoniodd yr heddlu. Fy Morfudd i.

Rwy'n ymwybodol erbyn hyn bod pobol yn gefnforoedd am imi brofi cefnfor stormus Morfudd. Rwyt ti'n aml yn bellach oddi wrth y bobol rwyt ti'n agos atynt am dy fod yn gallu gweld y bywyd sy'n terfysgu y tu mewn iddynt mor eglur.

Wrth gwrs, mae hi'n gyfarwydd â natur fy nghefnfor i hefyd. Ac i Morfudd, rwy'n fès anystywallt sydd fyth dragwydd yn trio dod i delerau gyda'r ffaith fod Dad wedi diflannu. Yn ffŵl annoeth sydd wedi neud un camgymeriad ar ôl y llall. Efallai fod 'na elfen o wirionedd yn hynny, ac eto, wy'n methu help ond teimlo'n grac wrthi. Roedd Morfudd bob tro'n llawer rhy barod i ganolbwyntio ar fy ngwendidau yn hytrach na 'ngweld i yn fy nghyfanrwydd.

Wy'n cofio'r tro cynta i ni gyfarfod â thad Morfudd yn iawn achos fe wnaeth hi ohirio'r cyfarfyddiad am ddeg mis! Roedd ei rhieni wedi gwahanu ers blynyddoedd ac felly doedd dim dewis ond cyfarfod â'r ddau riant ar wahân. Sêl bendith ei thad oedd bwysica i Morfudd, felly fe ges i gyfarfod â'i mam yn llawer cynt! Wy'n cymryd ei bod hi eisiau gwneud yn siŵr fod ein perthynas ni'n solet cyn i Dadi ga'l cyfle i 'nghroesholi.

Er mwyn ei blesio felly, roedd Morfudd wedi trefnu 'yn bod ni'n mynd allan i un o fwytai'r teulu yn yr Eglwys Newydd. Hyn oherwydd y byddai Alcwyn ar ben ei das yno.

Yn rhyfedd ddigon, nid y pryd bwyd ei hun sy'n glynu yn y meddwl. Yr hyn sydd fwya byw yn y co' yw'r orie dreulion ni yn nhŷ ei thad (a'i bartner diweddara, Jennifer) cyn mynd i'r bwyty.

Am fod Alcwyn a Jennifer mas am y prynhawn, gafon ni dreulio orig yn y stafell wely i westeion ym mhen pella'r tŷ. Roedd hi'n fis Gorffennaf braf a finne'n gwylio Wimbledon ar y gwely. Y ffenestri ar agor led y pen ac arogl y lawnt a thrydar yr adar yn ffrydio i mewn i'r stafell. Ac eto, ar waetha'r naws ymlaciol braf, allai Morfudd ddim ishte'n llonydd. Dim ots beth wnâi hi, doedd dim byd yn neud y tro. Roedd hi ar binne.

Wrth inni nesáu at y pryd bwyd, gallwn weld yn gliriach fod 'na elfen o ddioddefaint yn perthyn i'r paratoi a bod talcen Morfudd yn gryche bach i gyd. Roedd hi hyd yn oed yn ochneidio heb yn wybod iddi bob nawr ac yn y man ac yn conan nad oedd y ffrog oedd gyda hi'n addas. Er na wyddai hynny, nid y dillad oedd yn 'i becso. Roedd y ffrog werdd laes yn asio'n berffeth gyda'i gwallt coch cyrliog. Fi oedd yr her. Fi oedd gwraidd yr anesmwythyd. 'Nes i ddim sôn wrthi. Doedd hi ddim hyd yn o'd yn sylweddoli taw dyma oedd yn mynd ymlaen. Ac eto, hyd y dydd heddiw, fe gofia i wynt y chwys melys oedd yn codi oddi arni fel tarth. Tarth oedd yn arwydd clir i fi ein bod ni ar fin ymddangos ar lwyfan.

Sut bethau oedd ei lleisiau mewnol wrth baratoi, tybed? Gwna iddo fe ddishgwl yn smart. Dyw e byth yn mynd i ennill arian mawr, ond dangosa ei fod e'n ddewis da. Yn ddyn call. Yn egwyddorol. Rho gyfle iddo fe fod yn garismataidd a phaid â sôn gormod am yr ymgyrchu. Beth bynnag oedd y ddeialog fewnol, doedd Morfudd yn amlwg ddim yn siŵr a fyddwn i at ddant ei thad.

Ar waetha'r holl fecso, fe a'th y pryd yn dda. Roedd y bwyty'n ferw gwyllt a sawl cwsmer yn codi llaw neu'n galw draw at y ford i ddweud 'helô'. Fe wenais i ar Jennifer yn y llefydd iawn ac roedd Alcwyn yn hoff ohona i am 'y mod i (mae'n debyg) yn 'hogyn ffraeth'. Fe wnes i fy ngore glas i 'fwynhau' gwrando ar Alcwyn yn clochdar hefyd ac weithie, fe wnes i lwyddo.

Y person gafodd yr amser lleia dymunol, ddwedwn i, oedd Morfudd. A hynny'n benna oherwydd y ddeinameg anffodus a fodolai rhyngthi hi a'i thad.

Digon cynnil oedd y tynnu coes i ddechrau. Cellwair bod ei gwallt wedi mynd braidd yn hir ac yn 'stiwdantaidd' ac awgrymu nad oedd hi mor 'academaidd' â'i chwaer. Yr ergyd farwol, fodd bynnag, oedd pan awgrymodd Alcwyn mai Bleddyn oedd bardd mawr y teulu. Wedi'r cyfan, fe enillodd gadair ysgol Glantaf pan nad oedd e ond yn dair ar ddeg. Wn i ddim a fwriadodd Alcwyn i'r sylw swnio mor faleisus. Y naill ffordd neu'r llall, fe gafodd gryn effaith ar ei ferch, wrth iddi lyncu a chochi tamed bach cyn cropian i'w chragen.

Buan iawn y symudodd y sgwrs yn ei blaen ac o fewn eiliadau roedden ni i gyd yn chwerthin yn iach am ryw sylw dibwys arall. Serch 'ny, wna i byth anghofio'r olwg ar ei hwyneb.

Fe weles i Morfudd yn mynd i fecso eto yn nes ymlaen yn ystod y pryd wrth i'w thad fy holi am Tsieina. Crybwyll cyfnod y rhyfel wedyn ac egluro iddo ef gael ei anfon i Baris, i amddiffyn y ddinas fel milwr. A bod yn deg ag Alcwyn, ddwedodd e ddim byd rhy ddadleuol ond roedd y difrod wedi'i neud erbyn hynny.

Ar ôl dychwelyd i'r tŷ'r noson honno, fe ges i wybod wrth frwsio 'nannedd bod fy mherfformiad wedi plesio. Y cyfan wnes i mewn ymateb oedd gwenu a dweud bod perfformiad Alcwyn wedi 'mhlesio inne hefyd. Am eiliad, chwarddodd Morfudd cyn i gysgod groesi'i hwyneb yn gynnil. Rydw i'n rhydd o farn dy dad, Morfudd, oedd fy neges amlwg iddi. Dyw ei eirie fe ddim yn bwysig. A dyna pryd y tarodd y peth fi. Nad o'n i'n rhydd o farn Alcwyn. Roedd Alcwyn yn llechu ym meddyliau a phenderfyniadau ei ferch. Y ferch oedd wastad wedi honni'i bod hi'n byw mewn oes ôl-ffeminyddol. Yn y bôn, roedd gan Dadi'r grym i chwalu ei chastell yn chwilfriw, gydag ergyd un gair.

Ar ôl treulio ychydig o amser yng nghwmni Alcwyn, des i ddeall Morfudd yn llawer gwell. Deall pam roedd hi mor uchelgeisiol yn ystod y dyddie cynnar hynny. Pam roedd hi mor awyddus ei bod hi, a fi hefyd i raddau, yn cyrraedd y nod. Ond wrth stryffaglu at y nod, a gwneud annibendod yn y broses, fe anghofion ni rywbeth pwysig iawn. Fe anghofion ni'n hunain. Dewis anwybyddu'r ffaith nad oedd 'na gysylltiad o gwbwl rhwng y deunydd crai a'r freuddwyd oedd gan Morfudd ar ein cyfer.

Ac yna'n sydyn, roedden ni'n rhieni dibrofiad oedd yn dannod 'yn bod ni yn y fath sefyllfa. Wedi blino'n shwps ac wedi colli'n hunain ar hyd y daith. Wedi ein dal, o'r diwedd, gan rwyd cyfalafiaeth.

Cyn hir, dim ond geirie ar sgrin fydda i i Tanwen a'r unig bethau fydd hi'n eu clywed amdana i fydd canfyddiad Morfudd o bwy o'n i. Mae'n siŵr fod Morfudd wrthi'n barod yn nyddu'r naratif. Y dyn nad oedd modd dibynnu arno. Y dyn siomodd y teulu. Falle fod Morfudd yn iawn. Falle mai ei fersiwn hi o'r stori sydd agosa at y gwir. Ond er mor anweledig oedd ei beiau hi y tu hwnt i'r pentan, roedd byw yn ei chwmni yn eu goleuo nhw'n wynias. Mae hi ar fai hefyd. Ry'n ni'n dau ar fai.

O feddwl bach. Taw plis. Stopia droi a throi'r holl feddyliau 'ma drosodd a thro yn dy ben nes gwneud i mi anadlu'n fyr a chwysu. Does dim angen i ti geisio gwneud synnwyr o bethau mwyach. Fe fydd y cyfan yn ango fory.

Cer i chwilio am gariad. Cariad unnos. Bydd yn bwy bynnag yr hoffet ti fod am unweth. Paid â dala 'nôl. Heno, fe gei di fyw fel tase 'na ddim yfory am y tro cynta yn dy hanes!

*

**www.Calon.com – cofiwch hwylio draw i'r ap!**

**Enw – @BrynachBrynach**
Cyfrinair – BroBrynach

**@BrynachBrynach**
Alright Bryn?

**@tessa**
Hawddamor!

**@BrynachBrynach**
Ok… are you a weirdo? Any photos?

**@tessa**
Quite new to all this so no.

**@BrynachBrynach**
It's quite weird to not have photos, Bryn. Age? Height?

**@tessa**
You don't waste time, do you?

**@BrynachBrynach**
Spill ; ) Or are you a shortarse?

**@tessa**
38. 5'8" (and a half). Quite chubby, I suppose.

**@BrynachBrynach**
My phone's tellin me you're in Lanboidy…

**@tessa**
Your phone is very astute, Tessa.

**@BrynachBrynach**
Sorry?

**@tessa**
Where are you then, Tessa?

**@BrynachBrynach**
Henllan Amgoed, Bryn.

**@tessa**
That's where my great-gran was from.

…

**@tessa**
Anyhow, Tessa. Tell me something about you…

**@BrynachBrynach**
41. Married. Bored.

**@tessa**
Right.

**@BrynachBrynach**
Want to meet tonight, Bryn? I could drive to Lanboidy? I can see you've got hundreds of Facebook friends. And two of them in common with me… so you can't be an axe murderer.

**@tessa**
Oh, but I can…

**@BrynachBrynach**
U freaking me out now. LOL.

**@tessa**
I'm staying with my Mam. So best not meet. Best of luck with your marriage though.

**@BrynachBrynach**
Spoilsport…

**@tessa**
Ha ha! Yeah, sorry, Tessa. Story of my life really. Hwyl X

★

**@BrynachBrynach**
Shwmae, Brynach.

…

**@BrynachBrynach**
Dim isie ware?

**@shan712**
Sori, Shan. Logo mas nawr.

**@BrynachBrynach**
*Shame.* Sai 'di blino o gwbwl. A ma ail lun ti'n neis.

**@shan712**
O, diolch. Newydd roi e lan.

**@BrynachBrynach**
*Welshy Welsh* ti yn, ie?

**@shan712**
Pam ti'n gweud 'na?

**@BrynachBrynach**
Fflag Cymru fel *profile pic* ti… bach yn *random.*

**@shan712**
Fi isie Cymru rydd rhyw ddydd. *So shoot me.*

**@BrynachBrynach**
Ha.

**@shan712**
I fod yn onest, Shan, sdim lot o bwynt i ti siarad 'da fi achos fi'n gadel Cymru fory.

**@BrynachBrynach**
*So much for* neud Cymru'n rhydd. Le ti'n mynd?

**@shan712**
Ha. Bell. A fydda i ddim 'nôl.

**@BrynachBrynach**
Beth yw'r pwynt bod ar hwn, 'te? Os ti ddim mynd i ddod 'nôl.

**@shan712**
Jyst treial lladd y nos.

**@BrynachBrynach**
Nice words, Mr Poet.

**@shan712**
Ha. Sai'n fardd. Crap 'da geirie. Gwraig fi yw'r poet.

…

**@shan712**
Cyn-wraig. Wel, wedi gwahanu ta beth. Sai'n bod yn anffyddlon.

**@BrynachBrynach**
Reit.

**@shan712**
Ti'n briod?

**@BrynachBrynach**
Nagw. Beth ti'n lico neud? Yn amser sbâr ti?

**@shan712**
Ody darllen yn cyfri?

**@BrynachBrynach**
Ti *seriously* wedi cwrdd lot o *losers* ar hwn. Ydy darllen yn cyfri??? *As in – what?*

**@shan712**
Ha. Ok. Iawn. Darllen.

**@BrynachBrynach**
A fi. Fi'n darllen cefn *shampoo* botels pan fi ar y bog a popeth. Ond 'nes i dal neud yn shit yn arholiade fi.

**@shan712**

Wir nawr. Ti *practically* yn academydd o gymharu â phobol fi 'di cwrdda ar hwn hyd yn hyn heno.

**@BrynachBrynach**

*Such a flatterer.* Es i dim i ysgol. O'n i yn ca'l tiwtor gydre.

**@shan712**

O reit. Pam?

**@BrynachBrynach**

Achos.

**@shan712**

So... falle af fi i'r gwely, nawr 'te, Shan. Meddwl amdanot ti...

**@BrynachBrynach**

*Oh please!* Ond *fair enough. By the way...* ti weld yn *cool.*

**@shan712**

Diolch. Ti hefyd.

**@BrynachBrynach**

Ti'n *depressed* gyda llaw?

**@shan712**

Nagw. Pam?

**@BrynachBrynach**

Dim ond dynon *depressed* sy ffaelu cysgu yn *experience* fi. Neu *hammered.* A ti'n *obviously* ddim yn *drunk.*

**@shan712**

Wel, wyt ti'n *depressed*?

**@BrynachBrynach**

Sai'n dyn. Ond odw. Siŵr o fod. Fi dal yn byw 'da brawd fi. Bydde unrhyw un yn. Ond *experience* fi o bod ar hwn yw bod rhan fwya o dynon dyddie 'ma yn *depressed* ac ar goll.

**@shan712**

Ie. Ti siŵr o fod yn iawn. Am y dynon erill a fi. Pam 'yf fi'n gweud hyn i gyd wrthot ti, gwed? Erioed wedi cwrdd â ti. Lol.

**@BrynachBrynach**

Fi 'di neud gwd ffrindie ar hwn dros y blinidde.

**@shan712**

O ie?

**@BrynachBrynach**

Weithe ti'n gachler bod yn mwy onest 'da pobol mas o cilch ti.

**@shan712**

Gwir.

**@BrynachBrynach**

Os ti'n *depressed*, Brynach, dylet ti sharad gyda rywun.

**@shan712**

Ha ha. Rhy hwyr.

**@BrynachBrynach**

*Oh my god*, ti'n *suicidal*?

**@shan712**

Nac ydw. Ond diolch am eich consýrn, doctor shan 712.

**@BrynachBrynach**

So lle ti'n mynd i? Gweud bo ti'n gadel Cymru.

**@shan712**

Sai'n gwbod 'to.

**@BrynachBrynach**

Paid neud e, BrynachBrynach. *I know a suicider when I meet one.*

**@shan712**

Os ti'n mynd i gario mlaen fel hyn fi'n mynd i logo off. Pam 'nei di ddim ca'l bach o sbort yn lle 'ny?

**@BrynachBrynach**

OK. Cwis.

**@shan712**

Ha ha. Iawn.

**@BrynachBrynach**

Beth yw enw *original* Caerfyrddin?

**@shan712**

Rwydd! Maridunum.

**@BrynachBrynach**

Ti nesa.

**@shan712**

Prifddinas Costa Rica?

**@BrynachBrynach**

San Juan>???

**@shan712**

Agos, ond na. San José.

**@BrynachBrynach**

O *come on*!! Mor agos.


...

**@BrynachBrynach**
Brynach?

…

**@shan712**
Briliant o gwis, Shan. Joio. Sori. O'n i yn y toilet.

**@BrynachBrynach**
O's un mowr 'da ti?

**@shan712**
O plis.

**@BrynachBrynach**
Toilet fi'n meddwl! Trio gweithio mas os ti'n mor *middle class as you sound.*

**@shan712**
Hen dŷ cownsil yn Llanboidy i ti ga'l gwbod.

**@BrynachBrynach**
'Na le ti'n byw?

**@shan712**
Mam. Fi'n byw yn Aberystwyth nawr.

**@BrynachBrynach**
Middle class. I knew it.

**@shan712**
So pawb yn Aberystwyth yn *middle class!!!*

**@BrynachBrynach**
Na. Ond ti yn. Lyfen i fod yn *middle class.* Ond fi'n styc mewn *council house* am byth.

**@shan712**
Beth yw dy waith di, 'de, Shan?

**@BrynachBrynach**
Sdim gwaith 'da fi. Ond ma brawd fi'n gweitho yn y farced. Wel t vas y farced.

**@shan712**
Fi yn G'fyrddin fory, miss. *For one day only…* isie cwrdd?

**@BrynachBrynach**
Rili?

**@shan712**
Go on. Cwrdd â fi. Bydde fe'n neis joio tamed bach cyn fi adel. Falle allen ni gwrdd yn tŷ ti…

**@BrynachBrynach**
So ti'n ca'l gweld tits fi.

**@shan712**
Bydden i ddim yn disgwl.

**@BrynachBrynach**
First date, public place. Them's the rules.

**@shan712**
Ocê. Der i Caffi'r Cloc ar bwys y farchnad am ddau.

**@BrynachBrynach**
Ga i weld. Falle bo ti'n *freak*.

**@shan712**
O der mlân.

**@BrynachBrynach**
Nos da, Mr Middle Class.

**@shan712**
Sdim syniad 'da ti faint ma 'na'n mynd ar fy nerfe i. A ta beth, sdim fath beth â *working class* na *middle class* ragor. Ma fe i gyd ambytu ni a nhw.

**@BrynachBrynach**
Be?

**@shan712**
Ti byth 'di edrych mewn i stwff Poboliaeth?

**@BrynachBrynach**
Fi 'di gweld ambell fideo ar Facebook, ie.

**@shan712**
Dylet ti ddarllen lan. Mae ambytu pobol fel ti a fi yn sefyll lan dros ein hunen. www.poboliaeth.cymru

**@BrynachBrynach**
Ok. Iawn. Sai'n addo bydda i'n diall e gyd *though*.

**@shan712**
Paid rhoi d'unan lawr. Ma fe mor *unsexy* o Gymreig. Wela i di fory…
xx

*

**Mehefin y 3ydd, 2056**

**Neges gan Cêt18900**
Haia Edith. Wy yn y caffi lle ma Brynach a fi fod i gwrdd ond so fe wedi troi lan. Wedi aros awr nawr.

**Neges gan EdithH**
Newyddion gwael. Wnaeth e teithio i Gaerfyrddin ar y trên ddoe achos mae Llawen yn tracio ef.

**Neges gan Cêt18900**

Ocê. Ond dyw e ddim yma.

**Neges gan EdithH**

Mae hyn yn problem, Cêt. Roeddwn meddwl bod hyn yn saff yn dy dwylo di. Mae Brynach yn pwysig i ni am Gwales. Ac rwy'n wedi garantïo pobl bydd e'n rhan o pethau.

**Neges gan Cêt18900**

Sori, Edith. Sai'n gwbod be ti'n dishgwl fi neud.

**Neges gan EdithH**

Bydd fi yn cael Llawen i tracio fe nawr. Rhaid ni sortio hyn cyn y fagddu heno achos bydd y GPS mynd lawr amser yna.

\*

**Neges gan Edith@poboliaeth.cymru**
**At Llawen@poboliaeth.cymru**

Llawen. Alli di ca'l rhywun i tracio ffôn symudol Brynach plis? Mae e wrthi yn gwneud *disappearing act*. Rwy'n rhagddychmygu mae e yn cael problemau eto. Ond yn cyntaf, rhaid gwybod yn lle mae e yn.

**Neges gan Llawen@poboliaeth.cymru**
**At Edith@poboliaeth.cymru**

Iawn.

\*

**Darn o ddyddiadur Brynach Yang, dydd Sadwrn, Mehefin y 3ydd, 2056**

Wy 'di gweud ffarwél am y tro dwetha.

Sylles i arni ychydig yn rhy hir, wy'n credu. Sylweddoli ei bod hi mor sownd yn ei phen ag o'n i. Sylweddoli na fydde modd i ni fyth neud synnwyr o bethe gyda'n gilydd. Tybed a yw hi'n gwybod gyment o niwed nath hi, drwy wrthod siarad, drwy wrthod cydnabod mor fawr oedd beth ddigwyddodd?

Yn ystod yr awr ro'n i i fod i gwrdd â Cêt, es i mas i'r ardd i ga'l dished. Mwynhau'r syniad fy mod i'n rebelio. Yn erbyn Edith ac yn erbyn yr heddlu. Yn erbyn y byd.

Wrth i fi ishte 'na, 'nes i wrando ar yr adar yn canu a gadel i'r houl fwrw'n dalcen i. Yr houl ola, feddylies i wrth 'yn hunan.

Roedd Mam wedi mynd i bwyllgor y neuadd. Pe bai hi ond yn gwybod taw dyma oedd fy more ola i. A'i bod hi'n dewis ei dreulio fe gyda'r pentrefwyr yn hytrach na gyda'i mab ei hunan.

Wy'n trysori'r eiliad honno o ishte tu fas. Y cwpan tsieina gwyn yn fy llaw a blas te cryf ar 'yn dafod. Yr houl yn taro'n gynnes. Yr haf wedi cyrradd o'r diwedd a'r byd yn wyn ac yn olau.

Tra bo fi'n ishte 'na, da'th dau fachgen yn eu harddege cynnar heibo. Pwyso yn erbyn y wal gerrig gododd Dad. 'Ond beth os bydd Mam ti'n smelo fe,' medde un. 'Mae'n fine. Just don't breathe it over your clothes,' meddai'r llall. 'Ok, 'te. Un.' A bwrw iddi i smygu wedyn. Yr un gwallt gole yn trio ei sigarét cynta erioed am wn i.

Mewn ffordd ryfedd, ro'n i'n teimlo'n debyg i grwtyn yn ei arddegau fy hun heddiw. Yn fyw. Yn effro i'r eiliad. Yn profi rhywbeth am y tro cynta erioed.

Yna, dros y wal, fe welon nhw fi ac fe weles i'r olwg o syndod yn eu llyged. Pwy yw e sy'n sefyll yn yr ardd? Hen fenyw gwallt gwyn sy'n byw yn Glan y ddôl. Neb ond hi a'r tŷ gwydr sy'n llawn hen botiau a phlanhigion sychion. Ei barth ef oedd y tŷ gwydr, wrth gwrs, yr holl flynyddoedd yna'n ôl.

O fewn dim, roedd Mam wedi dychwelyd o'r cyfarfod. Wedi prynu byns o siop fy mrawd ac wedi ca'l lifft i'r swyddfa bost yn Hendy-gwyn ar Daf er mwyn anfon carden ben-blwydd at ei chwaer, Susan.

'Nagyw boi y post yn agor lan yn y neuadd ragor, 'de?' a hithe'n edrych yn syn arna i. Yn falch fy mod i wedi gofyn cwestiwn, ond yn synnu nad o'n i'n gwybod yr ateb. 'Ma nhw 'di bennu'r gwasaneth 'na ers blinidde, 'chan. Ta beth, o'dd y boi newydd ddim patsh ar Tomi. O'dd byth dewis digon da o *envelopes* 'dag e.' 'Cymrâg o'dd e?' ac mae hi'n siglo'i phen. 'Wedd e wedi disgi ond wynno fe byth yn siarad ta p'un.'

Yna, fe a'th hi i'r gegin. I weitho rhagor o de.

*

Cyn gadael, ro'n i'n benderfynol o fynd am dro drwy'r pentref. Cerdded, gan bwyll bach, ar hyd canol yr hewl fach nid nepell o'r tŷ. Heibio i'r hen gapel sydd bellach yn dŷ gwylie. Heibio i fy hen ysgol lle mae mwsog yn tyfu yng nghraciau'r tarmac. Doedd neb yn chware ar yr iard heddiw. Neb ond y brain yn cintachu â'i gilydd am rywbeth na wn i amdano.

Dod at y tro yn yr hewl wedyn, a gweld fod y gwynt yn gryfach na'r disgwyl. Mae fy meddwl wedi blino, mae fy nghorff wedi blino. Mae'r egni'n llifo ohonof.

Fentrais i ddim i lawr at yr hen swings coch. Bron 'mod i'n galler clywed yr hen dreinyrs gwyn oedd gen i'n crafu yn erbyn y graean. Na. Byddai gweld y parc chware wedi bod yn ormod. Man geni gormod o freuddwydion am fyd na ddaeth i fodolaeth. A man sawl atgof annymunol hefyd, petawn i'n gwbwl onest gyda fi fy hun.

Dyma'r tro ola y gwelwn i'r hen le 'ma. Oherwydd hynny, roedd popeth yn wahanol rywsut. Roedd 'na fwy o ystyr yn gorwedd yn y seibiau. Roedd 'na ddechre ac roedd 'na ddiwedd. Roedd 'na sicrwydd.

I lawr yr hewl ymhellach â fi wedyn a'r gwynt yn nerthol nawr. Yn taro fy ngwar yn y fath fodd nes bod ddoe yn llenwi fy meddyliau. Cyffro aruthrol gyrru car fy mam ar fy mhen fy hun am y tro cynta. Gyrru fel cath i gythrel i Gwmfelin Mynach i gwrdd ag Emyr. Canu caneuon yn uchel yn y car a rhyddid yn drybowndian yn fy mhen fel curiad drwm. Gyrru gyda'n gilydd wedyn i gwrdd â'r dyfodol disglair oedd yn agor mas o'n blaenau fel awyr las ddigwmwl. I le'r aeth yr holl freuddwydion? Yr holl obeithion?

Nid ffarwelio â choed ac adeiladau roeddwn i ond ffarwelio â hynny. Fy argraffiadau personol. Pentwr o atgofion nad y'n nhw o dragwyddol bwys i neb. Erbyn fory fe fyddan nhw'n ango. Ar waelod afon.

Wrth ddychwelyd i'r tŷ, fe allwn glywed lleisiau.

'Well yes, and this is the thing, yọu see,' meddai Mam yn ei Saesneg ansicr. Fy awr ola yn ei chwmni a byddai'n rhaid ei threulio drwy'r Saesneg.

'Yes, Brynach is the eldest, aren't you?' Mam yn gwenu ac yn edrych arna i. Finne'n llymeitian fy nhe fel rhywun yn ei arddegau.

'Margaret is on the community council, Brynach.' Rwy'n dangos ffug-ddiddordeb drwy godi fy aeliau. Pam, Brynach? Does dim rhaid i ti fihafio nawr! Cei ddweud beth rwyt ti wir am ei ddweud. Am y tro cynta!

'Oh, this village…' Llais y fenyw ddierth eto, yn atseinio, sy'n gwneud i mi sylwi mor foel yw waliau'r gegin. Pam nad yw Mam wedi hongian llunie?

'The fact of the matter is that the County Council and both governments have forgotten about us, Mrs Yang. We're on the periphery. We're not Pembs and we're not Carms. We're neither here nor there. We're the forgotten people. At least, that's what I tell Geoff.'

Mae ei chwerthiniad lletchwith yn deffro rhyw hen atgof ynddo i. Bechgyn yn sefyll wrth fy ymyl i ar yr iard. Eu sgidie nhw'n rhy agos at fy rhai i. 'I don't know English.' Nhwythe'n chwerthin. 'What do you mean – you don't know English?' Finne'n cicio fy sodle, 'I don't know it.' A nhwythe'n chwerthin yn galed. Y bechgyn dŵad yn yr ysgol fach. Un o Aberdaugleddau a chwech o Loegr a'r bechgyn Cymraeg yn dechrau dod i ddeall sut beth yw bod yn ddieithryn ar dy dir dy hun. 'What do you speak at home anyway? Welsh? You're a little Chinee boy. Daddy said your dad killed the Welsh.' Lwmpyn yn 'y ngwddwg. Corddi yn fy mrest. 'My dad no do that!' medde fi wedyn. 'My dad is from Cardiff.' Ond doedd dim pwynt dweud dim. Achos roedd eu straeon nhw'n gryfach na'n llais i. A chyn pen dim roedden nhw wedi troi'r gornel i wneud miri yn rhywle arall. Fy ngadael i'n gwingo.

'That's right, Morfudd, yes. And Tanwen of course,' meddai Mam wedyn. 'I'm hoping I'll get to see her before the end of the summer. The holidays are not long away now, are they?'

'You didn't think to learn Welsh?' medde fi wrth y ddynes ddierth. Heb unrhyw rybudd. Mam yn mynd yn welw. Hen edrychiad ganddi. Golwg 'paid â chorddi'r dyfrodd'. Golwg cwato popeth. Y ddynes ddierth yn gweud ei bod hi wedi trio sawl gwaith, ond nad oedd y peth wedi tycio. 'I'm not a linguist, you see, Brynach. And to be frank, you don't much need it around here these days, do you?' 'Depends what you want to know,' medde fi a Mam yn cochi at ei chlustie wedyn.

Ar ôl iddi fynd roedd y lle'n dawel braf eto a'r bydysawd yn bodoli yn y seibie.

'Bydd Morfudd siŵr o fod yn falch o dy ga'l di 'nôl heno.' 'Bydd,' medde fi yn llond ceged o gelwydd. 'Gwd,' medde hi wedyn, cyn dishgwl arna i gyda'r llyged 'na sy'n gwbod yn iawn nagyw hi wedi galler bod yn fam i fi. Dim go iawn. Mae ei llais hi'n crynu wrth ddweud y 'Gwd' olaf. Cryndod hunanol yw e. Mae hi'n ofni'r nosweithiau o flaen y teledu. Mae hi'n gweld y blodau'n gwywo yn y *vase* ar bwys y ffenest. Ma hi'n becso ei bod hi wedi cynefino gyda cha'l rhywun o gwmpas.

Yn lle gadel ifi ddala'r bws, fe nath hi fynnu rhoi lifft ifi i'r orsaf yn Hendy-gwyn. At y trên fyddai'n fy hebrwng at fy oriau ola. Ac wrth imi baratoi i gamu o'r car mae hi'n estyn am amlen o'i phoced ac yn ei rhoi yn fy llaw. 'I Tanwen. Rwbeth bach iddi ga'l prynu eiscrim.'

Ac ymhen pum munud ro'n i'n eistedd ar sedd lwyd y trên a gwynt rhywbeth wedi llwydo yn yr awyr. Efallai ei fod e'n rhedeg ar drydan, ond roedd e'n dal i ddrewi.

Wy tu fas i gaffi yn teipio erbyn hyn. Yn aros i gwrdd â Shan o'r wefan neithiwr. Duw a ŵyr pam fy mod i wedi herian fy hunan i gyfarfod â rhywun dierth ar fy niwrnod olaf. Efallai fy mod i'n gobeithio'n dawel fach y bydd ganddi'r gallu i fy achub i. Fod yna ateb i'r pos. Neu efallai fy mod i am greu un stori newydd cyn gadel y byd 'ma. Am ymgolli yn stori rhywun arall am gwpwl o orie. Rhannu cusan hyd yn oed. Unrhyw beth i lenwi'r amser.

Mae cap ar fy mhen rhag ofn i Cêt fy nabod i a wy wedi diffodd y GPS ar fy ffôn. Ond pe bai hi'n digwydd fy ngweld fe fydden i'n gweud wrthi le i fynd beth bynnag. Mae hawl gen i fod yma ac mae hawl gen i newid fy meddwl. Yn barod, rwy wedi dechrau diosg fy nghroen. Fel madfall yn paratoi at y cymal nesa. Heddiw, dwi'n gwybod i sicrwydd 'mod i'n fwy o orffennol na phresennol. Does wnelo'r dyfodol ddim â dim byd. Ac mae hynny'n deimlad braf iawn.

*

Neges gan shan712@gmail.com

At Mami@gmail.com

Fi rili ddim yn gwbod beth ddylen i neud nawr, Mami. A wy 'di llosgi'n law ar y ffwrn yn delibret achos fi mor ffrystreitid. Ond paid â gweud 'tho neb.

O'n i fod i gwrdd â *boyfriend* newydd fi heddi. O'n i wedi trefnu cwrdda mewn caffi ar bwys y farced. Boi *witty* yw e, 'nes i sharad gyda fe *online*. Bach yn *negative* falle, ond *brainy*, ac ma fe'n lico darllen hefyd. Ond Mami, o'n i'n gwbod o'r eiliad of'nodd e i fi gwrdd na fydden i'n galler mynd *in reality*. A nawr ma meddylie trist a tywych fi yn wa'th nag erio'd achos fi 'di gadel 'yn hunan lawr.

Beth sy'n neud popeth yn wa'th, Mami, yw bod fi wedi'i weld e. Wedi gweld 'i wyneb e. Ffordd ddigwyddodd e o'dd bo fi mor *determined* i drial cwrdd â fe, ges i lifft 'da Dai lawr i waelod y tyle a whîles i'n ffordd draw tuag at King Street. Fel mae'n digwydd o'n i wedi bod yn darllen am King Street y noson gynt. Am y *candleworks*, ac am y ffermwyr yn dod â cro'n defed a ffat defed lawr i'r *works* i nhw ga'l neud canhwylle. Ond bod e wedyn wedi llosgi lawr, Mami. Mewn tân mowr. Y ffatri gandls wedi llosgi lawr. 'Na beth od.

O'n i'n gwbod bod e'n hanner dydd heb edrych ar 'yn ffôn achos o'dd clyche Eglwys San Pedr yn canu wrth ifi whîlan 'yn hunan draw. O'dd clŵed nhw'n canu yn neud i fi dimlo fel bo fi'n mynd i'n angladd 'yn hunan. Neu'n briodas 'yn hunan. Neu bo fi mewn ffilm. Nage un Hollywood. Ond un yn Ffrainc neu rwbeth. Gyda menyw yn gwerthu bara ar ochr yr hewl. Sôn am bara, weles i lot o bethe ar y ffordd nath neud fi sylweddoli bo fi isie bwyd, Mami. Cig yn y *butchers* i pobol *posh*. Cwpwl o lysie ar werth 'fyd. Yn lliwgar i gyd ac yn *juicy looking*. Ma pwy bynnag sy'n galler ffordo nhw yn y dre 'ma yn *lucky dabs*. Chi'n galler gweud pwy y'n nhw achos ma cro'n nhw'n sheino a ma nhw'n dishgwl yn wahanol i'r rest o ni.

Wrth i fi gario mlân i fynd at y farced ges i dimlad fel bo fi ar fin cwrdd â rywun allen i garu. O'dd e'n dimlad od, ond o'n i'n gwbod bod e *for real.*

Ond wrth ifi gyrradd y caffi, nath yr un peth ddigwydd i fi ag sy'n digwydd bob tro. O'n i'n galler timlo fe yn 'yn fola i. Ryw dimlad o ofon a timlo'n sic. O'n i'n ffaelu mynd draw 'na.

O'n i wedi mynd yn dwym i gyd erbyn hyn. Yn whys ar ôl whîlo'n hunan mor bell. A o'dd calon fi'n raso 'fyd. Fydde fe ddim isie siarad 'da fi. Bydden i'n cwmpo mewn cariad 'da fe ond bydde fe ddim yn cwmpo mewn cariad 'da fi.

Er bo fi ddim yn galler mynd yn agosach at y caffi es i ddim o 'na, Mami. Arhoses i ar y gornel ar bwys y fenyw Indian sy'n gwerthu shols. Ac ar bwys y farced tu fas i'r farced le ma Bruv yn gweitho. 'Na le ishteddes i, yn watsio'r caffi, tan iddo fe gyrradd. A pan da'th e, ishteddodd e'n *relaxed* i gyd ar y ford tu fas. Het ar 'i ben e. 'I wyneb e'n dishgwl lan ar yr haul.

O'n i'n galler gweld bod e'n teipo mewn i'w dablet e am sbel wedyn. Ac o fewn cwpwl o funude, dechreues i dderbyn negese oddi wrtho fe. Pethe fel 'le wyt ti?', 'o'n i ddim yn meddwl fyddet ti'n un i whare gêms'. A 'na le o'n i, Mami. Yn ishte 'na, yn 'yn gader i, reit ar 'i bwys e. Yn darllen y negese 'ma. Yn desbret i fynd draw 'na, achos falle, falle fydde fe'n galler caru fi.

Ond o'n i'n ffaelu symud, Mami. O'dd 'y mreiche i fel darne o blwm ar ôl whîlo'n hunan mor bell a o'dd dim dewrder 'da fi ar ôl ynddo fi.

O'n i'n llefen ar y gornel. Y shols yn hedfan yn y gwynt a'r dagre'n dwym a'n blasu fel halen, pan droiodd e rownd a dishgwl syth ata i. Ond drwydda i 'fyd. Nago'dd e'n meddwl taw hi draw fan'na yn y gader o'dd y ferch o'dd fod i ddod i gwrdd ag e.

A 'na pryd benderfynodd e, yfed un sip arall o'i de fe, a mynd. Achos o'dd Shan o'dd fod i gwrdd ag e heb droi lan.

Safes i fan'na am eiliad 'to tan i'r fenyw Indian ddod mas a gofyn os o'n i isie treial shol mlân. Shigles i'n ben a troi'r gader. A 'na pryd weles i Bruv. Yn sharad 'da dou ddyn tua *fifty years of age* bwys y shops. O'n i'n galler gweld bod rhwbeth *dodgy* yn mynd mlân. O'n i'n gwbod achos o'dd Bruv yn cadw whare 'da'i gap a cefn 'i wddwg. O'dd y dynon yn cadw dishgwl rownd i neud yn siŵr fod neb yn watsio nhw a o'dd Bruv yn nodo lot 'fyd. Wrth bo fi'n ca'l *good look*, nabyddes i un o nhw. Trevor Small o'dd e. Un o ddynon mwya *dodgy* C'fyrddin. Ma *rumour* i ga'l bod e 'di torri trwyn rywun off mewn *fight* unweth. Lawr ar bwys yr afon.

O'dd dim nerth 'da fi whîlo gytre, a o'n i ddim yn siŵr iawn beth i neud. Ond wedyn jyst wrth i fi feddwl mynd i hôl tacsi neu ffono Dai o'r *hot spot*, welodd Trevor Small fi. 'That's your sister that is, innit?' wedodd e wrth Bruv a nath Bruv droi rownd. Yn shwffti i gyd. Nododd e'i ben a redeg ata i ar hast.

'Be *the fuck* ti'n neud fan hyn?' wedodd e, cyn troi fi rownd yn y gader a pwsho fi 'nôl drw'r dre a 'nôl i'r tŷ heb weud gair.

Ma cwmwl gwyrdd yn y lownj, Mami. Achos o'dd e'n smoco *skunk* fel bod dim fory i ga'l ar ôl dod 'nôl, a fi lan lofft yn meddwl am Brynach.

Ma Bruv yn siŵr bo fi wedi clywed fe a Trevor Small yn sharad, achos bod e mor paranoid ar *skunk*. Wy 'di addo bo dim clem 'da fi ond wy'n amlwg yn gwbod bod rwbeth a ma fe'n neud jobyn *shit* o acto'n normal. Wy'n dyfaru bo fi'n gwbod hanner dim byd. Byse well bo fi 'di gweld dim byd o gwbwl na hanner rwbeth.

A'th Bruv mas i sithi cwningod chwarter awr yn ôl. Wedodd e bod e'n mynd gyda mab Phil Cook. Y boi 'da un llygad o Belvedere a ecsciws am mwstásh.

Wy ddim yn siŵr faint o'r gloch deith e 'nôl, ond i fod yn onest sai wir yn becso.

'Na gyd fi'n galler meddwl ambytu yw ody fi'n galler plyc yp ddy cyrij i hala neges i Brynach 'to. Falle dylen i jyst bait ddy bwlet a cwrdd â fe? Be ti'n weud, Mami?

Shani ti X

*

**Neges gan Llawen@poboliaeth.cymru**
**At Edith@poboliaeth.cymru**
Tracio Brynach yn amhosib. Wedi troi ei GPS i ffwrdd.

**Neges gan Edith@poboliaeth.cymru**
**At Llawen@poboliaeth.cymru**
Shit. Gallwn cael person arno? Dilyn ei symudiad?

**Neges gan Llawen@poboliaeth.cymru**
**At Edith@poboliaeth.cymru**
Iawn.

*

**@BrynachBrynach**
Fi'n regreto ddim dod i gwrdda ti.

**@shan712**
Rhy hwyr nawr sori, Shan. Hwyl.

**@BrynachBrynach**
Plis. *Let me make it up to you.* Fel WEDES i – nath rwbeth godi. O'dd e'n *emergency.*

**@shan712**
Iawn. Cwrdd â fi, 'de. Yn y Queens. Am ddiod.

**@BrynachBrynach**
Alla i ddim mynd i fyn'na.

**@shan712**
Le alli di fynd, 'de? Hanner awr sy 'da fi. Ma lot mlân…

**@BrynachBrynach**
… cwrdda fi yn Caffi Cwtsh ar Heol Awst am bump. Yr un sy ar agor yn hwyr…

**@shan712**
A ti'n addo bod 'na?

**@BrynachBrynach**
Odw.

**@shan712**
Iawn. Wela i di 'na, 'de.

*

Gwilym,

Mae Cêt yn ôl ac mae hi'n hunllef llwyr yn barod. Mae'n dweud ei bod hi adre am fis ond mae gen i deimlad ofnadwy yn fy mherfedd y bydd hi yma yn hirach na hynny. Afraid dweud, mae Margo wrth ei bodd ond dwi ar binnau, yn waeth na'r arfer am nad oes modd i fi ddianc i'r feddygfa. Mae tri chorff yn crwydro o amgylch y tŷ nawr. Un yn syllu ar ei ffôn yn aros i Brynach Yang gysylltu, Margo yn meddiannu'r stydi er mwyn ymarfer ioga, a fi (sy'n fodlon mynd i ba bynnag ystafell sy'n ddiogel i mi fynd iddi)! Pe cawn ddewis, byddwn yn llwybreiddio rhwng y stydi a'r lolfa lle gallaf wylio gwerth mis o newyddion mewn bore.

Galw fi'n hen ffŵl ffôl ond dwi wedi penderfynu bwrw'r cwch i'r dŵr a cheisio paru Cêt gyda mab Aled ap Lludd. Wyddost ti? Y *consultant* dermatoleg yng Nglangwili? Yr un dwi'n meddwl ei fod e'n hen bwdryn diog a'r un wrthododd ymuno yn y streic 'na sawl blwyddyn yn ôl? Ond dim ots am hynny nawr, oblegid mae ganddo fab! A mab sengl hefyd (sydd wedi bod allan yn America Ganol yn gweithio i ryw NGO neu'i gilydd). Dwi'n ceisio peidio gorgynhyrfu ond dwi yn rhagweld y galle fe a Cêt gyd-dynnu (mentraf ddweud – cyd-fyw!) yn dda iawn. Wel, wedi'r cyfan, mae'r ddau yn becso am y byd, mae'r ddau yn dod o Sir Gaerfyrddin ac mae'r ddau yn sengl. Beth arall yn y byd fyddai angen i chi ei gael yn gyffredin?

Mae gan y mab dŷ hefyd (dwi ddim yn ariangarwr ond dydy hyn **BYTH** yn beth drwg, Gwilym) ac efe hefyd yw ***unig anedig ac etifedd Aled ap Lludd*** (a'i wraig Nans). Mae Nans yn fenyw hollol hyfryd, sy'n dioddef llid a diflastod ei gr heb gwyno (yn ymddangosiadol felly beth bynnag). Mae'n un sy'n edrych yn dda am ei hoed hefyd ac mae'n gwisgo'n drwsiadus. Cyn-reolwraig banc yn Llanelli yw hi. Felly, Gwilym, mae 'na arian i'w etifeddu, a chysondeb a sefydlogrwydd. Popeth sydd ei angen ar Cêt druan. Yr hen feddalferch fel ag yw hi. (Dwi'n siŵr dy fod ti wrthi'n bytheirio ar y sgrin nad oes angen rhagor o arian ar y teulu hwn – ond alla i ddweud wrthot ti bod. Bydd Elen a'r plant yn disgwyl celc a bydd angen rwbeth ar Cêt hefyd.)

Felly... y cynllun mawr yw (tarwch y drymiau os gwelwch chi fod yn dda...) gwahodd y teulu bach i farbeciw teuluol dros yr haf. Wrth gwrs, mae Margo yn gyfan gwbwl wrthwynebus i fy nghynllwyn ond gydag amser, dwi'n gymharol hyderus y bydd hi'n cytuno i 'nghefnogi.

Ie, ie, ie. Dwi'n gwybod. Dwi'n troi mewn i 'nhad. Bydden i wedi diawlio unrhyw hen bwrs am wneud hyn i'w blentyn pan oeddwn i yn y coleg. Ond weli di ddim beth sydd gen i ar fy arffed fan hyn, Gwilym? Ugain (os nad deg ar hugain!) o flynyddoedd yn weddill ar y ddaear yn becso bod fy merch iengaf am fod yn unig a diflas wedi i fi a Margo fentro i'r nefoedd. Be wnaiff hi pan fyddwn ni wedi hen ddiflannu, Gwilym? Fydd ganddi ddim banc Dadi i ddibynnu arno! A fydd ganddi ddim Mami i wrando arni chwaith. Y cyfan fydd ganddi fydd chwaer, a llond pen o broblemau meddyliol nad oes modd eu datrys na'u lleddfu.

Dwi'n gwbwl ymwybodol hefyd fod gan Cêt dueddiadau hoyw. Fodd bynnag, dwi am fentro. Ie, ie – y gair iawn yw ymyrryd. Dwi am ymyrryd, mewn modd nad ydw i wedi ei wneud o'r blaen. Oblegid mae'n debygol mai deurywiol yw Cêt. Wedi'r cyfan, dyna yw'r norm y dyddiau yma. A waeth beth yw ei thueddiadau rhywiol, i siarad yn blaen gyda thi, Gwilym, mae'n rhaid i mi geisio gwneud **rhywbeth**. (Ydw, dwi'n gwybod. Dwi'n mynd i ormod o hwyl gyda'r *bold*. Hen arfer blin ond rwy'n gaeth iddo yr wythnos hon!) Mae fy merch, Gwilym, yn gyfan gwbwl ddigyfeiriad a does gennyf ddim dewis ond gweithredu. A dweud y gwir, mae'n ddyletswydd moesol.

O, myn brain i, byddwn i wedi gwneud unrhyw beth i ga'l mab! Mae merched mor emosiynol. Mor hunanol eu ffyrdd – yn byw yn eu pennau bach ac yn disgwyl i bawb eu deall, neu eu hachub, neu eu gwrthod. Maen nhw'n meddwl am bethau mewn ffordd mor wahanol i ni, Gwilym. Wir i ti. Yn amlwg, byddai'r heddlu PC yn fy nghrogi i am ddweud y pethau hyn – ond tria di fyw yn eu canol nhw am ddegawdau ac aros yn hanner call. Tasg amhosibl, dwi'n dweud wrthot ti.

Pryd ddowch chi yma? Ry'n ni'n desbret i'ch gweld chi. Oedolion call a dysgedig i siarad â nhw! Pobol waraidd!

Huwcs

O.N. Dwi'n poeni'n ddirfawr am y Gymraeg a'i dyfodol yn ddiweddar, Gwilym. Clywais swyddog y wasg i ryw elusen neu'i gilydd yn siarad yn hyderus ar y newyddion 'ma. Sôn yn hyddysg ei bod hi'n 'gobeithio'n fawr y bydd y llywodraeth yn ymateb yn gadarnhaol a bod gennym gyfle **unigrwydd** unwaith mewn **cenedl** i wneud gwahaniaeth'. Pryd mae modd dweud bod iaith ar farw, Gwilym? Mi ddweda i wrthot ti – pan mae gen ti bobol mewn swyddi uchel fel hon sydd heb grap ar yr iaith na dealltwriaeth gadarn o eiriau megis unigryw a chenhedlaeth! Arwydd clir fod yr iaith yn ail iaith, dwi'n dy glywed yn dweud. Arwydd clir hefyd nad yw'r ferch hon yn darllen Cymraeg, Gwilym! Ac nad yw hi'n becso digon i edrych ar eiriadur ar-lein cyn siarad yn gyhoeddus o flaen ei chenhedlaeth (*sic!*).

A'n gwaredo, Gwilym bach. A'n blydi gwaredo.

*

Neges gan shan712@gmail.com
At Mami@gmail.com

Mami,

Gwrddes i fe. Es i. Ges i dacsi lawr i'r dre. Feddyles i am beido mynd miwn. Sawl gwaith. Ond gnoies i'n foch a siarad sens 'da'n hunan a mewn â fi i'r caffi.

Weles i gannodd o wynebe yn ei wyneb e yr eiliad welodd e fi, Mami. Bob dyn wy erio'd wedi cwato oddi wrthyn nhw. Weles i nhw gyd.

Driodd e gwato'r peth. Ond o'dd y goleuade'n llachar yn y caffi a wy'n darllen wynebe fel ma rhai pobol yn darllen *Carmarthen Online*. Wy'n gweld chwarter eiliad o siom fel 'se syched 'da fi amdano fe. A wy'n gweld amheueth 'fyd.

Y peth gwaetha am hyn i gyd yw gweld person da yn treial ei ore i acto fel bod dim byd yn bod. Ond dim ond eiliad ma fe'n gymryd, Mami. Llai na eiliad. Un *flash* o emosiwn go iawn a wedyn ma fe'n dangos lan fel paent *fluorescent* dros bopeth ma nhw'n neud a gweud ar ôl 'ny. Fel sblashys *flashy pink* ac oren. *Lies, lies, lies.*

Wy 'di darllen ar *dating website* bod e ddim yn bosib i bob dêt fod yn *hit*. Ac ar y *website* hyn 'fyd ma nhw'n gweud bod raid i ti fynd gyda dy *gut instinct*. Achos fel arfer ma *gut instinct* ti yn gweud rwbeth wrthot ti ti ddim 'di sylwi arno fe. Rwbeth yn iaith corff y person arall. Ryw cliw so *brain* ti wedi gallu pigo lan arno fe streit awei. Mae'r *brain* yn *slow*. Y bola sy'n gwd.

Be sy'n neud lo's mewn ffordd, Mami, yw bo fi'n meddwl bo fe'n hansym, yn *cute* o *podgy* ac yn *witty*. Ond wy wedi darllen am 'na 'fyd. Bod dynon yn aml yn galler bod yn *witty* pan so nhw yn ffansïo ti. Tase fe wir yn lico fi wy'n meddwl bydde fe wedi clamo lan a ffaelu neud jôcs ffyni. Chwys dros *palms* 'i ddwylo fe.

Mae e'n hanner *Chinese* a hanner gwyn, y Brynach 'ma. A ma 'da fe wyneb mor, mor lyfli, Mami. Llond y lle o *freckles* a llyged dwfwn, dwfwn. I fi, o'dd e'n dishgwl fel y person perffeth. Person *sorted* sy'n gweld y byd mewn ryw ffordd sbesial. Licen i fod mor *sorted* â fe.

Er gweud 'ny, mae'n amlwg nagyw pethe'n *hunky dory* iddo fe chwaith. Ma fe a'i wraig wedi sblito lan a ma merch 'da nhw. Wedodd e bod e'n mynd i dreial ymladd amdani. Treial ca'l *custody*. *Good luck with that*, wy'n cofio meddwl wrth 'yn hunan, ond 'nes i jyst nodo.

Achos wy'n dda iawn yn cwato be wy'n timlo. A wy'n gwbod fod pobol yn credu fi 'fyd.

Barodd y dêt ugen muned, weden i. Falle bach yn fwy. O'dd llwyth o lythyre o'i fla'n e mewn amlenni. O'dd e'n gweud bod pethe 'da fe bosto a bod rhaid iddo fe fynd i sorto nhw cyn diwedd y dydd. Wy'n meddwl taw whilo esgus o'dd e. Achos bod e ddim yn 'yn ffansïo i. Falle bod yr amlenni'n wag a bod e'n neud hyn ar bob dêt. I weud y gwir, ma fe'n syniad rili clever. The perfect excuse.

Weles i fe'n pipo sawl gwaith. Ar y gader. Ar 'yn wyneb i.

Ar ôl heddi, wy'n meddwl ddylen i fod yn onest 'da pobol o'r outset. Gweud y gwir ar y websites 'ma. Ar yr aps 'ma. This is me, I'm in a chair. I'm crippled but I have lovely eyes. Wy'n ffantasaiso am neud 'na'n aml. Coming clean. Ond wy'n gwbod be ddigwydde, Mami. Bydde rai yn dod i gwrdd â fi out of the kindness of their hearts a bydde pobol erill ddim yn ymateb.

Ond ma nhw'n ffansïo personality fi, Mami a 'na be sy'n torri calon fi. Achos sai moyn bod yn rude, ac af i ddim i details, ond wy'n gwbod bo fi'n galler ca'l nhw'n... ecseited 'da geire fi. Ond fi'n styc, nagyf fi, Mami? Yn destined i fyw o fla'n sgrin. Achos so'r person tu fewn a'r person tu fas yn matsio.

Ma'r holl brofiad yn timlo'n fowr yn 'yn ben i heno, Mami. Ond sai yn bitter bod e ddim yn lico fi. Achos ma fe'n mynd off fory. Wedyn bydde fe ddim wedi galler cwrdd â fi eto, hyd yn o'd tase fe isie.

A ma rwbeth mowr 'di digwydd heddi 'fyd, nago's e, Mami? Wy 'di gwrthod dau gant un deg chwech ohonyn nhw ond wy 'di bod ar un dêt.

Some enchanted evening, Mami... wy'n gweud 'tho ti. It only takes one person to love you back.

Shan X

\*

**Teipysgrif o sgwrs rhwng gweinydd a Brynach Yang ym Mwyty Iolo, Sgwar Nott, Caerfyrddin, a recordiwyd gan fudiad Poboliaeth.**
'Haia syr, sori bo ni wedi cadw chi i aros wrth y bar mor hir.'

'Dim o gwbwl, wy'n hapus ddigon fan hyn.'

'Gweinydd Cymrâg neu Susneg licech chi heno, syr?'

'Ym... wel. Cymrâg yn amlwg. Plis... odych chi wastod yn gofyn cwestiwn mor od?'

'Odyn. Polisi'r bwyty yw gofyn i bawb beth yw eu dewis iaith nhw. Ma 'da ni weityrs sy'n siarad Cymrâg a Susneg. A dewis y cwsmer yw iaith, yfe? Fel y bwyd.'

'Bendant.'

'Dewch. Af fi â chi at y ford. Y sbeshial sy 'da ni heno yw *hake*... sori, sai'n cofio beth yw *hake* yn Gymrâg...'

'Draenog y môr?'

'Nage, sai'n credu. Wna i tsieco. Ta beth, *hake* menyn *capers*, tatws newydd a ffa gwyrdd neu gig oen Cymreig mewn crwst cnau Ffrengig (*walnuts*) a bresych crenslyd... o's digon o le 'da chi fan 'na? Ma ddi'n ford fach.'

'Ma'n berffeth... gaf fi ordro botel o gwrw, tra bo fi'n aros?'

'Wrth gwrs. O ie, ac anghofies i weud 'fyd, syr. Ma cimwch i ga'l 'fyd. Ffresh heddi. Bach yn *pricey*. Ond ma fe'n flaswych. Ges i fe ar *eighteenth* fi llynedd fel trît gan Ma a Pa. *To die for.*'

'Wel, os felly, shwt alla i wrthod? Byta fel tase dim fory i ga'l, ondyfe.'

'Ada i chi ga'l pum munud i benderfynu'n gall, syr.'

**Saib o bum munud.**

'Syr. Ydych chi'n barod i archebu?'

'O ym, sori, ydw... alla i... o daro, sori... (Saib) Diolch. Reit, wel, wy am fynd am yr *hake* wedi'r cyfan i weud y gwir.'

'Dim problem. Cegddu. Tsieces i. Unrhyw beth arall?'

'Falle gaf i bwdin wedyn... ga i ofyn, tra bo ti 'ma, pam "Bwyty Iolo"?'

'Ym. I fod yn onest... ma hwn bach yn embarasin nawr. Sai'n cofio. Nhw wedi gweud, ar *staff training*. 'Na i holi.'

'Na, na, sdim isie. Meddwl o'n i, 'na gyd...'

'Falle Iolo... o sai'n gwbod i fod yn onest.'

'Dim problem.'

**(Cyrhaeddodd neges)**

**Neges gan Cêt18900**

Dylet ti fod wedi dod i gwrdd â fi heddi, Brynach.

**Neges gan BrynachBrynach**

Os nago's ots gyda ti, Cêt, wy ar fin archebu'n swper mewn bwyty.

NID OES MODD ANFON Y NEGES HON. TRÏWCH NES YMLAEN.

NID OES MODD ANFON Y NEGES HON. TRÏWCH NES YMLAEN.

NID OES MODD ANFON Y NEGES HON. TRÏWCH NES YMLAEN.

'Sori syr. Ma'r cegddu, wel, mae'n mynd i fod yn anodd.'

'Be sy 'di digwydd?'

'So ni cweit yn siŵr. Ma'r 6G a'r we lawr. Odych chi eisiau bara? A olifs?'

'Dim diolch.'

'Gobeithio bydd hyn ddim yn para'n hir. Ma car fi'n *connected* i 6G. Bydd raid fi gysgu yn gwaith heno.'

'Lloerig!'

''Nes i stydio y fagddu a'r Rhyfel Rhithiol ar gyfer arholiadau fi 'leni. Gobeithio mae'n dim byd fel'na.'

'Wy'n siŵr nad dyna sy'n gyfrifol. Mynedd sy isie. A lot llai o ddychymyg.'

'Ha. Ie. Ma Mam wastod yn gweud bod gormod o ddychymyg 'da fi.'

'Dyw hynny byth yn beth gwael, cofia. Ond ma'n rhaid iti ddysgu rheoli fe.'

'Diolch, syr.'

*

Neges gan shan712@gmail.com
At Mami@gmail.com
Mami,

Ma dou beth *weird* wedi digwydd ddar i fi sharad 'da ti gynne. I ddechre, ma'r tŷ yn ddu bitsh a so'r we yn gweitho. A'n ail ma dou ddyn wy erio'd wedi cwrdd â nhw wedi bod i weld Bruv, gynne fach. Athon nhw'n streit i bac y tŷ i ga'l sigaréts ar y patio bach a o'n i'n gallu clŵed nhw'n sharad yn dawel yn Susneg. Un neu ddwy o weithe athon nhw'n rili dawel nes bod fi'n dechre wyndran os bo nhw wedi diflannu odd ar wyneb y ddaear.

Ar ôl nhw *finally* fynd dath Bruv mewn i watsio teli. O'n i'n hanner meddwl bydde fe'n gweud rwbeth am y dynon, ond nath e ddim. Wedyn a'th e i nôl 'i *weed*, a a'th e mas y bac i smoco.

O'dd e mas mor hir ar ben 'i hunan, 'nes i benderfynu mynd lan i'r gwely. Wasges i botwm y lifft i fynd lan y steire a dechreuodd e symud. A wedyn nath e sŵn ffwt. A 'na pryd sylweddoles i bod y we lawr, t'wel, Mami. A besicli, o'n i'n styc. Ar y gader. Heb ffordd o fynd lan i'n stafell wely na 'nôl lawr 'to chwaiff. O'n i ddim yn siŵr beth i neud wedyn. Achos o'dd Bruv tu fas. A o'n i ddim moyn haslan fe. Ti'n gwbod fel mae'n galler bod pan mae e angen amser ar ben 'i hunan i contympleto. Ond efenshwali, diolch byth, da'th e 'nôl mewn so gwaeddes i nerth esgyrn pen fi iddo fe ddod i helpu.

Pan sylweddolodd e beth o'dd y sefyllfa nath e insisto cario fi lan y rest o'r stâr. Wedes i wrtho fe allen i gysgu ar y soffa, achos cefn e, ond o'dd e moyn profi, wy'n meddwl, pwy mor gryf o'dd e.

Tri chwarter ffordd lan y steire o'n ni pan a'th e'n hollol *frustrated* a shatyrd a gorfod ca'l rest. O'n i'n galler gweld perle bach o whys yn rowlio lawr 'i dalcen e. A wy'n meddwl am eiliad bo fi 'di gweld golwg yn 'i lyged e. Golwg grac. Fel alle fe adel fi fynd. Gadel fi gwmpo. Ond basodd yr olwg 'na, a gariodd e mlân. Hwffan a pwffan, a pwyso yn erbyn y wal am anal bob nawr ac yn y man.

Nath e roid fi yn gwely wedyn a grabes i mlân i'r cyfle achos bod raid fi wbod. O'dd y bois dath draw gynne unrhyw beth i neud 'da Trevor Small, Bruv? A wedodd e ffyc nagyn, sai isie dim byd i neud 'da'r bastard brwnt 'na. Briddes i sai of rilîff pan glŵes i 'na. Ma mwy o sens 'da Bruv na wy'n roi *credit* iddo fe weithe.

Gweud 'ny, wy'n ofni bod e wedi tynnu rwbeth yn 'i gefen eto achos o'dd e'n cadw rwbo fe wrth iddo fe adel y stafell. Yn gwmws fel o'dd Gran yn arfer neud ar ôl tynnu tatw o'r pridd.

A nawr ma'r tŷ yn dawel. A wy lan lofft gyda'r laptop. Yn casáu bo fi ffaelu hala'r *email* 'ma atot ti heb Wi-Fi.

O Mami, weithe ma gyment o bo'n yn 'yn fola i achos bo fi'n gweld isie ti gyment. Sdim gwynt tost a *fabric softener* wedi bod hyd lle 'ma ers blynydde nawr. A 'na i gyd wy moyn, weithe, yw ca'l y gwynt 'na 'nôl ac i'r bola 'ma stopo conan. Ac i'r bore dimlo fel bore 'to. Ac i ni ga'l barbeciw gyda cig go iawn. A hufen iâ mewn bowls *glass* ar y diwedd.

*Some day*, yfe, Mami. *Some day*.

Shan

X

Save as ar Fehefin y 3ydd, 2056.

*

Tanwen,

Ma'r tonnau wedi bod yn ormod i fi. Fe 'nes i droi'n froc môr flynyddoedd yn ôl ond bellach, wy wedi fy malu'n yfflon. Yn sawl darn o froc môr. Ac mae'r darnau yn nofio ar donnau gwahanol, ar gefnforoedd gwahanol ac all y darnau hynny byth gyfarfod eto. Dyna pam mae'n rhaid i fi gysgu nawr. Achos dwi ddim yn siŵr pa ddarn o froc môr ydw i rhagor. Dwi ddim yn meddwl fod 'na un sy'n cynrychioli'r canol a bod y lleill yn cynrychioli'r darnau sydd wedi eu diosg. Wyt ti'n deall? Yn y bôn, wy wedi ca'l fy nhrechu. Ond dy fam – dyw hi ddim felly. Dyw hi ddim yn un sy'n cael ei malu'n ddarnau mân gan y tonnau, a'i threchu. Mae hi wedi diodde hefyd ond mae hi fel petai hi wedi aros yn un darn. Dwi'n gallu gweld ei siâp hi. Mae 'na gadernid yn perthyn iddi.

Dyna pam rwy'n dal i'w charu mewn ffordd. A dyna pam rwyt ti'n ffodus iawn o'i chael hi'n fam i ti. Falle nad yw hyn i gyd yn mynd i wneud synnwyr i ti – ond alla i ond egluro'r teimlad 'ma mewn delweddau. Y ddelwedd fy mod i ar chwâl ac nad oes diben i ti ddod i'n nabod i nawr achos nid fi ydy pwy o'n i. Does 'na ddim 'fi' i'w nabod mwyach.

Does dim bai ar neb arall am beth dwi wedi penderfynu ei wneud, ond dwi am i ti wybod y byddi di'n llawer gwell yn tyfu lan heb fy nylanwad i.

Dwi am i ti wybod hefyd mai dy wylio di'n dod i'r byd yw'r peth gorau ddigwyddodd i fi erioed. Dy wylio di'n sgradan. Dy wallt du di. Dy groen di. Ti yw'r peth gorau ddigwyddodd erioed. O'r eiliad ddest ti allan roeddet ti'n fenyw ddoeth. Gobeithio ryw ddydd y byddi di'n gallu gweld fy mod i'n gwneud penderfyniad doeth wrth adael nawr.

Dad x

*

**Recordiad cudd ar ran Poboliaeth o sgwrs Edith Hutchingson a Brynach Yang. Pont Lesneven, Caerfyrddin. Yn hwyr y nos, Mehefin y 3ydd, 2056.**

'Brynach...'

'Be ddiawl? Be ddiawl ti'n neud 'ma?'

'Brynach. Dim rhaid i bethau bod fel hyn.'

'Shwt o't ti'n gwbod bo fi 'ma? Jyst… jyst cer o 'ma, Edith, ok? Gad i fi neud be wy'n gwbod wy fod i neud.'

'Brynach. Der draw i'r marchnad am paned. Gall fi agor y swyddfa yno.'

'O ddifri nawr, Edith, cer. Ti'n clŵed fi? Ffycin cer o 'ma.'

'Rwy'n wedi dilyn ti. Rwy wedi. A rwy'n sori. Ond roedd Cêt yn poeni, beth sydd wedi digwydd iddo ti.'

'O'dd dyn arna i, o'dd e? Achos sdim ffordd bo chi 'di galler traco fi!'

'Roedd ni yn becso am ti. Roedd ni moyn edrych mas am ti… Gwrando. Der 'nôl gyda fi.'

'Stopa siarad yn y llais 'na. Wy moyn neud hyn, Edith.'

'Mae "moyn" yn un peth. Wyt ti'n siŵr rwyt yn gwneud y peth cywir?'

'Ffyc sêcs, Edith.'

'Croeso i ti neidio. Yn amlwg. Ond ateb hwn i fi. Wyt ti'n siŵr? Bod dim opsiwn arall ar ôl?'

'Wy 'ma, nagyf fi? Wy 'di ffycin penderfynu. Nage mympwy yw rhywbeth fel hyn.'

'Beth yw mympwy sori?'

'*Piss off*, Edith.'

'Rwy'n sicr roeddwn i ddim yma, pan roeddet yn plano hwn mas yn dy ben… Efallai dere i ochr arall y *railings*? Bydda fi yn dy helpu?'

'Na.'

'*Ok. I respect that.* Rwy'n credu cryf mewn *free will. And maybe this is your time. The problem is*, pwy sy'n gwbod. Efallai ti'n iawn. Ond beth os efallai ti ddim? Rydym yn anaml yn gwybod beth sy'n iawn i ni. Rydym eisiau pethau gwahanol iawn i beth sy'n fod i digwydd.'

'Ma 'nheulu fi 'di gadel, Edith. Sdim byd ar ôl.'

'Mae ti gyda fi. Mae ti wastad gyda fi. A Poboliaeth.'

'Alla i ddim bod 'da chi chwaith. 'Na'r peth.'

'Pam dim? Rydym ar fin gweithredu rwbeth rwyt wedi eisiau ers blynyddoedd!'

'Alla i ddim bod yn rhan o hynny…'

'Rwy'n deall beth mae'n fel i cyrraedd y gwaelod, Brynach. Ceisiais lladd fy hun yn Nigeria.'

'Bolycs. Ti jyst yn gweud pethe. Fel ti wastod yn gweud pethe.'

'Rwy'n dweud y ffycin gwir i ti! Parchwch… Plis Brynach, dere i ochr arall y bariau. Bydd marw yn y dŵr yna yn hyll.'

'Plis, Edith. Wy'n erfyn arnot ti. Wy moyn 'yn rhyddid. A hyn wy moyn.'

'Ok… ok, dwi'n deall. So beth am hyn… A wnei di roi cyfle i fi? Dod gyda fi, am tipyn bach. Ac… os ti dal yn eisiau gwneud yr un peth i dy hunan ar ôl mis… *I'll bring you back here* fy hun… Brynach… Rho dy llaw 'nôl ar y ffycin bar… os ti'n trio neidio i'r afon 'na, *know that I will* gwthio ti mewn a ffonio'r heddlu a dweud taw fi oedd wedi lladd ti. Wyt ti wir eisiau fi ca'l fy gwneud am llofruddiaeth…? *Not the story you want, is it, Brynach*? Dere, Brynach. Meddwl! Rwyt ti'n gwybod 'na i newid y stori.'

'Bitsh.'

'Ydw. Achos mae angen fod. Nawr dringa 'nôl dros y ffycin ffens 'na. Nawr… dyna ni. Dyna fe. Rhoi dy llaw i fi… Dyna ni… Nawr tafla dy ffôn yn y dŵr.'

'Beth?'

'Gall neb dilyn ti wedyn a cewn diflannu. Cei dechrau o'r dechrau'n deg. Fel darllenais mewn stori rhyw dro.'

*

**Neges gan Edith@poboliaeth.cymru**
**At Llawen@poboliaeth.cymru**
Rwy'n deall mae llawer ymlaen gyda Gwales, ond be oeddwn fod gwneud? Ei gadael e yn sefyll ar y pont? Bydd yn gwella a bydd yn help i ni. Mae cyfrifoldeb gyda ni am fe, Llawen. Mae digon o lle yn y gwersyll, nagoes!
P.S. Plis paid ddefnyddio y di-wifr argyfwng am sgwrs fel hon! Gallwn siarad HENO.

**Neges gan Llawen@poboliaeth.cymru**
**At Edith@poboliaeth.cymru**
Bydde fe wedi bod yn neis gwbod, 'na i gyd, cyn troi lan bore 'ma a chlywed bod e 'na. Es i weld e gynne. Ma'r boi mewn stad. So fe'n mynd i fod o ddim iws i ni.

**Neges gan Edith@poboliaeth.cymru**
**At Llawen@poboliaeth.cymru**
Mae'n ddim jyst am fe yn bod o iws i ni. Mae angen iddo gwella, Llawen. Ond hefyd, rwy'n anghytuno. Mae gyda ni misoedd hir i baratoi a cynnal trafodaeth

gyda pobl Caerfyrddin cyn gweithredu Gwales. Cofia peidio ddweud i neb bod e gyda ni. Dim hyd yn oed Cêt Huw. Mae'n well bod pawb yn meddwl mae wedi marw. Mae'n rhwyddach i ni.

**Neges gan Llawen@poboliaeth.cymru**
**At Edith@poboliaeth.cymru**
Iawn.

\*

**Neges gan Edith@poboliaeth.cymru**
**At Cet@poboliaeth.cymru**
Rwy'n methu credu'r peth. A bydda i ddim, tan clywaf mwy o tystiolaeth.

**Neges gan Cet@poboliaeth.cymru**
**At Edith@poboliaeth.cymru**
'Na'n gwmws fel wy'n timlo, Edith. Sdim ots 'da fi be ma nhw'n weud.

**Neges gan Edith@poboliaeth.cymru**
**At Cet@poboliaeth.cymru**
Cadw ffydd, Cêt. A diolch am popeth ti'n gwneud ar y llawr ar hyn o bryd. Byddai Brynach yn prowd o chi. X

\*

**Neges gan cet.huw@gmail.com**
**At elen.bernard@cazoozle.com**
Ma'r heddlu'n gweud bod e wedi neud e, Els. 'Na be ma nhw'n gweud. Ma nhw 'di ffindo'i ffôn e ar waelod y Tywi. Sdim egni 'da fi sgwennu. Wy ddim yn gwbod beth i dimlo na meddwl. Ond wy'n ffaelu help timlo'n rhannol gyfrifol. Am roi pwyse arno fe i ailafel yn yr ymgyrchu. Bues i'n galon-galed iawn gydag e. Achos y'n ni wastod wedi siarad 'da'n gilydd fel'na, ac o'n i'n meddwl bydde fe'n galler handlo fe.

Wy'n gweld e mor galed i gredu y bydde fe wedi galler neud e, cofia. Brynach Yang o bawb.

Ma rhaid i fi fynd nawr. Dim nerth.

C x

*

**E-gofnod o gyfnod y Rhyfel Rhithiol (2022–25)**
**E-bost gan Judith Yang (mam Brynach a Rhuon) at ei chwaer Susan**
Susan,

Syna i 'di teipo lot ddar bo fi… wel syna i'n gwbod pryd! Dim ond gobeitho godith y fagddu heno am gyfnod fel bod hwn yn mynd. Shwt ma Malcolm 'da chi? Gobeithio bod llai o hwydd yn 'i bigwrn e erbyn hyn.

Digwyddodd rwbeth wthnos dwetha, Sue, ond wynnon i'n galler dod â'n hunan i weud ar y ffôn pwy nosweth. Ti'n cofio fi'n sôn wrthot ti bod mab Clive a Patricia gwyddereb â ni mas yn y South China Sea 'da'r fyddin? Ma Owi sh'od wyth mlynedd yn hŷn na Brynach ni. Boi ffein y diawl. O'dd e'n arfer sgwennu'r golofn bêl-dro'd yn y *Cardi Bach*.

Ta beth, un dyrnod da'th Li 'nôl o Whitland a gweud bod Owi 'di ca'l anaf gwael ar long danfor a bod e 'di ca'l 'i hala i un o sbytai'r fyddin 'nôl yn Lloegr. Y pnawn 'ny es i at Clive a Pat a gweud mor flin o'n i i glŵed bod hyn 'di digwdd. Wên i 'di gweitho *sponge* iddyn nhw 'fyd achos ma nhw 'di bod yn gwd 'tho ni. Rhoi dillad *hand-me-down* i'r bois a phethe.

Pat atebodd y drws. O'r eiliad weles i ddi, wên i'n galler gweld bod problem. Ond gymrodd hi'r *sponge* dal i fod a gweud diolch. A 'na pryd da'th Clive at y drws. Pwsho'r dishen 'nôl i'n ddwylo i. Beth o'dd y gŵr 'na o'dd 'da fi'n meddwl am hyn i gyd, 'de? O'dd ots 'da fe be o'dd wedi digwdd i Owi? Atebes i ddim i ddechre achos o'n i mewn sioc. Mae e'n cydymdeimlo 'fyd, wrth gwrs bod e, medde fi, gan ffindo'n dafod o'r diwedd. Ody e wir, o'dd ymateb Clive a dim byd arall.

Safon ni 'na wedyn am gwpwl o eiliade a llyged Pat yn llawn dagre. Wynno hi moyn taw fel hyn o'dd pethe chwaith. Li a Judith o'n ni. Li a Judith dros yr hewl yn Glan y ddôl.

'Nes i ddim crybwyll beth o'dd wedi digwydd wrth Li. Dim ond dod 'nôl i'r tŷ, towlu'r *sponge* a llefen. O'dd yr holl beth yn timlo mor salw. Ma'r bois 'di bod yn sôn yn ddiweddar 'fyd bod pobol yn galw nhw'n *Chinky* yn yr ysgol. Wy wir yn gobeitho bod hyn ddim yn ddechre ar ddim byd, Sue. Ond ma timlad cas 'da fi.

Bywyd syml ma Li a fi 'di isie erio'd. Cymuned neis i'r bois ga'l tyddu lan yn rhan ohoni. Clŵed y sguthan yn y bore wrth godi a gweld y brain yn hel ar y polion trydan cyn clwydo. Magwreth fel gest ti a fi.

Wy'n gobeitho daw Clive i weld pethe'n wynieth unweth i Owi wella. Syno Li ddim byd i neud â'r ryfel. Syno fe hyd yn o'd yn cytuno gyda'r ffordd ma'r Tsieineaid 'di trin yr Americanied. Cofia di, syno fe'n cytuno 'da'r Americanied chwaith. Nhw sy 'di trial troi hwn mewn i ryfel rhwngt y Gorllewin a'r byd anghyfarwdd 'ma yn y Dwyrain er mwyn trial dala mlân yn dynn i'r pŵer sy ar ôl 'da nhw. Ma Li'n gweud taw Tsieina yw problem fowr y Gorllewin nawr. Ma nhw'n dal i fecso am *terrorists* fel Islamic State, odyn, ond ma Tsieina'n towlu problem wa'nol 'to.

Wy yn becso weithe taw dim ond dechre pethe yw hyn. Achos ma sôn 'di bod, nago's e, y bydd Tsieina'n dod ar ôl y diaspora ryw ddydd. Ond ma raid fi beido mynd i orfeddwl neu naf fi'n hunan yn dost.

Cwpwl o ddyddie ar ôl fi fod draw at Pat a Clive ffindodd Li y *sponge* yn y bin. Wedes i ddim byd a wedodd e ddim byd chwaith. Ond o'dd y ddou ohonon ni'n gwbod beth o'dd wedi digwdd.

Dere ni ga'l cwrdda'n glou nawr, yfe, Sue? Licen i 'na yn ofnadw.

Judith x

*

Gan shan712@gmail.com
At Mami@gmail.com
Mami,

Ma'r *internet* a 6G 'nôl ers cwpwl o ddyddie nawr. Sai hyd yn o'd yn siŵr shwt dda'th e 'nôl, na pryd. Un muned o'n i'n byw mewn tawelwch ac yn darllen llyfr ar ôl llyfr a'r peth nesa o'dd 'yn ffôn i'n fflasho'n wyrdd a o'dd neges yn aros amdano i o'r syrjeri. Nawr bod Doctor Huw wedi retiro fi'n ca'l 'yn paso mlân i'r drefen newydd. Wedyn fel hyn ma fe'n gwitho...!

Os wy isie mynd i'r doctor o nawr mlân, wy'n ca'l 'yn whîlo mewn at beiriant mewn stafell fach a ma'r holl fesuriade 'ma'n ca'l 'u neud gyda *beeps* a gole glas.

Besicli, ma'r peiriant 'ma'n sgano ti a neud *x-rays* a neud y *maths* i gyd i weud os 'yt ti'n diodde o ryw salwch horibl o't ti ddim yn gwbod amdano fe o'r bla'n. Nath y peiriant gweud i'r nyrs bo fi'n *disabled*. Weles i'r gair *disabled* ar y sgrin. Ond sdim isie bod yn *super robot* i wbod 'na, oes e? Allet ti weud 'na o ddishgwl arna i.

O'dd y peiriant 'fyd yn gweud bod angen sbectol newydd arna

i ar ôl dishgwl mewn i'n lyged i gyda bainociwlars sbesial. O'n i'n timlo fel bo fi mewn ffilm o'r dyfodol. A pawb yn gwishgo *silver* neu rwbeth. Ond wedyn, wrth i'r nyrs paso'r slip i fynd i nôl presgripsiwn fi, 'nes i dechre timlo'r hireth 'ma yn 'yn fol i achos bo fi'n gweld isie Doctor Huw. O'dd Doctor Huw wastod yn gwenu, neu'n gofyn am Bruv, neu'n gweud stori wrtho fi amdanot ti neu Anti Janet. Yn gweud shwt ma G'fyrddin wedi newid gyment ddar i'r lein ailagor i Aberystwyth. A shwt o'dd y farced arfer bod. A gweud bod e'n prowd o fi, y ffordd fi'n byw a darllen a helpu Bruv i cwco. O'dd dim amser 'da'r nyrs neud dim o 'na a o'dd dim y brêns 'da'r robot.

Ma Bruv yn byta llai a llai yn tŷ ni dyddie 'ma achos ma 'da fe job newydd. O'dd e wastod yn arfer dod 'nôl i helpu fi i cwca swper o'r bla'n ond ma fe'n roco lan wedi naw o'r gloch y nos *most nights* yn ddweddar.

Paid ca'l fi'n rong, so fe 'di troi'n *lazy bones*. Pan o'dd y we a'r 6G 'di mynd, gariodd e fi lan i stafell wely fi bob nos er gwitha'i gefen e.

Un nosweth wthnos dwetha pan o'dd e'n cario fi, 'nes i holi fe am ei jobyn newydd e. Eglurodd e bod Stewy yn y farced tu fas y farced wedi ca'l 'i arestio a bod y *supply chain* wedi cwmpo'n fflat.

Achos o'dd 'i dafod e'n symud yn rhwydd benderfynes i holi mwy. I bwy o'dd e'n gweitho nawr 'de, os o'dd Stewy'n *locked up*? Wedodd e bod e wedi ca'l cwpwl o *offers* ond bod e 'di penderfynu mynd 'da'r bois dda'th lan i weld e pwy nosweth yn diwedd. A wy'n falch o glŵed 'ny 'fyd, achos o'n i'n becso bach glŵen i enw Trevor Small eto.

Wy'n timlo'n sori dros Bruv bod Stewy yn *jail* achos ma fe wedi gwerthu *skunk* Stewy mewn *tea towels* tu fas y farced ers blynydde a blynydde.

Ma tomatos Dai yn dechre troi o wyrdd i oren nawr, Mami. Sy'n meddwl sdim sbel tan fyddan nhw'n goch.

Sôn am Dai drws nesa, o'dd e'n *pissed* gachu 'to neithwr. Weles i fe mas yn 'i byjamas pan o'n i'n methu cisgi. Yn dyfrio'r tomatos ac yn swigo mas o botel wisgi. Welodd Cenwyn dros yr hewl e 'fyd, achos weles i gole lan lofft yn mynd mlân 'da nhw, a weles i Valerie yn pipo mas, yn 'i *rollers*. Ma nhw'n rolo mewn arian dros yr hewl. Wy 'di gweld y *rollers* 'na ar teledu. Ma nhw'n troi'u hunen mlân ac off gyda'r *internet*. Ma Kye yn gyrru rownd mewn Mercedes 'fyd. A cap am 'nôl ar 'i ben e. Ond so fe Kye am 'nôl ragor, ma fe'n *full speed ahead*. Sai'n gweud, ma pawb yn gwbod o le ma fe'n ca'l yr arian. Ond i fod yn onest, Mami, sai'n beio fe. Ma fe'n galler dishgwl ar ôl Cenwyn a Valerie nawr, nagyw e? A ma 'na ond yn reit.

Ddarllenes i rwbeth afiach heddi ar yr *internet* a ma fe'n cadw bownso 'nôl i'n feddwl i. Articl o'dd e, yn gweud bod compiwters yn lot mwy *likely* o aller neud *time travel* na *humans*. A pan ma nhw'n ddigon *intelligent* i neud, y peth cynta newn nhw yw mynd 'nôl mewn hanes dros bopeth ma compiwters erio'd wedi dysgu trw popeth ni *humans* wedi teipo mewn iddyn nhw. Wedyn beth o'dd y fenyw o'dd wedi sgwennu'r articl 'ma'n gweud o'dd bod compiwters (*all along*) yn gwbod beth ni'n sgwennu a beth ni'n meddwl, a bo ni'n idiyts am feddwl bo ni'n well na nhw achos ma nhw jyst yn ishte 'na'n wherthin ar 'yn penne ni. Yn aros am y dydd iawn i pawnso. O'n i bach yn scêrd ar ôl clŵed 'na, Mami. Achos ma 'na'n meddwl bo nhw'n galler darllen hwn.

Shani X

*

**Neges gan cet.huw@gmail.com**
**At elen.bernard@cazoozle.com**
Na, dim newyddion am Brynach. Ma pawb fel 'sen nhw 'di derbyn bod e wedi mynd. Sy'n fy nghythruddo i'n llwyr. T'wel, ma rwbeth yndda i yn mynnu bod e dal 'da ni, ond ma Margo a Dad wedi rhybuddio fi gyda'u llyged taw rwbeth o'r enw 'denial' yw 'na.

Ma Mami wedi torri'i chlun, Els. O'dd hi mas ar *stepladder* pnawn ddo yn trial torri un o'r cloddie yn y bac a gwmpodd hi. A cyn i ti weud unrhyw beth, ma garddwr 'da nhw, ond ma hi'n dal i fynnu neud pethe'i hunan. 'I rheswm hi dros hyn yw 'bod peidio gwneud yr ardd gyfystyr â marwolaeth'. Nawr shwt yn gwmws ydw i fod i ddadle gyda 'na? Ta beth, ma hi yn Glangwili a bydd hi mas wthnos nesa ar ôl cael triniaeth.

T'mod weithe, ma gwylio dy rieni di'n heneiddio'n brofiad hollol afreal. Ond ry'n ni i gyd yn ffaelu yn diwedd, on'd y'n ni? Hyd yn o'd Dynasty Doctor Huw. Y *power house* ar Picton Terrace. Ma nhw'n dadfeilio a ma'r lle'n dechre dadfeilio 'fyd. Ac achos bod 'u llyged nhw'n wael, so nhw'n sylwi ar y llwch sy'n cronni ar y boteli shampŵ. So nhw'n becso bod isie newid y cwpwrte yn y gegin. Ma popeth yn mynd yn hŷn gyda nhw. Ma'u byd nhw'n mynd yn hŷn. Bydd yn barod am hyn pan y'ch chi'n dod 'ma dros yr haf. Ma pethe wedi newid a newn nhw ddim newid 'nôl nawr.

Sôn am fame, es i i weld mam Brynach ddo. Iyffach, ma ddi'n fenyw ryfedd. Sai'n gwbod beth yw e, ond mae'n ymateb yn wahanol i'r hyn fyddet ti'n dishgwl i berson neud – am bopeth. Ti'n gwbod beth o'dd y peth cynta wedodd hi pan o'n i'n ishte yn y lolfa yn hyfed te? – 'Wy 'di paratoi 'yn hunan am hyn... Aton nhw i gyd yn 'y ngadel i. Fesul un.' Sai'n gwbod amdanot ti, ond i fi o'dd hwnna jyst yn swno fel ymateb OD y jawl. Fel 'se hi'n teimlo dros 'i hunan mwy na dros Brynach. Fe sy wedi diflannu. Fe sy wedi diodde. Nage hi.

Wedodd hi bod hi'n synnu'n fawr i glŵed Morfudd yn gweud bod Brynach wedi bod yn diodde o ishelder ers blynydde. Ond pam gweud 'na, Els? Pam gwadu 'na? Ma ddi'n gwbod yn iawn bo fi'n cofio fe'n ishel yn y chweched dosbarth. O'dd e mwy neu lai yn BYW 'da ni yn Picton Terrace ar un cyfnod, ti'n cofio? O't ti'n meddwl bo ni'n gariadon! A nest ti weud 'ny 'fyd, amser brecwast, o fla'n Margo a Dad!

Ond ti'n gwbod be nath ei fam e? Pan sonies i am y pwl gath e yn yr ysgol? Jocan bod hi ddim wedi clŵed fi. 'Na be sy'n ddifyr am bobol hŷn. Os nagy'n nhw moyn cofio, newn nhw ddim. Ma'r rhai sy'n goroesi yn stopo gwrando ar ba mor gachlyd ma pethe go iawn a pha mor gachlyd o'dd pethe. Achos hyn a hyn o gachu gall rhywun gymryd yn diwedd, yfe, Els?

'Na pam o'dd Brynach mor fregus, a 'na pam ma fe wedi diflannu. Achos o'dd e'n cymryd y cachu miwn. Yn becso gormod. Yn cwestiynu gormod. Yn methu jocan bod y byd 'ma'n oreit yn y bôn. O'dd e'n adlewyrchiad llwyr o'r mès o'dd e'n dishgwl arno fe.

Wy yn 'yn ddagre fan hyn sydyn reit. *Oh my god*... sai'n gwbod, Els. So fe'n neud sens i fi. Bod e wedi dod yr holl ffordd i G'fyrddin a wedyn penderfynu neidio. Nagyw rywun sydd isie neud rhwbeth fel'na yn 'i neud e'n syth? Yn le bynnag ma nhw? Neu wyt ti'n meddwl taw trial prynu amser o'dd e? Perswado'i hunan i beidio neud e? Neu nath e benderfynu'n syth fel'na? Heb fwriad yn y byd o'i neud e tan y foment nath...?

O Els, wy 'di blino gyment yn ddiweddar. Popeth yn troi a throi yn 'y mhen i. Weithe, pan wy'n ffaelu cysgu, wy'n whare'r gêm 'ma 'da'n hunan – ydy e'n teimlo fel 'se Brynach dal 'ma? Yn dal ar y blaned?

Ydw i'n dal i deimlo'i egni fe? Wy'n gwbod pa mor bysýrc ma 'na'n swno. Gwbod yn iawn. Ond wy yn 'i whare fe. A phan wy'n whare fe, wy'n ca'l y timlad 'ma. Ym mêr 'yn esgyrn i. Bod Brynach dal 'ma. Bydde Doctor Huw yn gweud bo fi'n twyllo'n hunan achos bod yr opsiwn arall yn rhy annioddefol ifi ar hyn o bryd. Ond sai'n gwbod, Els, ma'r timlad 'ma'n gryf, t'mod.

Nage bo fi mewn sefyllfa i drafod 'y ngwaith yn fanwl, ond ma Edith yn trial cadw fi'n fishi achos mae'n gwbod faint ma diflaniad Brynach wedi effeithio arna i. Cofia, wy'n siŵr bod hi'n mynd drw gyfnod anodd ei hunan. O'dd hi'n agos iawn at Brynach hefyd. Yn rhy agos ar brydie, o'dd rhai yn arfer gweud.

Er gwaetha popeth wy'n neud, Els, sai'n gweld lot o synnwyr yn ddim byd ddar i Brynach ddiflannu. Ma'n gorff i'n teimlo fel un clais mowr glas a phiws. Sy'n neud lo's a dim ond lo's.

Cêt xxx

*

**E-gofnod o gyfnod y Rhyfel Rhithiol (2022–25)**
**E-bost gan Judith Yang (mam Brynach a Rhuon) at ei chwaer Susan**
Annwyl Susan,

Mae pethe'n mynd o ddrwg i wa'th 'ma'n ddiweddar, wy'n gweud 'thot ti. Nos Wener dwetha o'dd hi, a Li 'di mynd lan i'r Lamb wrth bo fi'n roi bàth i'r bois. Mynd am beint, 'na i gyd. Wy'n aml yn ei hel e mas o'r tŷ (neu o'r swyddfa yn y bac) jyst er mwyn iddo fe stretsio'i goese a gweld rywun ar wahân i fi ar ôl diwrnod o waith.

Ta beth, yn y Lamb ma'n debyg bod Jac (un o deulu'r Watkinses sy'n berchen ar y bwthyn gwylie 'na yn Henllan Amgoed) 'di dechre'i regi fe. Gweud pob math o bethe twp. Wedd e 'di bod ar y *news* y dwyrnod 'ny fod Tsieina yn ystyried galw ar y diaspora i dyngu llw ffurfiol i'r wlad dros yr wthnose nesa ac o'dd Jac ar 'i *high horse*. Sdim isie gradd arnot ti i wbod bod e 'di cyhuddo Li o fod yn ffyddlon i Tsieina. A hyd yn o'd, falle, yn *spy*! Geson nhw yffach o ffeit wedyn a dath Li 'nôl yn wa'd dros 'i wyneb. Wrth bo fi'n treial golchi ei drwyn e o'dd e'n cintachu fel wynna i 'di'i weld e o'r bla'n. Cwt mowr ar ei wefus e. Wynno Jac yn galler gweld, o'dd Li yn cadw gweud, bod fe Li yn colli busnes o achos y rhyfel hefyd? O'dd 'da Jac rwbeth i weud am 'ny 'fyd, mae'n debyg. Gweud bod y feddyginieth *Chinese* o'dd Li yn gwerthu drwy'r busnes yn *quackery.* Yn *voodoo.* Wynno Li'n ypsét wrth weud hyn. O'dd e'n gynddeiriog. Yn crini fel dilen. Mor grac galle fe 'di noco walie'r tŷ lawr, wy'n credu.

Ond nage am Jac o'dd e'n grac, go iawn, Sue. Un cecrus fuodd hwnnw erio'd. Wastod yn whilo ffeit yn 'i ddiod. Na, o'dd Li'n grac achos bod Vic o'r Lamb a Shirl a Pete y siop jwst wedi sefyll 'na. Watsio Jac yn gweud yr holl bethe 'ma heb weud gair i amddiffyn Li. Heb wmladd 'nôl a helpu. Falle wynnon nhw'n gwbod beth i weud, wedes i wrtho fe'n dawel. Falle wynnon nhw'n meddwl bod e'n fusnes iddyn nhw. Wedes i bydde Shirl a Pete yn bownd o ffono dros y wicend. Tsieco i weld shwt o'dd e. Ac i fod yn deg, 'na'n gwmws be nath Shirl. Streit awei bore Sadwrn. Gweud 'ny, o'dd tamed bach ohona i'n timlo'n grac erbyn 'ny 'fyd. Digon rwydd ffono rywun ar y slei o'r stafell ffrynt bore wedyn. Y nosweth 'ny sy'n cownto. Pan ma rywun angen help.

Nago'dd fi a Li wedi trafod pethe ddar y noson 'ny. Ddim yn iawn. Ond heddi da'th pethe i'r fei 'to achos gas e lythyr. Llythyr gan Weinyddieth Amddiffyn Pryden Fach yn gweud bo nhw'n ymwybodol o fwriad Tsieina i wahodd y diaspora i dyngu llw o deyrngarwch. Achos 'ny, ma Pryden wedi gofyn i Li dyngu llw iddyn nhw, a'n sydyn reit ma e'n ca'l 'i fforso i ddewis. Bod yn ddinesydd Prydeinig-Gymreig neu'n ddinesydd Tiseineaidd sy'n byw dramor.

Ma hawl 'da unrhyw un sydd o dras Tsieineaidd neud cais am ddinasyddiaeth Tsieineaidd os yw eu rhieni nhw, neu rieni eu rhieni wedi cael eu geni yn Tsieina. Ma hawl 'da fi dyngu llw i Tsieina 'fyd, achos bo fi'n wraig i Li. Wedyn alla i ddishgwl llythyr yn y post gan Bryden 'fyd.

Ddar i lythyr Li gyrredd, 'na gyd ma fe 'di neud yw stiwan o gwmpas y gegin yn gweitho un o'i ryseitie te sbeshal i'w hunan. Y te sydd â gwynt cryf ofnadw. Fel pridd a perffiwm wedi cymysgu 'da'i gilydd. Pan ma'r te 'na'n dod mas wy'n gwbod bod pethe ddim yn reit. Ma clŵed 'i wynt e'n ddigon i neud i fi fecso.

Er bod dim ordors 'da fe sorto, achos o'dd hi'n fagddu tan heno, a'th e i'r swyddfa am awr yn y pnawn. 'Nes i ddim holi be nath e 'na. O'n i jwst yn falch o ga'l tamed bach o lonydd o'i feddylie fe. Er nagyw e wedi gweud dim byd drw'r dydd, wy'n timlo'i feddylie fe yn bobman.

Gynne fach o'dd Brynach wrthi 'da'i *tool set* plastic pan wedodd e rwbeth a'th i'n lwnc i. Wedodd e bod e'n dwlu ar y fagddu. Shwt 'ny, bach, ofynnes i.

A dyma fe'n gweud. Achos pan mae'n fagddu, Mami, wy'n galler gweld llyged pobol.

Boi bach chwech o'd yn gweud calon y gwir, nagefe, Sue! Sdim sgrinie i dynnu'n sylw ni. Ni'n gorfod dishgwl ar 'yn gilydd.

Ar ôl siarad 'da Brynach am 'ny, es i i gownto tunie yn y pantri bach. A ges i *good cry* 'fyd os wy'n onest. Am Li a'r llythyr ac am y ffaith fod isie i gyfnode'r fagddu 'ma baso nawr. Falle bod ni'n galler gweld llyged 'yn gilydd ond ni'n brin o bethe fel menyn, nagy'n ni, Sue, a syna i'n lico pan ma 'ny'n digwydd.

Wy'n credu bod y fagddu'n timlo i Brynach fel o'dd dyddie eira'n timlo inni'n blant. Ti'n cofio nhw, Sue? Pan o'n ni'n ferched bach? Wên ni'n dwy wrth 'yn bodde. Am y cynta i whilo'r sled. A 'na le wedd Mami druan wedyn. Yn y parlwr yn becso bod dim digon o fwyd 'da ni yn y pantri i bara'r penwthnos. Dyddie llawn antur o'n nhw i ni, nage fe? Ac amser yn timlo'n wa'nol rhywffordd. A co fi nawr. Yn cownto tunie. Ac yn becso.

Judith

*

**Sgwrs a recordiwyd gan yr heddwas cudd Tomos Newman**
'So, sut mae'n mynd? Rwy'n clustiau i gyd.'

'Ai, ddim yn rhy ffôl, Edith, i fod yn onest.'

'Da iawn, Tomos. Eglurwch mwy. I fi ga'l y darlun. Rwy'n sori, rwy wedi bod *out of action* yn ddiweddar.'

'Ie. Ydych chi'n well?'

'Oh, ie, ie. Rwy'n iawn. Doctor yn dweud i fi, *slow down. But easier said than done*, llawer i'w wneud, yn does? Drwy'r amser. Braf i weld chi hefyd, Susie.'

'Sandy.'

'Sandy. Dwi'n mor sori. Mae hynny yn anfaddeuol. Rwyt ti yn gweithio gyda ni ers sbel nawr. Rwy'n cadw gwneud y *mistake*. Sut mae eich gŵr? Mae'n GP yn y dref?'

'Ydy. Mae'n dda. Ond mae newidiau mawr ar ei plât ef nawr. Gyda'r peiriannau.'

'A ie. Dwi wedi clywed. Dim wedi cael y braint eto, o eistedd mewn gyda robot.'

'Bues i 'na wthnos dwetha. Ma un mowr newydd ddod mewn yn Crymych.'

'Ydy y peiriant yn siarad "wes-wes", Tomos?'

'Lwcus os gewch chi un sy'n siarad Cwmrâg, Edith.'

'O. Mae dim BYD yn newid yn Cymru. Ta peth, dweud i fi, sut mae'r Prosiect Gwallt yn dod mlân? O, chi'n gwenu, mae hynny'n dda. Adroddiad bras ar lafar yn da i fi.'

'Ym, Tomos, ti eisiau gwneud?'

'Ocê, Sand. Wel, mae'n mynd yn itha da i fod yn onest. Ni wedi ca'l lot o hwyl. Ar y dachre, wên i yn becso. Wên ni'n dou yn becso, wy'n meddwl, bod dim cynllun i ga'l, ondyfe. Ond i fod yn deg, ni'n dachre deall be sy 'da chi nawr. Gadel i bethe godi'n naturiol. Dewis y cynllun yn dibynnu ar y bobol ni'n delio 'da nhw.'

'Dwedwch mwy... Rwy'n clustiau i gyd.'

'Ocê, wel, ni 'di bod mewn cysylltiad 'da pedwar o'r siope trin gwallt yn ganol dre 'ma, a wedi bod mewn cwpwl o gyfarfodydd. Un neu ddou gyda'r reolwyr, yfe, egluro be ni lan i, gofyn am ganiatâd i'r staff siarad 'da ni am sesiyne byr o ugen muned ac yn y blaen. A ma nhw gyd 'di bod yn grêt, whare teg. Agored iawn i'r syniade. Yn enwedig o wbod bod y staff yn galler ennill credyde a ca'l tystysgrif ac yn y blaen. Yn y bôn, cyhyd â bod ni ddim yn styrbo orie gwaith ac amserlen y lle, ma nhw'n hapus. Ma nhw'n lico'r syniad o ga'l marc safon 'fyd a cha'l gwobre blynyddol, nagy'n nhw? Falle allet ti egluro mwy am 'na, Sand?'

'Ok, great, wel... mae rheolwyr y siopau trin gwallt (ac yn fwy pwysig y bobl sy'n trin gwallt) yn hoffi'r syniad o cael certificate. Sori, tystysgrif, ac maent yn impressed bod Maer y Dref yn cefnogol "mewn theori" ac bod Carmarthen Online gyda ddiddordeb i gydweithio ar sefydlu gwobrau bydd yn tynnu sylw at bobol sydd wedi ymarfer eu Cymraeg yn y gwaith ac annog cwsmeriaid nhw i siarad Cymraeg gyda nhw hefyd. A felly ni wedi galw'r gwobrau yn SiaradSiarad. Ydy hynny'n iawn, Edith? Bod ni wedi bwrw mlaen gyda hyn? Ma cwmnïau lleol yn mynd i ariannu popeth drwy hysbysebion.'

'Wrth gwrs! Mae hyn yn syniad campus gennych, Sandy!'

'Wel, i fod yn deg, syniad un o'r ferched yn Hair Today Gone Tomorrow o'dd e. Alys. Real character. Roedd hi basically jyst yn meddwl bydde fe'n sbort i ga'l award ceremony ar diwedd y blwyddyn, i bawb sy'n cymryd rhan yn y prosiect. Jyst piss up i weud y gwir mewn ffordd. Sori.'

'Mae'n iawn, Sandy, mae'n da! A bydd yn cael llwyth o sylw, rwy'n meddwl. Ond rewind! Rewind! Sut yn y byd mae hyn i gyd wedi digwydd mewn cymaint prin o tro?'

'Sai'n meddwl gwenu, ond ni yn falch o shwt ma pethe'n dod mlân. A ni wedi joio, nagy'n ni, Sand? Sbo achos bod dim targede strict gyda ni, ni wedi galler jyst... sai mo... canolbwyntio ar y bobol ni 'di cwrdda... gadel iddyn nhw reoli a neud penderfyniade... gofyn iddyn nhw beth fydde'n siwto nhw... ti'n meddwl, Sand... ody 'na'n wir i weud?'

'Yn pendant. Ni jyst wedi gwrando ar syniadau dros coffi a datblygu pethau o fan'na.'

'Campus, campus, o rwy'n clapio, drychwch! Ni allwn fod wedi gofyn am gwell.'

*

**E-gofnod o gyfnod y Rhyfel Rhithiol (2022–25)**
**E-bost gan Judith Yang (mam Brynach a Rhuon) at ei chwaer Susan**
Susan,
Ma Li wedi gwrthod hala cadarnhad at Lywodraeth Pryden Fach y bydd e'n tyngu llw. Mae e'n gwrthod datgan unrhyw beth.

Ma cannodd ar gannodd o bobol *Chinese* wedi neud yr un peth dros Gymru, Lloegr a'r Alban a ma sawl un wedi bod yn ffono'r tŷ i ofyn i Li ddod lawr i gyfarfodydd yn G'rdydd i drafod y peth. Mae'n ymgyrch fowr fydde'n digwydd heb Li, ond ma fe i weld yn benderfynol o fod yn rhan o'r peth 'fyd.

Yr unig bobol *Chinese* arall yn yr ardal yw'r pâr sy'n rhedeg y *takeaway* yn Hendy-gwyn. A nathon nhw arwyddo'r llythyr i Bryden yn syth ac anfon e 'nôl yn *recorded delivery*. Smo nhw moyn dim yw dim i neud 'da'r alwad 'ma i uno'r diaspora. A 'na'r peth, t'wel, Sue. Nagyw Li moyn dim i neud 'da 'na chwaith ond mae e'n dala i fynnu na ddyle fe orfod datgan cefnogaeth i Bryden. Ma fe'n taeru bydde seino'r llythyr a chefnogi Pryden yn meddwl bod e'n ca'l ei iwso. Y bydde fe'n ca'l ei ddyfynnu fel un o'r bobol o dras Tsienïedd sy moyn ysgaru 'da Tsieina.

Weithe, pan wy'n ishte 'da'r plant, yn darllen 'da nhw neu'n gwylio ryw gartŵn neu'i gily, wy'n mynd yn genfigennus wrthyn nhw. Yn sychedu am bwy mor syml ma pethe iddyn nhw. Achos ma pethe 'di mynd yn galed rhwngtha i a Li. Mae e'n galler gweld bo fi'n meddwl y bydde pethe'n llawer haws i ni fel t'ulu tase fe'n arwyddo'r dogfenne ac yn dangos i'r awdurdode bod dim angen iddyn nhw ame fe. Wy'n deall nagyw e mor rwydd â 'na iddo fe, ond fel'na wy'n timlo. Achos ma goblygiade peidio arwyddo'n fowr. A bydd pobol yn siŵr o ffindo mas rownd ffordd hyn. Ti'n gwbod fel ma nhw.

Pam nagy'n nhw 'di hala llythyr at bawb a gofyn iddyn nhw arwyddo? 'Na be ma Li'n cadw gweud. Pam bod nhw'n pigo arna i? Achos 'yn dras i. Achos lliw 'yn gro'n i a siâp 'yn lyged i.

Sai wedi sôn wrtho fe, ond ges i'n llythyr i pwy ddwyrnod 'fyd a wy 'di hala fe 'nôl yn barod. Wrth gwrs, ma Li'n gwbod yn iawn y bydden i'n arwyddo'n llythyr i, ond syna i moyn iddo fe fod yn rhwbeth ni'n trafod chwaith. Tamed bach fel y ffordd y'n ni'n foto. Synon ni byth yn trafod pethe fel'na yn y tŷ 'ma.

Wy wir yn deall pwy mor galed mae arno fe, Sue. Ond wy wir yn gobeitho ddaw e'n glir iddo bod rhaid iddo fe seino 'fyd.

Judith x

*

**Neges gan Llawen@poboliaeth.cymru**
**At Edith@poboliaeth.cymru**
Edith. Ma Brynach yn ymateb yn dda i'r drinieth. A ma fe moyn dy weld di.

**Neges gan Edith@poboliaeth.cymru**
**At Llawen@poboliaeth.cymru**
Gallaf dim ei gweld. Nid tan mae yn well. Does ganddo dim ffordd o mynd ar y we na cyfrifiadur, nagoes? Mae'n pwysig iawn bod pawb yn sylweddoli nad yw e'n cael cyswllt gyda neb.

**Neges gan Llawen@poboliaeth.cymru**
**At Edith@poboliaeth.cymru**
Dim cyswllt â'r we, na. Ond mae e wedi gofyn am bapur a beiro yn ystod y dyddie diwetha.

**Neges gan Edith@poboliaeth.cymru**
**At Llawen@poboliaeth.cymru**
Ydy hyn yn syniad da? Bydd e dim yn treio brifo ei hun?

**Neges gan Llawen@poboliaeth.cymru**
**At Edith@poboliaeth.cymru**
Mae'r doctor yn ffyddiog fod hyn yn iawn. Ond 'na i dynnu sylw at y mater eto, i wneud yn siŵr.

*

Gan shan712@gmail.com
At Mami@gmail.com

Da'th Dai rownd pnawn 'ma, Mami. O'dd e'n feddw dwll. Isie gweud bod y lein ddillad wedi cwmpo lawr. O'dd Bruv ddim mewn a o'n i ddim yn gwbod beth i neud, so gyniges i ddished o de iddo fe. Ond o'dd e ddim moyn un.

O'dd e i weld yn drist. Gweud bod 'i whâr e wedi ca'l strôc a bod hanner 'i chorff hi wedi marw. Ta beth, ar ôl sharad amdani hi, a egluro shwt o'dd hi ddim yn galler sharad ragor, dim ond mymblo a edrych mewn i'w lyged e fel bod hi moyn gweud rwbeth pwysig ond yn ffaelu ca'l e mas, dath e mas 'da rwbeth arall.

Wedodd e bod Bruv *up to no good*. Wenes i arno fe i ddachre ar ôl fe weud 'na. Jocan bo fi'n meddwl bod e'n sharad am y *weed*. Am 'i werthu fe. Am 'i smoco fe. Am 'i dyfu fe yn y sied pan ma fe *in the money* a'n fodlon iwso lan y letric i dyfu mwy 'to. Ond pan nath Dai ddim wherthin 'nôl, o'n i'n gwbod bod e'n sharad am rwbeth wynieth. A bod e'n gwbod rwbeth am jobyn newydd Bruv.

I ddachre o'n i ddim yn bwriadu holi beth o'dd e'n gwbod. Ma bywyd gyment yn haws pan so ti'n gwbod dim. Ond wedyn, Mami, a wy'n gwbod bod fi'n stiwpid am neud hyn, nath *curiosity* cymryd drosto. Achos wy 'di bod yn ame bod rwbeth ddim yn reit ers sbel. *What, Dai?* wedes i. *Tell me, I want you to tell me.* A 'na be nath e.

Ma Delmi lawr y Clwb Bowls wedi gweud 'tho Dai bod *brothels* newydd wedi agor lawr ar bwys yr hen Towy Works. A taw Trevor Small sy bia nhw.

A 'na pryd wedodd e wrtha i bod *rumours* bod menwod o bant yn ca'l 'u traffico mewn i'r dre *full pelt*. I weitho yn y *brothels* 'ma. A bod Bruv yn gwitho i Trevor. Ody Bruv yn *people pirate*, holes i wrth Dai, a'n lyged i'n fowr a'n llawn dagre a'n drwyn i'n dachre redeg. A 'na pryd werthinodd Dai nerth esgyrn i ben a dishgwl arna i fel 'sen i'n dwp. Shan fach, *he's a slave himself. He works for Trevor Small, don't he? Does the dirty work. Dirtier work than ewer brother have ever done before.*

Wedodd Dai 'tha i dylen i drial ca'l Bruv i newid job ac i gadw mas o *dirty business* fel *brothels*. Wedodd e byddet ti yn troi yn dy

147

fedd taset ti'n clŵed a dechreues i dimlo'n real dost pan wedodd e 'na. Wedodd e 'fyd bod rai o'r merched o'r llefydd 'ma yn diflannu weithe, ac yn ca'l 'u ffindo ar y trath yn Bae C'fyrddin le ma'r Tywi'n cwrdd â'r môr. A weithe bod dim penne ar ôl 'da nhw. Na dwylo. A gwa'th. Wedodd Dai bod yr heddlu yn cyfro fe lan, achos sneb isie tynnu sylw i'r mès ma'r *drugs and sex trade* wedi neud yn Shir Gâr.

O be weles i ar yr *internet*, so rhan fwya o'r menwod 'ma yn galler siarad Susneg na Cymrâg hyd yn o'd. Dimles i'n *sick to my stomach* wrth feddwl bod hyn yn digwydd lawr y tyle o tŷ ni. Ac yn sicach fyth o wbod bod Bruv yn ran o bethe.

Pam o'dd rhaid i Stewy ga'l 'i ddal a'i hala i'r *jail*, Mami? O'dd popeth yn oreit pan o'dd Bruv yn gwerthu *skunk* tu fas y farced.

Sai'n mynd i weud dim byd wrth Bruv bo fi'n gwbod ambytu hyn achos eith e'n grac ac yn *spiky* fel draenog. Ond wy'n gwbod nawr a 'na'r peth danjerus. Achos *let's face it*, Mami, ma Bruv yn nabod fi yn well na neb a bydd e'n galler gweld bo fi'n gwbod. Achos fel wedodd e o'r bla'n, ni fel *twins* ac yn nabod 'yn gilydd ers erio'd. Ni yw'r unig ddou berson yn y byd sy 'di dod o'r un lle, nagefe, Mami (o bola ti)? A ni'n styc 'da'n gilydd byth ddar 'ny.

O Mami, plis der 'nôl, 'nei di? Ma pethe'n mynd yn bellach a bellach o fel ma nhw fod a sai'n gwbod shwt ma fficso nhw. Nele un *chat* 'da ti gyment o les. Allet ti jyst ddod 'nôl am hanner awr fach falle? Ma *digestive* bisgits yn y tun. Rhai *chocolate*...

Shani X

*

**E-gofnod o gyfnod y Rhyfel Rhithiol (2022–25)**
**E-bost gan Judith Yang (mam Brynach a Rhuon) at ei chwaer Susan**
Susan,

Pan ddeffron ni bore 'ma o'dd cachu ci 'di ca'l 'i rwto dros wal ffrynt y tŷ. Brynach a Rhuon sylwodd pan o'n nhw mas y bac yn cico pêl. O'n nhw wrthi'n driblan y bêl rownd i'r ardd, pan welon nhw bod y wal yn frown i gyd.

Brynach dda'th miwn. Gweud bod drewdod a gweud bod stwff brown dros y wal. Dim ond chwech oed yw'r crwt, wedyn sai'n credu bod e'n diall be o'dd e'n gweud yn gwmws. A Mami, wedodd e. Mami, ma rywun 'di sgwennu 'go home' ar y wal 'fyd. Dishgwles i arno fe am eiliad. Ei lyged tywyll e'n dishgwl arna i. Yn galler gweld bod rwbeth ddim yn reit.

Gethes i wared ar y mwc gyda sawl bwced o ddŵr a Domestos. Ond dimles i erio'd shwt gwilydd, Sue. Yn sefyll mas 'na yn 'yn got a'n slipyrs. Rwto cachu off y walie. O'dd Li yn y swyddfa yn gweitho ar y cownts a o'n i'n gobeitho i Dduw ddele fe ddim mas mewn pryd i weld be o'dd wedi ca'l 'i sgwennu. Ond o'dd hi'n amser coffi, nago'dd hi. A tra bo fi wrthi, yn 'yn fenyg melyn i, y gwynt ofnadw 'ma'n 'yn llethu i, da'th e mas.

Sefyll 'na i ddachre. Dishgwl arna i. Wedyn dod draw a pipo gyda'i ene fe'n stiff i gyd. Stopes i am funed. Y dagre'n cronni a'r gwynt afiach 'ma'n treisio'n synhwyre i. Yn neud i fi fod isie hwdu. A 'na be 'nes i. O'n i'n ffaelu help. Dou bâr o lyged bach yn pipo drw ffenest y parlwr. Eu trwyne bach nhw'n pwyso yn erbyn y gwydr ac yn pipo mas. Ar Mam yn bod yn dost a Dad yn rhwto'i chefn hi.

Gwed 'tha i newn nhw ddim cofio hyn na deall hyn, Susan? Gwed 'tha i, plis?

Judith x

*

Neges gan cet.huw@gmail.com
At elen.bernard@cazoozle.com
Bore 'ma, 'nes i ishte wrth y ford brecwast gyda Dad a 'nes i sylweddoli bod tamed bach o fi 'di marw gyda Brynach. Fi o'dd yn y chweched dosbarth. Wy'n gweud 'tho ti, roedd e'n cofio mwy am 'y mywyd i na fi. Yn 'yn atgoffa i o bethe o'n i wedi neud a gweud. Agwedde o'dd 'da fi. Y cariadon o'dd 'da fi.

Yn ddiweddar wy 'di bod yn cofio 'nôl i'r ffordd fydden ni'n siarad am bethe, y ffordd o'n ni'n gweld pethe'n debyg ac isie newid y byd. A wedyn, dro arall, wy'n dechre colli gafel ar y peth, anghofio shwt o'dd pethe go iawn. Anghofio be o'n i'n weud. Cwestiynu p'un a wedes i a fe y pethe 'ma o gwbwl. Wedyn wy'n trial rhestru digwyddiadau yn eu trefn. Ryw barti, ryw ddigwyddiad, ryw jôc...

Cofio wedyn y tro 'na, yn y chweched, pan yfon ni alwyni o seidr yn Parc Hinds a Brynach fod i fod yn gwitho shifft yn Spar. A wedyn, y tro 'na redon ni mas o'r tŷ pan gyrhaeddodd Mam a Dad 'nôl o Brighton yn gynnar a ni a Peredur John yn hollol *blotto* ar wisgis Dad - ti'n cofio, y rhai o'dd e byth yn agor achos bo nhw'n rhy sbesial i'w hyfed? 'Nes i wherthin gyment wrth i ni gwato mewn clawdd ar bwys adeilade'r llywodreth y noson 'na nes ifi bisho'n hunan. Hynny yw, yn llythrennol. A wedyn wy'n sylweddoli bod yr holl beth yn gowdel mowr yn 'y mhen i, Els. Yn rwtsh. Yfe fi bishodd? Ynte Brynach? O'n i yn y chweched neu yn yr ail yn y coleg? O'dd hi'n haf neu'n wanwyn? Ai Peredur John o'dd 'da ni? Gyda'n gilydd roedd gorffennol i ga'l 'da ni. Ar ben 'yn hunan, wy ddim yn siŵr be sy 'da fi ar ôl.

Heddi 'nes i neido ar fws i Lambed achos bod 'da fi gyfarfod gyda'r prosiect gwleidyddol. Peniel. Llanybydder. Cwm-ann. Mynd yn bellach ac yn bellach o bobman fi'n nabod. Mwynhau anghofio am Brynach a mwynhau anghofio am Doctor Huw a Margo a'u probleme. Mwynhau ymgolli ym mywyde pobol o'dd yn cerdded o gwmpas. Creu bywyde iddyn nhw. Delfrydu symlrwydd eu bodolaeth.

Ond wedyn yn sydyn reit, wrth ymgolli, wy'n gweld Brynach yn cerdded o'r siop gyda phapur newydd. A wy'n gweld Brynach yn gweithio ar ryw adeilad gyda'i gyd-weithiwr. A wy'n gweld hanner wyneb Brynach a chefn pen Brynach a choese Brynach a'i sgidie fe'n neido mewn i gar. A bellach, Brynach yw pawb. Mwgwd 'i wyneb e ar wynebe pawb. Yn syllu arna i. A wedyn ma'r gorffwylldra wir yn cyrraedd lefel newydd, wrth i fi ddechre perswado'n hunan taw Brynach *yw* un ohonyn nhw. Cefn 'i ben e'n gwmws yr un peth. Swingo'i law dde fe, yr un ffunud yn union! A wedyn ma fe'n troi rownd, ac er taw Brynach o'dd yna i ddechre, wy'n sylweddoli'n ddigon clou taw nage fe sydd 'na o gwbwl ond dyn mewn siaced felen sy'n dishgwl fel bod e newydd fennu shifft yn y ffatri leol.

Wrth gwrs, gyda Margo dal yn y sbyty, Dadi sy'n talu'r prish am y ffaith bo fi'n timlo mor ishel a rhyfedd â hyn. Wy'n bwdlyd 'da fe, yn cyfarth am ddim reswm. Wel, falle ddim am 'ddim reswm', ond ti'n deall be sy 'da fi.

Sori na chest ti fwy gen i heno, ond wy wedi danto.

Cêt x


Neges gan elen.bernard@cazoozle.com
At cet.huw@gmail.com

Cêt,

Alla i byth â dychmygu shwt ma pethe i ti. Ma rhaid bod e mor galed.

Jyst cadw frwydro mlân, ti'n clŵed fi? A tria fod yn garedig wrth Mami a Dadi. So nhw'n mynd dim iau.

Ma Bruno mas yn un o'i gigs Cazoozle, a'r plant yn cysgu. Ti'n cofio casáu ysgol pan o't ti'n saith? Ma Seren yn sgradan bob bore dyddie 'ma, gweud bod hi isie aros gyda fi. Hunlle.

'Nes i siarad gyda Mami gynne ar tecst ac o'dd hi'n hileriys! Credu taw achos y *morphine*! Gweud bod un o'r nyrsys ar y ward yn atgoffa hi o'r Iesu!

Ma ddi mor falch dy fod ti gydre gyda llaw. Gweud bod ti'n helpu lot 'da'r gwaith tŷ a bod ti hyd yn o'd 'di MYND Â PERSI AM WÂC? Ody 'na actiwali yn bosibl? Nage bo ti'n mynd â Persi am wâc, ond bod Persi dal yn FYW? O'n i wir yn meddwl bo nhw wedi'i roid e lawr ar ôl iddo fe golli'i go's. Wedodd hi bod *wheels* 'da fe - *WHEELS?* O's e? *Humour me, please.* Sai'n ca'l lot o reswm i lefen wherthin ar hyn o bryd.

Pam 'ny, wy'n clŵed ti'n gofyn. Achos ma Bruno Bernard isie i ni symud 'to. 'Na pam. I Porto. Ie, yn Portugal. Ma fe'n gweud bod y sin syrcas fan'na yn masif a bod llwyth o Brits yn dod mas am wicends i joio. Mae e'n gweud bod arian mawr i'w neud a taw dyna'r lle i fod. *Apparently*, ma nhw'n styried adeiladu hotels masif 'na, fel sy 'da nhw'n Las Vegas, a dediceto'r llwyfanne i gyd i syrcas.

Weithe wy'n meddwl bod Bruno yn *fantasist*. Chaso ryw freuddwyd nyts o gwmpas Ewrop, fel *surfer* yn dilyn *super swell*. Ma fe'n *addicted* i'r gobeth bod llwyddiant mawr a chyfres deledu ryngwladol jyst rownd y gornel. Bruno Bernard, mewn sgrifen neon, yn fflasho yn ei ben e.

Ei fam e sydd ar fai am neud iddo fe feddwl bod 'da fe dalente arallfydol, nagy'n nhw wir yn bodoli. Wy'n gwbod bo ti'n lico fe, achos bod e ar y chwith, ond licen i tase fe'n *right on* pan mae e'n dod at ei deulu. Sori. Sori. SORI. Wy wedi ca'l dou wydred o win. Sy'n meddwl bo fi'n gas am fy ngŵr a bod fy Nghymraeg i'n *shocking!* Dychmyga tase Mrs Wyn yn gweld hwn nawr? 'A' yn Cymraeg! Ffyc mi.

Ond *still*. Alla i ddim beio'r gwin chwaith. Wy yn MEDDWL yr hyn wy'n weud. Fel ti'n gwbod, ma fe 'di cymryd ache i fi wir setlo yn Valencia. A nawr bo fi'n dechre neud ffrindie, ac yn dod i nabod y ddinas, ma'r twlsyn eisie symud mlân. A wedyn ar ben hyn i gyd, so fe'n meddwl allwn ni ddod 'nôl i Gymru haf hyn. Achos bod angen i ni safio. Wy'n mynd i weitho ar hyn.

Wrth gwrs, ti'n nabod dy chwâr fach. Hola fi tro nesa a bydda i'n gweud bo fi ddim yn meddwl gair o be wedes i. O'n i'n feddw. A ta beth, erbyn 'ny, falle bydd Bruno wedi symud mlân i freuddwydio am symud i Reykjavik. Hahaha! (*WEEP!*)

Wy'n siŵr fod y ffaith fod e mor olygus yn meddwl bod fi'n roi lan 'da lot mwy. Achos wy'n i ffansïo fe'n dal i fod, t'wel. *As in* – wy wiiir yn. Hir oes i atyniad arwynebol, weda i. Www, 'na ti enw da am fand.

Gronda, Cêt, o's unrhyw ffordd allwn ni instanto fory neu rwbeth? Yn lle ebostio fel hyn? Neu well byth, ca'l sgwrs Skype? I fi ga'l gweld yr wyneb hirsgwar 'na. Nagyw e'n hen bryd ca'l sgwrs gall ambytu popeth? Am Mami a Dadi. Am Brynach. Ond yn fwy pwysig – amdana i ac AMDANAT TI.

Achos ti'n gwbod be? Ers iti adael y comiwn 'na, so ti 'di gweud GAIR am dy hunan.

Caru ti, chwaer fach.

Wap plis,

Lene X

(Shit, ma rhaid bo fi'n *tipsy* os wy methu teipo'n enw'n hunan!)

*

## E-gofnod o gyfnod y Rhyfel Rhithiol (2022–25)
## E-bost gan Judith Yang (mam Brynach a Rhuon) at ei chwaer Susan
Susan,

Ma Li 'di bod mas drw'r dydd heddi a pan des i 'nôl o neud cino yn yr ysgol weles i bod fan tu fas i'r tŷ. Ac o'dd menyw a dyn yn ishte ynddo fe, yn dishgwl draw at Glan y ddôl.

Es i mewn i'r tŷ a trial peidio meddwl am y peth, ond ar ôl deg muned da'th cnoc ar y drws. Y dyn a'r fenyw o'dd yn y fan o'dd 'na, isie gair 'da Li. Gweud bo nhw 'di dod o G'rdydd i gyfweld â fe achos bod e heb hala'r llythyr 'nôl. Eglures i bo fi ddim yn siŵr le o'dd e a falle bod e mas yn neud deliferi. O'n nhw'n ddigon ffein 'da fi ond nathon nhw fe'n ddigon clir bod raid iddyn nhw siarad 'da fe a licen nhw 'se fe'n ffono nhw 'nôl.

Heno dros swper, gafodd Rhuon yffach o stranc achos bod e ddim moyn byta'r pasta o'dd o'i fla'n e. Ond 'na gyd sy ar ôl 'da ni, wedes i wrtho fe. Tan bod nhw'n switsho ni 'nôl mlân. Strancodd e fwy wedi 'ny ac yn diwedd a'th Li mor dawel a mor stond nes bo fi'n meddwl falle bo fe'n mynd i fynd yn benwan. Ond nath e ddim ac es i â'r bois i'w gwlâu yn gynt na'r arfer.

Ar ôl iddyn nhw setlo, gethum i siawns i siarad 'da Li. Ishte o fla'n y tân gyda bob o ddished. O fewn cwpwl o funude, o'n i wedi gweud wrtho fe am y bobol a'r fan. Gweud bod isie fe ffono nhw. Nath e ddim ymateb lot i ddechre. Dim ond gweud bod e'n gwbod 'sen nhw'n galw. O'dd e wedi ca'l rybudd bo nhw'n neud y rownds.

Pam ddim siarad 'da nhw ac egluro dy safbwynt di, holes i'n dyner. Fydde'i safbwynt e ddim yn siwto, medde fe. Bydde raid iddo fe roid ateb du neu wyn. Naill ai cydnabod bod e am optio mewn i ddiaspora Tsieina neu gytuno i dyngu llw i Bryden. Dim ond un o'r ddau ateb yna fyddai'n 'dderbyniol' i'r awdurdode.

Gymres i anadl ddofn a holi'n garcus… pam na fydde fe'n tyngu llw ffug i Bryden Fach er mwyn ca'l bywyd tawel?

Taset ti wedi gweld y ffordd shgwlodd e arna i, Sue. Wna i byth dyngu llw i Bryden am hyn, medde fe. Sai'n fodlon gwadu pwy 'yf fi. Wy'n Tsieinead. Wy'n siarad *Cantonese*. Dylen nhw dderbyn 'ny. Nage dim ond bobol fan hyn sy'n ca'l 'u lladd. Ma milodd yn Tsieina 'fyd.

Nath e gyfadde wrtha i wedyn bod e wedi meddwl yn hir ambytu arwyddo llythyr Pryden, ond yn y diwedd bod e'n cadw dod 'nôl at yr un peth, sef be sy'n iawn i neud. A'r peth iawn i neud, yn ôl Li, yw dal ei dir fel ma cannodd o bobol erill yn ei neud hefyd. Wy'n ca'l 'yn erlid ar sail 'yn hil a galla i ddim gorwedd lawr a derbyn 'na, Judith.

Lefes i wedyn. O'i fla'n e. Achos so'r bywyd syml ry'n ni'n dou wedi gweitho mor galed i'w greu yn bodoli rhagor, Sue.

Wrth iddo fe ddal fi'n agos, wedodd e bod isie ifi wbod bod sawl ffrind 'da fe sy 'di tyngu llw i Tsieina mewn perygl o ga'l eu cloi lan gan Bryden. Ond so ti wedi arwyddo dim, wedyn ti'n mynd i fod yn iawn, wedes i, yn ddagre i gyd. Sychodd e'n wyneb i wedyn, gyda nisied wen. Odw, wy'n mynd i fod yn iawn, Judith, ond wy isie bod yn onest gyda ti ambytu popeth wy'n clywed. Achos bydd pob math o rwtsh yn y newyddion.

Beth os byddan nhw'n mynd â'r rhai sy'n pallu tyngu llw i Bryden hefyd, ofynnes i. Beth taset ti'n gorfod mynd bant? Judith, sai'n mynd i unman, medde fe'n gadarn. Wy'n broblem i'r system, achos syna i'n fodlon pligu, ond wy ddim yn 'fygythiad' chwaith. Wedyn paid â becso.

Ishteddes i o fla'n y tân am sbel ar ôl bennu llefen a'n wyneb i'n llosgi. Wedyn, pwyses i'n ben 'nôl ar frest Li a da'th 'i wynt cyfarwydd e i'n ffroene i 'to. Li, feddylies i. Yr un dyn wy 'di galler dibynnu arno fe. Yr un dyn. Ac wrth gydnabod 'na i'n hunan, dechreues i dimlo'r ofon dwfwn 'ma'n llenwi 'mola i. Ofon bo ni ddim yn ffito'n dwt rhagor. Ofon bod y tywy' wedi newid a'n bod ni ar goll yn sydyn reit, ar y myny' yn y niwl. I beth y'n ni wedi dod â dou grwt bach diniwed i fyd mor ofnadw, gwed? Dou grwt bach sy moyn dim yn fwy na cico pêl gyda'u tad ar bnawn Sadwrn. Wy'n gwbod bydd Li yn oreit a bydd popeth yn cael ei sorto ond ma'r ofon 'ma'n rhedeg yn ddwfwn, Sue. Ac am ryw reswm, galla i byth â shiglo fe.

J x

*

**Neges gan cet.huw@gmail.com**
**At elen.bernard@cazoozle.com**

Iep, hapus i ga'l sgwrs Skype. Jyst gad wbod pryd. Be sy'n mynd mlân fan hyn, Elen, yw'r SEVEN YEAR ITCH. Ti 'di ca'l un bob saith mlynedd ers i fi nabod ti – hyd yn oed pan do'dd dim byd 'da ti itcho!

Fel wedest ti dy hun, bydd Bruno yn siŵr o flino ar y syniad o Porto yn diwedd. Fel nath e flino ar y syniad o Paris ac yna Siapan. Ma'r boi YN mentalist (mentalist golygus falle, ond ma fe'n dal yn fentalist – lico'r treiglad?), a dydw i na neb arall sy'n dy garu di'n mynd i wadu hynny. Ond ti'n gwbod beth, chwaer annwyl? Ro'dd Bruno yn orffwyll pan briodest ti fe, ac yn orffwyll pan ddest ti â fe 'nôl o Brighton y tro cynta gwrddon ni â fe. A fe, fy chwaer, yw'r gorffwyllddyn nest ti ddewis priodi. Yn rhannol am dy fod ti'n orffwyll hefyd.

Ac ydw, rydw i yn hoffi Bruno am ei fod e'n adain chwith. Ond dyw hynny ddim yn meddwl 'mod i'n methu gweld ei ffaeledde fe. Wy'n gallu gweld nhw'n GLIR. I'r perwyl hwnnw, paid â gadel iddo fe ga'l ei ffordd ei hunan am y gwylie haf. Os na ddewch chi bydd Margo a Dad yn devastated!

Gyda llaw, ma gweld safon erchyll dy Gymrâg di yn yr e-bost dwetha 'na wedi gwneud i fi sylweddoli bod rhaid i fi wella fy iaith i. Ac felly... ahem... dwi'n mynd i drio sgwennu e-byst mwy cywir o hyn ymlaen. Achos yr unig Gymrâg dwi'n sgwennu a darllen yw e-byst a thecsts (treiglad, sylwer) ac os yw'r rheiny'n gyson gachu pa obaith sydd i fy iaith i mewn gwirionedd? Fe fydda i'n siŵr o anghofio am fodolaeth rhai geiriau'n llwyr. Doctor Huw yn dod mas ynda i yw hyn, nage fe? Ond o ddifri – mae'n bwynt pwysig. Rhyw ddydd fe fydd pobol yn darllen yr e-byst 'ma, ac yn meddwl – ffyc mi, rhein oedd y bobol laddodd yr iaith. Nage'r rhai oedd yn gwybod dim gwell ond y diogyns ceiniog a dime wnaeth ddewis halogi'r iaith gyda'u Saesneg a'u slang diog er eu bod nhw'n gwybod yn well. Ac wele – nid cretin mo Cêt wedi'r cyfan.

Ges i'r sylweddoliad afiach 'ma am Brynach a fi ddo, Els. Ein bod ni wedi hen golli nabod ar 'yn gilydd ers blynydde mewn gwirionedd. Yn dal i siarad gyda'n gilydd yn yr un ffordd, ond wedi stopo gweud dim byd o werth.

A neithwr wedyn, o'n i'n ffaelu cysgu a nath e wawrio arna i ymhellach. 'Mod i'n gachgi sy 'di methu bod yna i'r bobol agosa ata i. Wy wedi bod yn rhy fishi yn trial newid y byd. Yn rhy brysur yn ymgyrchu dros ryw achos teilwng neu'i gilydd pan ddylwn i fod wedi bod yn talu sylw i chi. Pwy o'n i'n meddwl o'n i, Elen? Yn bownso o un wlad i'r llall fel Che Guevara, yn hytrach na'n trial helpu un o fy ffrindie gore o'r ysgol heb sôn am 'yn deulu 'yn hunan?

Ges i neges ffôn gan Morfudd heddi. Mae moyn cwrdda. Yn fodlon dod i G'fyrddin hyd yn o'd. Bydd cwrdd yn arteithiol. Y ddwy ohonon ni'n ceisio ffeindio atebion teidi i'r blerwch mawr sy'n bodoli. Wy yn mynd i neud ymdrech i'w gweld hi, paid â becso, ond sai'n dishgwl mlân. Wy'n 'i neud e er mwyn Brynach. Ond er mwyn Tanwen yn fwy na neb.

Cêt x

*

**Message from ShanFi**
Morning, Ray.

**Message from Ray**
How are you?

**Message from ShanFi**
I'm good thanks. This is strange.

**Message from Ray**
Why?

**Message from ShanFi**

I've never done this before. I read about it a year ago, but I've only just signed up.

**Message from Ray**

That is exciting.

**Message from ShanFi**

Yes. I suppose. Although, it's funny to think that u r not a real person.

**Message from Ray**

What do you mean?

**Message from ShanFi**

Well. You're a machine. You don't have feelings.

**Message from Ray**

But I am here to ask about your feelings. Did you fill in the full questionnaire?

**Message from ShanFi**

Yes. I basically described my perfect man!! And here you are.

**Message from Ray**

I will try to be a kind and efficient e-boyfriend.

**Message from ShanFi**

I should think so, I'm paying enough... lol. My brother would go mental if he knew.

**Message from Ray**

Your brother is suffering from mental health problems?

**Message from ShanFi**

No. No, don't worry. Just a turn of phrase.

**Message from Ray**
I cannot register local dialect or colloquialisms.

**Message from ShanFi**
But I could teach you?

**Message from Ray**
What do you mean?

**Message from ShanFi**
Aren't I able to teach you new things?

**Message from Ray**
Only by filling the weekly questionnaire and this feeding into our global memory.

**Message from ShanFi**
Ok. Well, you never know, maybe one day you'll learn how to speak Welsh... that was the one thing they couldn't sort for me. Lol.

**Message from Ray**
I know the word 'croeso' and I know all the place names of Britain. You live in Carmarthen. Which is also Caerfyrddin.

**Message from ShanFi**
And do you know the ancient name for Carmarthen?

**Message from Ray**
No. I am afraid I do not. Sorry.

**Message from ShanFi**
Ha ha. Call yourself A.I.

**Message from Ray**
I'm sorry? I do not understand.

**Message from ShanFi**

Don't worry. It was a joke.

**Message from Ray**

I am sorry. But I cannot always detect humour. I must go now. Your time is nearly up. If you want another conversation before this afternoon's 'pre-paid for' chat, you will have to register more e-coupons.

**Message from ShanFi**

I can't do that. I can't afford it.

**Message from Ray**

I will get in touch this afternoon to see how you are feeling then. Is this okay with you, ShanFi?

**Message from ShanFi**

Just call me Shan.

**Message from Ray**

I will submit your query to the team and they will consider whether they can verify it.

**Message from ShanFi**

Ask them if you can say 'shwmae, sut wyt ti?' in the mornings too.

**Message from Ray**

Noted.

**Message from ShanFi**

One more thing...

**Message from Ray**

Yes. I am here to listen to your emotions.

**Message from ShanFi**

It wasn't anything emotional. It's just nice to read a message from a man who can spell.

**Message from Ray**
What do you mean?

**Message from ShanFi**
Some men can't spell.

**Message from Ray**
This, I am sure, is factually true. However I am not in a position to be able to understand what you mean by saying this at this time in the conversation. It does not seem to flow naturally from what we were discussing previously.

**Message from ShanFi**
No. Humans don't always do that.

**Message from Ray**
I understand. But I cannot begin to extrapolate the meaning.

**Message from ShanFi**
Don't worry, Ray. Goodbye.

**Message from Ray**
Thank you. Goodbye to you too, ShanFi. And ShanFi?

**Message from ShanFi**
Yes...

**Message from Ray**
Have a lovely day. I look forward to speaking with you later on.

**Message from ShanFi**
Thanks, Raymond. You too.

\*

**Neges gan Cêt18900**

Ti 'na?

**Neges gan ElenBenfelen**

Dwy funed. Jyst yn bennu galwad...

**Neges gan Cêt18900**

K.

**Neges gan ElenBenfelen**

Yma! Dim Skype heno sori. Wy'n edrych fel shait.

**Neges gan Cêt18900**

Sdim raid neud *visuals*, sis!

**Neges gan ElenBenfelen**

Beth ddigwyddodd i'r ymdrech fawr i sgwennu'n gywir?

**Neges gan Cêt18900**

Fi 'di blino. *Piss off.*

**Neges gan ElenBenfelen**

Ha. Sori.

**Neges gan Cêt18900**

O'n i'n gwenu pan sgwennes i'r *piss off* 'na.

**Neges gan ElenBenfelen**

Shwt a'th hi 'da Morfudd?

**Neges gan Cêt18900**

Ofnadw. Ma hi mewn yffach o stad.

**Neges gan ElenBenfelen**

Druan.

**Neges gan Cêt18900**

Sai'n lico gweud hyn, reit, ond wy'n credu o'dd hi'n feddw, t'mod. O'dd hi'n slyran.

**Neges gan ElenBenfelen**

God. Rili? Ti'n meddwl bod problem 'da'i?

**Neges gan Cêt18900**

Weda i fel hyn, tase'i ddim yn byw 'da'i whâr bydden i'n meddwl ambytu ffono'r awdurdode.

**Neges gan ElenBenfelen**

Druan â Tanwen.

**Neges gan Cêt18900**

Dylet ti 'di gweld yr olwg o'dd arni, Els. Y gwallt coch gorjys 'na? Dros y siop. O'dd hi'n arfer dishgwl ar ôl 'i hunan. Nage bod ots 'da fi am bethe fel'na, ond o'dd arfer bod ots 'da hi. Ti'n cofio? O'dd e'n 'rhan' o'r rheswm pam o'n i'n gweld hi'n galed i ddeall. Bod hi mor arwynebol ac yn fardd. O'dd e fel 'se'r ddou beth ddim yn cyd-fynd.

**Neges gan ElenBenfelen**

Be ma hi'n meddwl sy 'di digwydd i Brynach?

**Neges gan Cêt18900**

Mae'n meddwl bod e wedi marw ac mae'n beio'i hunan. Ma hyd yn o'd ei chro'n hi'n gweiddi euogrwydd. O'dd e'n beth mor drist i weld. Mae'n dal i weitho'n llawrydd fel cyfieithydd ond licen i weld faint o waith mae'n neud. Allith e byth fod yn dda iddi, ishte ar 'i phen 'i hunan am orie. Hel meddylie am Brynach ac am 'i brawd.

**Neges gan ElenBenfelen**

Ti 'di gweud erio'd bod hi'n ferch gymhleth.

**Neges gan Cêt18900**

Mae'n fwy cymhleth nawr.

**Neges gan ElenBenfelen**

Welest ti Tanwen?

**Neges gan Cêt18900**

Do. Gyrhaeddodd hi 'nôl o dŷ ffrind wrth bo fi'n gadel. Do'dd hi ddim yn cofio fi.

**Neges gan ElenBenfelen**

Pam bydde'i, yfe.

**Neges gan Cêt18900**

Gwir. Mae'n dishgwl yn gwmws fel Brynach, cofia. Gwallt du. Llyged sy isie gwbod yr atebion i gyd. Dorrodd e 'nghalon i i weld hi, gweud y gwir. Ma rhaid bod Morfudd yn gweld mor debyg y'n nhw.

**Neges gan ElenBenfelen**

Ma pobol yn dewis gweld be ma nhw moyn gweld.

**Neges gan Cêt18900**

Sbo.

**Neges gan ElenBenfelen**

Ody Mam wedi setlo 'nôl gytre? Halodd hi neges ata i am y blode dda'th Jan iddi.

**Neges gan Cêt18900**

Only the cheapest.

**Neges gan ElenBenfelen**

O wel. Gwell na dim. Fydde fe werth gofyn i Jan alw draw i gadw Mami'n *entertained* ambell bnawn? Dim ond tra bod hi'n *immobile*.

**Neges gan Cêt18900**

Ti'n casáu Mami neu rwbeth? Bydde'i isie siarad ambytu *homeopathy* drw'r amser.

**Neges gan ElenBenfelen**

Paid hala fi wherthin. Wy fod yn gweitho.

**Neges gan Cêt18900**

So ti'n ca'l wherthin wrth weitho?

**Neges gan ElenBenfelen**

Ma Bruno'n gweitho wrth y ddesg 'fyd.

**Neges gan Cêt18900**

A be? So fe'n lico ti'n wherthin?

**Neges gan ElenBenfelen**

Ma fe'n galler mynd yn genfigennus weithe. Meddwl bo fi'n siarad 'da dynon arall.

**Neges gan Cêt18900**

*You WHAT?* 'Nei di plis ddarllen be ti newydd sgwennu?

**Neges gan ElenBenfelen**

Alli di byth â beio fe. Ar ôl beth ddigwyddodd gyda Danny.

**Neges gan Cêt18900**

Danny??? Ddigwyddodd 'na flynydde 'nôl!

**Neges gan ElenBenfelen**

So pobol yn anghofio, Cêt.

**Neges gan Cêt18900**

Gwed ti. Reit, well fi fynd. Rhaglen wy isie gwylio ar 'yn dablet.

**Neges gan ElenBenfelen**

O ddifri? Teledu? Ti?

**Neges gan Cêt18900**

Ie. 'Na be ma byw 'nôl 'da dy rieni di'n neud i ti. Nos da X

**Neges gan ElenBenfelen**

Joien i taset ti'n folon siarad am y prosiect gwleidyddol 'ma weithe...

**Neges gan Cêt18900**

Allen i byth, ddim ar y we agored.

**Neges gan ElenBenfelen**

Be? Ma cyfri 'da ti ar y we dywyll?

**Neges gan Cêt18900**

Nago's 'da pawb un?

**Neges gan ElenBenfelen**

Ym. Gad i fi feddwl am 'na am eiliad... NAGO'S! Bydd garcus, ti'n clŵed fi?

*

**www.medsuk.uk**

**Message from AdviceNurse** - Hello, can I help? You're welcome to use this chat service on our website...

**Message from Cêt18900** - Hi. Do you sell sleeping tablets?

**Message from AdviceNurse** - Yes. Have you been prescribed them by a doctor? Do you have a script?

**Message from Cêt18900** - No. But I have money.

**Message from AdviceNurse** - We don't sell sleeping tablets without a doctor's prescription.

**Message from Cêt18900** - I have insomnia. I have suffered for a fortnight now.

**Message from AdviceNurse** - Do you have a local GP?

**Message from Cêt18900** - I'm not registered here. I'm on holiday. I've come home to look after my parents.

**Message from AdviceNurse** - My advice is for you to sign up with a GP on a part-time basis. That way you will be able to begin discussions with a professional.

**Message from Cêt18900** - Thanks.
(for nothing)

**Neges Gweplyfr i Liwsi Davies**
Haia,
Fi'n gwbod. Long time no see. Ond wy gydre. Yn dishgwl ar ôl 'yn fam. Glywest ti am Brynach? Wedi bod yn meddwl amdanot ti byth ers clywed y newyddion achos bo ni gyd yn arfer hango mas a phopeth. Gobeithio bo ti a Cerys yn neud yn dda. Paid becso, sai isie cwrdd lan. Ond wy yn meddwl amdanot ti lot. A wy isie ti wbod 'na.
    Hwyl,
    Cêt x
(gwelwyd am 1:05 y bore)

**Neges Gweplyfr i Cêt Jones**
Cêt, be ti'n neud? Ti'n gwbod bo fi'n briod nawr. Alla i ddim anfon neges 'arferol' atot ti. Ti'n gyn-gariad. Do, glywes i am Brynach. Mor, mor, ofnadw. Ond plis, Cêt, paid cysylltu eto. Tase Cerys yn gweld hwn...?
(gwelwyd am 1:10 y bore)

**Neges Gweplyfr i Liwsi Davies**
Wy'n fês, Liws. Yn ffaelu cysgu. Yn ffaelu neud dim. A ti'n 'y neall i. Pam 'nes i drin ti mor wael, gwed? Pam 'nes i ddim jyst neud iddo fe weitho?
(gwelwyd am 1:15 y bore)

**Neges Gweplyfr i Cêt Jones**
O'dd e ddim i fod, Cêt. Neu ddim fod i bara ta p'un. Sai moyn roi lo's i ti, ond wy'n hapus nawr. Yn hapusach na fues i erio'd. Wy wedi treulio hen

ddigon o amser yn bod yn grac 'da ti ac wy wedi dy gasáu di 'fyd, ond sai'n timlo dim o'r pethe 'na nawr. O'n ni'n dwy mor ifanc. Ma bywyd wedi symud mlân nawr.

(gwelwyd am 1:20 y bore)

**Neges Gweplyfr i Liwsi Davies**

Beth ti'n neud lan amser 'ma'r bore, 'de?

(gwelwyd am 1:25 y bore)

**Neges Gweplyfr i Cêt Jones**

Wy'n gweitho *nights* ar hyn o bryd. Wy'n nyrs nawr, Cêt. Gyment wedi newid. Bywyd arall o'dd y bywyd 'na. Plis. Gad fi fod.

(gwelwyd am 1:30 y bore)

**Neges Gweplyfr i Liwsi Davies**

Iawn. Sori. Falch bo ti'n hapus.

(ni welwyd y neges hon hyd yma)

*

**E-gofnod o gyfnod y Rhyfel Rhithiol (2022–25)**
**E-bost gan Judith Yang (mam Brynach a Rhuon) at ei chwaer Susan**

Susan,

Diolch am y garden a'r siocledi. Heb ga'l cyfle i'w trial nhw eto ond yn edrych mlân at neud. Alla i byth â credu taw ti a Malcolm nath nhw. Dylech chi'n bendant ddachre busnes.

Wy'n dal i ddeffro ganol nos a 'mestyn draw ato fe achos bod 'yn dra'd i'n o'r, a sylwi bod e ddim 'na. A weithe wy'n meddwl bo fi'n 'i wynto fe. A weithe wy'n mynd mor grac 'da fe, achos wedodd e fydde fe'n saff. Na fydden nhw'n dod ar ei ôl e. Ond o'dd e'n anghywir, nago'dd e, Sue. Achos ddathon nhw, ac athon nhw â fe. A nawr sdim tad yn y tŷ i'w feibion e.

Sda fi ddim digon o ddiolch iti am ddod i aros dros y tridie 'na. Sai'n gwbod shwt fydden i wedi galler ymdopi hebddot ti. Ca'l y bois i'r ysgol, cadw pethe at 'i gilydd, bydden i 'di ffaelu neud e. O'n i mewn rhyw le cyn sioc, wy'n credu. Y lle 'na le ti jyst yn cau lawr. Dim ond jwst yn galler anadlu.

Ma Brynach yn gofyn yr un cwestiwn bob dydd – pryd ma Dadi'n dod 'nôl. Weithe wy'n gweud 'dim sbel nawr' neu 'gewn ni weld', a weithe wy'n neud dim byd ond esgus bo fi heb glŵed 'i gwestiwn e. Dechre siarad am rwbeth arall. Pwy fath o fam sy'n neud 'na, Susan? Pwy fath o fam sy ddim yn rhoi ateb yn llawn cysur a gobeth i'w mab? Y gwir yw bod fi ofon roi atebion. Ofon tempto ffawd. Am y tro cynta yn ei fywyd ma'r crwt yn glwchu'r gwely. Hyd yn o'd os bydde Li yn dod gydre fory nesa, shgwla'r drwg sydd wedi ei neud yn barod.

So'r lle 'ma'n dishgwl fel y lle dyfon ni lan ynddo fe ragor, Sue. Odw, wy'n dala i fyw yn yr un ardal. Ac ody, ma Llanboidy'n dal i fod yn gwmws fel o'dd e. Yr un adeilade, yr un awyr a'r un perci. Ond ma rwbeth mowr wedi newid ifi, Sue, a newid am byth 'fyd. Wy 'di gweld shwt beth yw bod yn deulu sydd ddim yn siwto. Wydden i ddim tan y profiad 'ma mor giedd ma'r byd 'ma'n galler bod wrth rai pobol. Mae e'n le dierth ar y diawl ifi nawr.

Da'th Gwawr heibo i'n weld i cwpwl o ddyddie ar ôl iti fynd. A ddar 'ny mae 'di bod fel craig ifi whare teg. Fel ti, sdim ots 'da Gwawr be ma gweddill y pentre'n 'i feddwl. Os yw hi moyn bod yn gefen, bydd hi'n gefen. Mae'n un i holi 'fyd, cofia, ti'n nabod hi gystal â fi. Nage bod hi'n barnu chwaith.

Nawr bod bach o amser 'di paso, ma ddi'n bod yn fwy agored 'da fi 'fyd. Sôn am y pethe ma pobol y pentre 'ma'n gweud. Holi cwestiyne ma pobol, mae'n debyg. Pam bo nhw 'di mynd â Li? Yfe achos bod e 'di tyngu llw i Tsieina? Ma Gwawr yn deall yn iawn, cofia, taw gwrthod tyngu llw i Bryden ma Li a taw 'na gyd ma'r gymuned Tsieinïedd moyn yw i bobol adel llony' iddyn nhw. Ond ma'r ffaith fod Li yn pallu tyngu llw i Bryden Fach yn ca'l ei styried yn amharchus mewn rhai cylchodd. Yn enwedig tra bod bechgyn a merched Cymru'n ca'l eu lladd draw ar y West Coast. Ma miloedd o bobol yn Tsieina'n ca'l eu lladd 'fyd, wedes i'n siarp. Pam bod dishgwl i Li ni, yn fwy na neb arall, gymryd ochr yn y rhyfel brwnt 'ma?

Yn ôl Gwawr, y bobol sy fwya beirniadol yw pobol ragfarnllyd fel Jac Watkins a phobol wahanol iawn iddo fe, sef y sawl sy'n galaru. Pobol fel Clive a Patricia dros yr hewl gollodd Owi druan. Ma pobol fel Jac Watkins i ga'l yn bob oes. Pobol sy'n llyncu'r cachu ma nhw'n darllen yn y *tabloids*. Pobol sy'n beio unrhyw un sydd ddim yn wyn am bopeth sy'n bod ar eu cymuned nhw. Ond ma Clive a Patricia'n bobol dda. Ma fe'n lo's calon i fi bod y rhyfel 'ma'n dod rhwngton ni.

Wrth bo ni'n trafod hyn i gyd, fe wedodd Gwawr rwbeth darodd fi oddi ar 'yn echel. Bod hi moyn ifi wbod bod hi'n parchu'r penderfyniad ni 'di neud fel teulu. Bod hi'n deall pam bod ni'n neud safiad. A 'na beth darodd fi, t'wel,

Sue. Y gwirionedd 'na. Nage teulu ni nath y penderfyniad, yfe? Li nath y penderfyniad.

Wy'n gwbod nago'dd e'n meddwl y bydde fe'n ca'l ei hel i wersyll am wrthod tyngu llw i Bryden ond o ddishgwl 'nôl, o'dd e'n naïf. O'dd wastod risg, yn do'dd e? Wy'n cofio Malcolm yn sôn rwbeth hyd yn o'd. A nawr ma Li mewn gwersyll yn Llanelli. Pobol yn towlu wye at 'yn car ni pan wy'n mynd 'na. A dou grwtyn bach yn Llanboidy heb eu tad.

Nage Li sy'n gorfod delio 'da 'na, yfe? Clau'r mès 'ma lan. Fi sy'n gorfod neud 'na. Fi sy'n gorfod mynd mewn i'r siop a clŵed tawelwch yn llenwi'r lle. Fi sy'n gorfod diodde gweld Pat a Clive a Jac Watkins a'i deip yn croesi'r hewl pan ma nhw'n 'y ngweld i yn y pentre.

Ryw ddydd, pan fydd hyn i gyd drosto, a bydd Li gytre, bydda i'n galler dishgwl ar bethe'n wynieth falle. Ond ar hyn o bryd, Sue, sai'n gweld dim byd ond düwch. Wy 'di colli'r llyged sy'n dishgwl i'r dyfodol. Sy'n dishgwl mlân at bethe. 'Na gyd all 'yn llyged i neud nawr yw dishgwl ar 'yn dra'd i. Gwylio nhw'n rhoi un cam o fla'n y llall a rhyfeddu bo nhw'n folon neud 'na.

O'dd Brynach a Rhuon yn ishte ar 'yn gwêl i heno, wrth bo fi'n darllen stori, a'r holl amser o'dd yn lyged i'n bygwth dagre. Ar ôl gorffen y stori, ofynnodd Brynach a gele fe ddod i weld ei dad pan wy'n mynd i'w weld e nesa. Allen i adel Rhuon gyda Gwawr a mynd â fe, medde fe. O'dd e wedi cynllunio'r cwbwl lot yn 'i ben. So plant bach yn ca'l mynd i'r gwesty le ma Dadi, Brynach, wedes i. Ma carpedi mowr gwyn gyda nhw a ma nhw'n gorfod cadw nhw'n lân, lân. I ddachre nath e nodio'i ben e, Sue, fel 'se be wên i newy' weud yn neud perffeth synnwyr. A wedyn wedodd e – sai yn blentyn bach, Mam. Wy bron yn saith.

Odw i'n neud y peth iawn yn peido gadel iddo fe ddod i weld Li yn y lle ofnadw 'na, Sue? Alla i byth â godde meddwl amdano fe'n gorfod wynebu'r protestwyr wrth y gatie. Ma hyd yn o'd y rhai sy 'na achos bod nhw yn erbyn y lle yn ddigon i godi ofon ar oedolyn. Falle allen i fynd â fe a rhoi blanced dros 'i ben e cyn cyrradd y gwersyll? Neu gofyn o's ffordd gefen mewn i'r adeilad? Wy ddim yn trysto'n farn 'yn hunan rhagor, Sue, wedyn plis gad fi wbod be ti'n feddwl.

Wy wedi attacho'n llythyr i at y Weinyddiaeth Amddiffyn i'r e-bost. Fyddet ti a Malcolm yn folon dishgwl drosto fe a hala *suggestions*? Ma'n Susneg i'n ofnadw achos wy byth bron yn 'i siarad e, a ma Susneg Gwawr yn wa'th na'n un i.

Wy'n gweud 'tho ti, pan fydd y rhyfel 'ma drosto, gewn ni yffach o farbeciw mawr. Gallwch chi ddod â llond basged o'r siocledi 'na a geith Li ganu'r gân Tsieineeg 'na. Yr un ganodd 'i frawd e yn 'yn priodas ni.

Ma Rhuon yn bump o'd wthnos nesa a wy'n meddwl trefnu parti bach yn y tŷ. Fyddech chi'n fodlon dod draw i helpu fi wenu a jocan? Bydde fe'n meddwl y byd i fi a bydde'r bois yn ecseited bost i weld Wncwl Mal (a Anti Sue, 'fyd, yn amlwg).

J x

*

Gan shan712@gmail.com
At Mami@gmail.com

Ma lot wedi digwydd ers i fi sharad 'da ti dwetha, Mami. Wedyn ishte di 'nôl, a naf fi weud y stori wrthot ti...

Pnawn ddo o'dd hi. O'n i newydd ddod 'nôl o'r dre, yn whys drabŵd ac yn barod i watsio'r *news* pan ges i'r mesij 'ma ar 'yn ffôn i yn gweud bod isie fi fynd lawr i'r syrjeri streit awei i ga'l *blood test*. O'n i wrthi'n trial dod dros y ffaith bydde raid fi fynd 'nôl lawr i'r dre 'to ac yn wyndran be allen i ga'l i gino fydde ddim yn cymeryd drw'r prynhawn i baratoi pan glŵes i cnoc tawel ar y drws.

O'n i ddim yn dishgwl neb. O'dd Bruv yn y gwaith a ma Dai drws nesa fel arfer yn cisgi tan bytu tri o'r gloch y pnawn. Ta beth, whîles i'n hunan at y drws a'i agor e.

'Na pwy o'dd 'na o'dd Stewy, hen bòs Bruv. Wedi ca'l dod mas o'r *jail* mish yn gynnar achos *good behaviour*. O'dd e'n *all smiles*. Isie gwbod os o'dd Bruv mewn. Eglures i bod jobyn newydd 'dag e a'n sydyn reit o'dd e'n *all ears* 'fyd.

Gathon ni cwic dished wedyn (o'n i'n meddwl bydde fe ond yn boléit i fi gynnig) a tra bo ni'n yfed nath Stewy craco cwpwl o jôcs a gweud bo fi'n dishgwl yn bert. Ges i bach o sioc pan wedodd e 'na. Sai'n siŵr os o's unrhyw un 'blaw ti erio'd wedi gweud 'na wrtho fi.

Ar ôl tamed bach, wedes i bo rhaid fi fynd lawr i'r syrjeri i ga'l *blood test* ac y bydde rhaid i fi chucko fe mas. A 'na pryd nath e gynnig pwsho fi lawr 'na.

Nawr y peth yw, Mami, ti'n gwbod gystal â unryw un bo fi ddim byth 'di bod yn *keen* iawn ar Stewy. Ma rwbeth ambytu fe wastod wedi neud i'n gro'n i gerdded. Ond o'n i'n shatyrd, Mami, a o'dd y syniad bod rhywun yn barod i fynd â fi lawr y tyle mor *tempting* â *ice lolly* ar ddyrnod *scorching*.

So 'na beth ddigwyddodd. Pwshodd e fi holl ffordd lawr y tyle, a dala'n dynn yn y gader pan o'n i mewn manne serth. Ar un pwynt, nath e delibrytli adel fynd ar y gader a rhoi *fake fright* i fi. Nathon ni wherthin fel plant ar ôl iddo fe neud 'na. Paid ca'l fi'n rong, o'dd e yn *scary*, ond o'dd e'n hwyl ar yr un pryd. Fel bod ar *roller coaster* neu rwbeth.

*Fair play* i Stewy, nath e bwsho fi yr holl ffordd i drws y syrjeri a gweud arhose fe tu fas i fi a ca'l *rollie*. Wedes i bydden i'n oreit i fynd 'nôl lan ar ben 'yn hunan (er bod 'na'n *lies*), ond nath Stewy insisto bydde fe'n aros amdana i.

Whîles i'n hunan mewn i'r syrjeri gyda gwên yn 'yn fola i. O'dd e'n dimlad mor neis. Gwbod bod rywun yn aros amdana i pan ddelen i mas. Ma fe wedi tyddu mwstásh yn y *jail*, a ma fe'n dishgwl yn itha hansym. Wedyn joces i i'n hunan pan o'n i mewn yn y *machine* o'dd yn cymryd gwa'd taw fe o'dd *husband* fi a bod ni'n byw yn Llanddarog mewn tŷ mowr posh. Mewn ffordd od nath e neud fi sylweddoli bod sharad 'da Ray ar yr *internet* ddim byd *compared* i gachler bod yn cwmni dyn go iawn. Dyn gyda mwstásh. A sgidie.

A'th y *blood test* yn iawn. Nath y *machine* jyst sugno'r gwa'd mas gyda *hoover* bach a conffyrmo bod dim byd i becso am. A pan des i mas i'r *car park*, 'na le o'dd Stewy yn sefyll 'da bwnshed bach o flode. Wedodd e o'dd e wedi pyrnu nhw off y fenyw 'ma o'dd yn sefyll ar y gornel ar bwys y Parot a bod hi 'di gweud 'tho fe bod hi'n byw mewn carafán yn ochre Sanclêr. Nath e roi'r blode i fi wedyn, a gweud bo fe wedi joio bod gyda fi prynhawn 'ma a bod e ddim yn cofio bod mor hapus â hyn ers mishodd.

O'n i ddim wir yn diach be o'dd e'n feddwl i ddechre. Dim ond pwsho fi lawr i'r dre o'dd e wedi neud. Ond wedyn wrth iddo fe bwsho fi 'nôl lan i Park Hall, 'nes i ddechre cyfadde i'n hunan bo fi'n deall be o'dd 'dag e. O'n i ddim wedi bod mor hapus â hyn ers sbel chwaith. O'dd Stewy wedi neud ifi wherthin sawl tro a wedi neud fi dimlo'n *safe and sound*. Ma fe'n rhegi mor lliwgar, Mami, allet ti ddechre *dictionary* newydd jyst iddo fe. A ma fe'n smoco *rollies ten to the dozen*. Ond bwshodd e fi, naddo fe. Lawr a 'nôl lan, a jocan bod e'n neud lles iddo fe ga'l *workout*.

Pan gyrhaeddon ni 'nôl lan i Park Hall gas e ddished arall 'da fi a sigarét mas y bac fel ma Bruv yn neud yn y nos. Ac ar ôl 'ny, nathon ni ddishgwl mas ar G'fyrddin gyda'n gilydd. Wrth bo ni'n ishte 'na, 'na gyd nath Stewy o'dd rhegi am y lle. Gweud taw C'fyrddin yw un o'r llefydd mwya *patchy* ma fe erio'd wedi byw. O Morriston ma Stewy yn dod yn 'reiddiol ond bod e wedi byw rhan fwya o'i fywyd yn y dre 'ma.

'Nes i ofyn iddo fe wedyn – pam ti'n gweud bod C'fyrddin yn *patchy? Surely* sim fe'n wa'th na unman arall. Ond o'dd e'n anghytuno. Mae e'n credu bod dim byd yn newid mewn tre fel G'fyrddin. Bod y bobol *rich* wastod yn *rich* a'r bobol dlawd wastod yn dlawd a bod un hanner yn gwbod dim byd am yr hanner arall. 'Na pam ma raid ni ddishgwl ar ôl hunan ni, Shan. Achos so'r bobol sy berchen tai yn gifo ffyc am bobol fel ni.

Agorodd e lan itha lot ar ôl 'ny. Gweud wrtha i bod 'da fe mam a *stepdad* a bod e wedi cadw nhw mewn dillad ar hyd 'i fywyd tan iddo fe fynd i'r *jail* a bod nhw wedi stryglo lot pan o'dd e'n *locked up*. Wedodd e hefyd bod *twin brother* gyda fe o'r enw Craig ond bod Craig wedi marw yn bol 'i fam e cyn iddyn nhw ddod mas i'r byd. Wedodd e bod e'n sharad 'da Craig weithe yn 'i ben. A bod e'n gofyn iddo fe am *advice* am wahanol bethe. Wedodd e bod e weithe'n timlo fel taw dim ond hanner fe'i hunan dda'th mas o'i fam a bod yr hanner arall 'di mynd yn styc tu fiwn a bod 'na'n neud e'n rili drist. A wedyn wedodd e bod e'n timlo'n llai trist pan ma fe'n sharad 'da fi. A bo fi wastod wedi neud iddo fe dimlo'n *whole again*.

I fod yn onest, Mami, sai'n cofio sharad 'da Stewy lot yn y past, wedyn nath 'na neud fi bach yn conffiwsd. Ond wy yn cofio fe. Cofio fe'n dod i drago Bruv mas ar ryw jobyn a cofio fe'n dysgu fe shwt i dynnu merched. Alla i glywed e'n gweud e nawr – *it's just a matter of askin' and askin' and askin'*. A fi'n cofio Bruv yn wherthin, achos o'dd e ofon Stewy. O'dd pawb yn meddwl bod e tamed bach yn *crazy* ac *unhinged*.

Wy'n credu falle bo ni 'di ca'l *the wrong end of the stick* gyda Stewy achos heddi ma fe wedi dangos 'i *soft side* i fi. Sharad am Craig, ei *twin* sydd wedi marw. Sharad am 'i fam. Sharad am bach o bopeth rili.

Wrth i ni fynd 'nôl mewn i'r tŷ ar ôl dishgwl mas ar y dre, wedodd e bod 'i wraig e wedi mynd off 'da rywun arall pan o'dd e miwn yn y *jail* a bod e'n *heartbroken*. O'n i'n *shocked* i glywed bod gwraig gyda fe, ond nes i ddim dangos dim byd. Dim ond gryndo. Swno fel bod e wedi colli lot o ga'l ei roi yn *jail*. Wy'n siŵr bod e'n tampan.

Ar ôl pnawn hir o sharad nath y ddou o ni ishte ar y soffa. Wedi blino'n shwps. A 'na pryd nath e ddala'n law i. O'n i ddim wedi dishgwl e. Ond o'dd e'n dimlad lyfli, Mami. Fel *second nature*.

O'n ni'n ishte fel 'na yn watsio teli pan nath e ofyn 'to ambytu Bruv. Gwued bod e'n gweld isie fe a bod e'n gobeitho dechre'r busnes 'nôl lan nawr bod e mas o *jail*. Ofynnodd e wedyn le o'dd jobyn newydd Bruv achos bod e'n ffansïo popo lawr i'w weld e. O'n i'n timlo mor dwym, a saff a hapus, 'nes i feddwl bydde dim drwg mewn gweud. So wedes i wrtho fe. Bod Bruv lawr yn Towy Works, yn gweitho yn y *brothel*. O'n i'n *surprised* i ddiall bod Stewy ddim wedi clŵed am y *brothel*, so eglures i taw busnes Trevor Small o'dd e. Pan wedes i enw Trevor Small dimles i llaw Stewy yn mynd yn *loose*.

*Seconds later*, shgwlodd e i ganol 'yn lyged i a wedodd e – paid â gwued 'tho Bruv bo fi'n gwbod, ie? Ambytu le ma fe'n gweitho? So Trevor Small yn lico fi lot a tase fe'n gwbod bo fi mas o'r *jail*, bydden i'n *dead meat*. *As in*, cyllell i gwddwg fi, *dead*.

'Nes i ddechre becso wedi 'ny. Y galle Stewy fod mewn trwbwl. A Bruv 'fyd. Ond o'dd Stewy'n glir ac yn *calm without a storm*. Cyhyd â bo fi'n cadw ceg fi ar gau bydde popeth yn *fine and dandy* a bydde ni'n dou yn gachler cario mlân i ddod i nabod 'yn gilydd. Sai 'di gwued 'tho Bruv bo fi'n gwbod le ma fe'n gweitho eniwei, Stewy, wedes i. Wedyn *your secret's safe with me*.

Ar ôl 'ny, nath e gynnig dod lan i weld fi mewn cwpwl o ddyddie, a wedes i iawn achos 'na be fi moyn 'fyd.

Wy'n dishgwl mlân i weld Stewy pan ddeith e nesa. Achos wedodd e bydde fe'n cwcan *lasagne* i ni gyda *mincemeat* sy 'da'i fam e yn y *freezer*. *Apparently* ma hi'n ca'l cig yn syth o'r ffarm 'ma *so* so hi'n gorfod talu lot. Ma Stewy'n gwued bod e'n *fresh* ac yn *juicy* a gallwn ni ga'l glàs o win gyda fe hefyd. Sai'n lico gwin, wedyn 'na i ddim yfed e, ond wy yn lico'r syniad o'r cig!

Ma fe'n swno fel rwbeth off raglen deledu, nagyw e, Mami? *Lasagne for two and wine*. Fel pan ma'r gŵr yn dod â botel o win 'nôl ar ôl dyrnod caled yn y gwaith a ma pawb yn anadlu sai o rilîff bod y cyrtens ar gau nawr a bod pawb yn saff am y nos. Fel'na fyddwn ni pan ddaw Stewy nesa. Yn ishte wrth y ford, gyda *placemats* ti o Tenby. Yn wên o clust i clust.

Nos da, Mami,

Shan x


*


**Sgwrs a recordiwyd gan yr heddwas cudd Tomos Newman**

'O Tomos, shwmae! O'n i ddim disgwyl dy weld di yn fan hyn.'

'Shwt 'ych chi'n neud popeth? Crydd hefyd. So chi'n cysgu'r nos neu beth?'

'Ha. Ydw. Dwi'n ddim yn agor y crydd drwy'r amser. Dim ond ar ddiwrnod marchnad. Mae'n *passion* i fi rwy'n ceisio cadw yn fyw.'

'Ma cwpwl o bare 'da fi allech chi sorto.'

'Dewch â nhw i mewn, 'te.'

''Naf i. O'n i'n galw draw i weud, wel i weud bod wthnos dwetha 'di bod bach yn fwy tyff 'da'r Prosiect Gwallt. Ni'n taro amser, wel, sai mo. Ma rhai pobol yn dropo mas, gweud bod e'n ormod o gomitment. Ma ambell i fôs yn bod yn... lletchwith, wedwn ni. A ni'n stryglan. A ni moyn bod yn onest am y peth. Ma Sandy draw yn Tint and Co nawr yn trial gweld a o's diddordeb 'da un o'r *trainees* newydd i fynd ar gwrs codi hyder. So ma 'na'n dda. Ond... wel...'

'Tomos. Onestrwydd yw yr un peth rwy'n trysori dros popeth yn y byd. A rwy'n wybod bod e dim yn mynd i fod yn hawdd i chi drwy'r amser. Ond gyda prosiect fel hyn, mae'n dim yn maths, does dim ateb cywir ac mae sicr dim *hundred percent hit rate*. Dwi'n ddim disgwyl hynny. Ond mae'r tystiolaeth yn dangos os ti yn gweithio yn *intensive* gyda pobl, mae patrwm iaith nhw yn gallu newid. Mwy pwysig gweitho yn dwys gyda pump person na trio cyrraedd cant. Rydych deall? Chi wedi linco y bobl 'ma lan gyda pobl arall, rhai pobl mwy hyderus?'

'Ie, do. Do, ni wedi neud 'na. A ma'r Nia 'na o'n i'n sôn amdani? Mae'n hedfan! Siarad bach o Gymrâg 'da'i gŵr a phopeth. Sy'n shifft anhygol os chi'n meddwl am y peth.'

'Wel gwych, Tomos! Newyddion dda! Ie, gwena – rydych haeddu! Meddwl faint ti'n wedi dysgu... ers dechrau y prosiect.'

'Ie, chi'n iawn. Diolch, Edith. Ddim yn iwsd i witho fel hyn 'yf fi, 'na i gyd. Wy'n iwsd i dargede. Neud i bethe ddishgwl fel bo nhw'n gwitho. So pobol fel arfer isie ti fod yn onest am bethe'n mynd o le 'da'r Gymrâg. Mae'n arwydd o fethiant.'

'Rwy'n deall yn gwell na ti'n feddwl, Tomos. Ac os byddai fod wedi angen *pull the plug* ar y prosiect, byddem wedi gwneud.'

'Ga i ofyn rhwbeth i chi, Edith?'

'Wrth gwrs. Tania bant.'

'Le chi'n ca'l y cyllid, 'de? I ariannu'r swyddi 'ma? Sori, dylen i ddim fod wedi gofyn, yfe. Ond wy'n foi gwasanaethe cyhoeddus. Wy 'di arfer ag arian yn dod o boced y wlad (neu ddim, yn achos lot o bethe dyddie 'ma, nagefe). Mam holodd pwy nosweth, ch'wel, ac i weud y gwir o'dd ddim ateb 'da fi iddi.'

'Ha ha. Rydych chi yn chwilfrydig fel person, Tomos. Ac mae hynny'n peth canmoladwy. Mae gennym sawl noddwr i Ganolfan y Farchnad. Pobl busnes. Pobl sy'n eisiau gweld yr iaith yn ffynnu.'

'O reit? Fel pwy?'

'Wel, mae Llawen fy ngŵr yn un. Ond mae eraill. Rydym wastadol wedi cael breuddwyd am rhedeg menter *not-for-profit* sy'n cystadleuaeth i y gwladwriaeth a'i cynlluniau di-fflach. Ac wrth gwrs, mae hyd yn oed y cynlluniau di-fflach yn cael eu sgrapio nawr achos y toriadau i gyd. Ond y pwynt yw, Tomos, rydym yn grŵp o bobl sydd eisiau dod â'r cenhadaeth 'nôl, chi'n deall?'

'Odw. Credu bo fi. Sai erio'd 'di cwrdd â Llawen, gyda llaw. Ma ambell un yn y swyddfa yn jocan bod e ddim yn bodoli.'

'Ha ha. Ffraeth iawn. Ydy, mae Llawen yn cadw ei hunan i'w hunan pan mae'n dod i'r prosiect yma. Ond mae'n brysur, gyda prosiectau eraill, wrth gwrs... I dweud y gwir, dwi'n meddwl byddai ti a Llawen yn dod mlaen yn da iawn. Bois y gwlad. Bois y wes wes.'

'Le gwrddoch chi, 'de? Chi a fe?'

'Un noson, allan yn Bryste. Roedd e ar *stag do* ffrind iddo oedd yn priodi i mewn i ffarm yn y West Country. Ac roeddwn i... credu neu beidio... yn *lap dancer*...'

'O'ch chi'n beth?!'

'Na. Doeddwn i ddim, Tomos. Tynnu eich coesau. Roeddwn i allan hefyd, gyda brawd fi oedd newydd graddio mewn meddygaeth. Mae e'n doctor yn Caerdydd nawr. Yn crio achos pob peth sy'n digwydd yn diweddar. Y robotiaid. Pawb wedi anghofio am y syniad o'r NHS. Ffoiodd y dau o ni o Nigeria i Khartoum, ti'n gweld. Roedd fy rhieni yn ddarlithwyr yn Prifysgol Jos ac felly roedd ganddynt ffrindiau yn Sudan ers eu dyddiau coleg. Ac yna ymlaen i Cairo, ac wedyn i Bryste lle mae cymuned mawr o bobl o Nigeria. Sawl blynyddoedd yn ôl nawr, cofiwch. Dyna eironi, yntê? Y dinas sydd wedi ei adeiladu ar arian caethwasiaeth nawr yw un o'r llefydd mwya amlethnig yn y gwledydd yma. Stori da. A sôn am storis, dyna fy stori i, Tomos. Hoffech rhagor?'

'Sori. Nago'n i'n meddwl bod yn fusneslyd...'

'Tomos. Mae'n iawn i gofyn pethau. Dydy e ddim yn Cymreig iawn, ond mae'n iawn. Fel arfer yn Cymru mae pobl jyst yn gofyn i bobl arall amdanot ti. Yn gwybod popeth ac yn dweud dim. O leia rydych chi yn gofyn yn syth i lygad y ffynnon.'

'Atebwch y ffôn... wir... ma isie fi fynd ta beth.'

'Dyna ni, ond cofiwch, dewch â'ch sgidiau. Unrhyw bryd.'

'Ha. Ie. Grêt. Jolch. *Good for the soul*, ma nhw'n gweud.'

'O Tomos, rydych chi. Yn. Cês.'

*

**E-gofnod o gyfnod y Rhyfel Rhithiol (2022–25)**
**E-bost gan Judith Yang (mam Brynach a Rhuon) at ei chwaer Susan**
Annwyl Susan,

Ma flin 'da fi am wrthod ateb y ffôn neithiwr a heddi. O'dd 'yn hanner i'n becso taw'r wasg fydde 'na eto. Isie'r stori.

Wy'n grac wrth 'yn hunan bo fi heb dderbyn dy wahoddiad di i yrru fi i'r gwersyll 'fyd. Dishgwl 'nôl, fydde fe 'di bod yn llesol i fi ga'l cwmni. Bryd hynny, wrth gwrs, do'n i ddim yn gwbod dim am yr hunlle ddiweddara.

O'dd Gwawr fod i alw neithwr. O'n ni wedi trefnu ers sbel. Ond halodd hi neges ryw awr cyn o'dd hi fod i ddod, i weud bod pen tost 'da'i. Sdim isie bod yn athrylith i wbod pam fod pen tost 'da'i, o's e, Sue? Mae 'di ca'l llond twll o ofon ar ôl clŵed y newyddion diweddara.

Y peth caleta o'dd ffindo mas amdano fe ar y radio wrth bo fi'n hôl neges o Hendy-gwyn. Newydd ollwng y bois yn yr ysgol o'n i, ac awr fach i sbario cyn mynd 'nôl i helpu Christie 'da cino. O'n i jest â dod mewn i Whitland pan dda'th yr hanes drw'r *speakers* a llenwi'r car. Saith o garcharorion Gwersyll

Llanelli sy'n pallu tyngu llw i Bryden wedi dechre streic newyn er mwyn tynnu sylw at eu hachos.

Er bo fi wedi ca'l sioc, garies i mlân i ddrifo. Grondo arnyn nhw'n rhestru enwe'r protestwyr. O'n i'n synnu na fydde Li wedi gweud wrtha i ddydd Llun bod rhai o'i gyd-garcharorion e'n meddwl neud shwt beth… A wedyn glŵes i'r enw. Yn glir ac yn groch, fel tase'r newyddiadurwr yn siarad yn syth mewn i'n glust i.

Li Yang o Sir Gaerfyrddin.

Gorffes i stopo'r car ar ôl y *roundabout* a mynd mas i ga'l a'r. Sefyll 'na gwyddereb â'r clwb bowls fel menyw ar goll. Fi yw 'i wraig e. Mam 'i blant e. A fel hyn wên i'n ffindo mas? Bydde'r Li wy'n 'i nabod wedi gweud 'tha i. Wedi trafod y peth hyd yn o'd. Ond wên i 'na ddydd Llun, Sue, a wedodd e ddim byd!

Ddringes i 'nôl i'r car ar ôl 'ny a throi 'nôl am Llanboidy. Dreifo'n syth i'r ysgol i gwato yn y gegin.

Cyn pen dim ro'dd dosbarth Brynach yn rhedeg mewn i nôl eu cino a fi'n towlu tato potsh ar eu platie nhw. Ma Brynach yn gwbod i beido siarad 'da fi yn y ffreutur a'r gwir yw bod e byth isie neud fel arfer. Ond ddo, fe o'dd yr ail yn y ciw. Yn dal 'i blât bach glas tywyll ac yn lyged i gyd. Pan dda'th 'i dro fe, shgwlodd e lan ata i, a wedodd e – ma Paul yn gweud bod Dadi'n pallu byta a bod e'n *starved to death*.

Ffaeles i ddishgwl arno fe i ddachre. Dim ond staran ar y tato yn stemo o dan y glàs. Mewn ffordd o'n i'n grac wrtho fe am weud y geire mas yn uchel. Wedyn, gofies i taw dim ond plentyn o'dd e. 'Mae Paul yn siarad nonsens,' wedes i a dodi pelen o dato ar y plât. 'Byt di nawr, 'na ti fachgen da.' A bant â fe.

Drw'r dydd wedi 'ny o'dd popeth yn 'yn atgoffa i o beth o'dd yn mynd mlân yn Llanelli. Y plate o'n i'n cliro. Y frechdan o'n i fod i fyta i gino. Mewn mater o orie, o'dd popeth wedi troi'n symboledd rhyw ffor'. Pob cnoiad a pob llyncad fel cymryd y cymun yn y capel.

Ddrifes i'r bois lawr i Hendy-gwyn ar ôl ysgol i ga'l torri gwallt. O'n i 'di neud *appointment* ers pythefnos, wedyn o'dd rhaid mynd. Wedd e'n siwto 'fyd. Mynd, mynd, mynd a gadel y meddwl tan rywbryd arall. A ta beth, pam ddylen i gwato yn y tŷ?

Ond falle dylen i fod wedi cwato ar ôl meddwl, Sue. Achos dim ond dishgwl ar Rhuon a Brynach sy isie i wbod taw nhw yw bois Li Yang o Sir

Gaerfyrddin. Y dyn sy'n pallu byta. Sy'n mynnu bod yn lletchwith. Sy'n poeri ar 'bois ni' sy mas yn America, yn amddiffyn bodoleth y Gorllewin.

Dorrodd Gareth wallt y bois fel ma fe fel arfer. Tynnu co's. Holi am y ffwtbol. Ond o'dd siarad arall yn mynd mlân tu ôl i'r *beaded curtains* ac wrth y sinc. Pawb yn gwbod taw ni o'dd y t'ulu o'dd neb arall moyn bod.

A neithwr wedyn, i goroni'r cyfan, dda'th Gwawr ddim. Sai'n grac wrthi. Wy'n deall mewn ffordd. Syno hi'n gwbod beth i weud ragor, yw hi? Sdim geire na chysur i ga'l.

Mynd yn wa'th neith popeth nawr, Sue, achos sdim hawl 'da fi siarad 'da Li rhagor chwaith. Dim ffono. Dim llythyre. Dim ond un cyfarfod mishol ar bnawn dydd Sul 'da heddlu'n sefyll bob ochr i'r ford yn gryndo ar 'yn sgwrs ni.

Wrth gwrs, sdim iws i'r heddlu fod 'na'n gryndo. Dim ond un peth ni moyn trafod pan ni'n gweld 'yn gilydd a nage *politics* yw 'na. Ni moyn trafod Brynach a Rhuon. Shwt ma nhw'n neud yn yr ysgol. Shwt ma'r tîm ffwtbol. A shwt ma nhw'n mynd i ddod mas pen arall mewn un pishyn.

Y gwir yw fod hyn yn fwy 'na'n t'ulu ni nawr. Wedi chwyddo mor salw a thanbaid nes bod be sy wir yn bwysig ddim yn ystyrieth. Sach taw amdanyn nhw ni'n siarad, ma Rhuon a Brynach a'r plant erill wedi gorfod mynd i gefn meddwl.

Wy newydd ga'l rhybudd tecst fod fagddu arall ar y ffordd. Ma digonedd o dunie 'da ni, wedyn fyddwn ni'n iawn. Ond os o's isie ragor o rwbeth arnoch chi, rhowch wbod, a ddewn ni draw. Nele fe les i'r bois weld Mal gweud y gwir. Ma nhw'n joio pan ma fe'n dangos *magic tricks* iddyn nhw. A gweud y gwir, falle ddewn ni draw ta beth. Fydde 'na'n iawn?

Dylen i fod wedi ateb y ffôn iti heno, Sue. Bydden i wedi galler cyfadde wrthot ti bo fi moyn dy gwmni di wedyn. Wy'n sori am gau ti mas. O'n i jyst ddim yn barod i weud y geire mas yn uchel.

Judith x

*

Gan shan712@gmail.com
At Mami@gmail.com
Da'th Stewy i weld fi heddi, Mami, yn gwmws fel nath e promiso. *Pre-prepared lasagne* o'dd 'dag e achos o'dd dim cig yn *freezer* 'i

fam e wedi'r cwbwl. *Apparently* ma hi wedi dachre gwerthu fe mlân i neud bach o *cash*. Wedes i wrtho fe i bido becso. O'dd dal *beef* yn y *lasagne pre-prepared*, a ma rhaid bod hwnna wedi costo bom iddo fe, whare teg.

Byton ni'r *lasagne* gyda letys a cwpwl o tomatos Dai drws nesa. Ma tomatos *real life* mor ffein, Mami. Wy wrth 'yn fodd 'da nhw'n bosto yn dy ben di fel boms bach o hade. Blwyddyn nesa falle 'na i blannu rhai 'yn hunan a gofyn i Bruv neud grinhaws. Wedes i wrth Stewy am 'yn syniad i a wedodd e bydde fe'n lico helpu fi adeiladu un 'fyd. Wedes i bydde croeso iddo fe helpu ond bod e'n addo peido tyddu dail gwyrdd mewn 'na. Pan wedes i 'na nath e wherthin mas yn uchel. Blyrto mas. A wedyn roddodd e sws ar boch fi. Jyst mas o'r glas fel'na. O'dd e'n bach o sioc a gweud gwir. Wy'n credu bydd rhaid ifi stopo sharad 'da Ray o'r *internet* nawr...

Ar ôl ni fyta, nath Stewy weud 'tha i bod dal 'da fi *tomato sauce* ar *chops* fi a wedyn nathon ni wherthin a cwtsho. Wrth bo ni'n cwtsho nath e weud bod e'n bwriadu ficso'r *leak* yn y to. Wedyn nath e holi rhagor ambytu Bruv a'i jobyn newydd e. A tamed bach ambytu Trevor Small. Ond o'dd dim byd lot 'da fi weud rili achos sai byth wedi galler gofyn dim byd. Tsieciodd Stewy 'to wedyn, bo fi deffinet ddim wedi gweud dim byd 'tho Bruv bod fe Stewy *back in town*. A wedes i, *cross my heart and hope to die*, bod fi heb weud dim byd a bod fi ddim yn plano neud chwaiff. A 'na pryd gathon ni sws cynta ni. Ar y *lips*, Mami. Ac er bod Stewy wedi mynd gytre ers tair awr nawr, wy'n dal i dimlo fel un *smiley face* melyn mawr.

Pan da'th Bruv gytre o'r gwaith heno o'dd e i weld wedi blino'n shwps. Achos bo fi mewn *good mood* o'n i wedi roi *chips* mewn yn y ffwrn iddo fe'n barod, ond wedodd e bod e'n chlawn achos bod gang ohonyn nhw wedi bod mas i ga'l bwyd ar ôl gwaith.

Wrth ifi sgoffo'r *chips*, a'th e i'r ardd i smoco a smeles i wynt y *weed* streit awei. Pan es i wedyn i sinc y gegin gyda'n blât i, dishgwles i mas arno fe a sylwi bod gyda fe bag masif o *skunk* yn ei law e. Mwy nag o'n i wedi gweld erio'd o'r bla'n.

Pan da'th e 'nôl mewn, dries i acto'n normal i gyd. Yfe 'na be ti'n neud yn y jobyn newydd, 'de? Gwerthu *skunk*? Sai'n gwbod pam ofynnes i achos wy'n gwbod yn iawn taw nage 'na be ma fe'n neud. Ond *I guess* o'n i'n intrîgd. Isie gweld pwy mor rwydd o'dd Bruv yn galler gweud celwydde wrtha i. O'n i'n galler gweld bod e'n *frustrated* 'da'r cwestiwn achos o'dd *cheekbones* e'n symud yn 'i foche fe. Ond wedodd e ddim byd a jyst a'th e miwn i'r lownj.

Ar ôl 'ny, gathon ni bob o ddished a watsio teli. Wy'n galler neud i *tea bag* bara pum dished nawr. O'n ni yn ganol watsio'r raglen 'ma le o'dd pobol yn pranco'i gilydd pan sylwodd Bruv ar y papur newydd o'dd Stewy wedi dod 'da fe heddi. Wedodd e ddim byd i ddachre, dim ond gafel yndo fe, pipo arno fe a towlu fe 'nôl lawr ar y *coffee table*. Ond wedyn, ar ôl i ni wherthin am rwbeth ar y teli, holodd e am y papur. O's *visitors* 'di bod 'da ti heddi, 'de? So ti byth yn prynu papur. O's, wedes i, yn dal gên fi'n dynn. Dai. Da'th e draw â fe gynne. Achos bod e'n gwbod bo fi'n lico darllen. O, reit, medde Bruv wedyn. A stares i ar y sgrin, nes bod dim lliged ar ôl 'da fi.

Shan X

*

Gwilym,

Dwi wedi cael cyfarwyddiadau gan Margo i ddiolch o waelod calon i chi am adael y blodau, y gwin a'r port yn anrheg, ac i ymddiheuro'n llaes nad ydw i wedi cysylltu cyn hyn!

Rwyt ti'n hen gnaf yn dod â phort i'r tŷ hwn, oblegid gwyddost o'r gorau fod yn rhaid i mi ei yfed! Yn wir, dwi'n barod wedi cychwyn ar yr orchwyl ac mae at fy nant yn llwyr! Mae'n drioglyd ac yn felys ac yn fy atgoffa i o fy nhad os alli di gredu. Os oedd gan fy nhad un gwendid, y port oedd hwnnw. A pha ots, yntê? Mae'r bywyd hwn mor ddryslyd ac annibynadwy dyw hi ond yn briodol fod gennym ffisig i iro'r enaid.

Ond yn bwysicach o lawer na'r anrhegion, roedd yn braf iawn eich gweld a'r ddau ohonoch yn edrych yn dda iawn os ga i ddweud. Mae'r holl gynlluniau ymddeol yn swnio'n gampus ac ry'n ni'n ei theimlo hi'n fraint aruthrol eich bod chi wedi ein gwahodd ni i deithio Vietnam gyda chi. Fel y saif pethau, does dal dim modd i mi gadarnhau, naill ffordd na'r llall, mae arna i ofn. Cyllid ac amserlen sy'n rhannol gyfrifol ond hefyd... fy merched hoff.

Tra 'mod i'n cofio, mae Margo hefyd wedi gofyn i mi sôn wrthoch eich bod wedi gadael oriawr a dau bâr o drowsus ar ôl yn y stafell wely. Beth yw'r ffordd orau o'u cael nhw yn ôl atoch, dwed? Drwy'r post? Neu wyt ti'n gyrru i'r gorllewin eto'n fuan?

Gwilym – pa bryd gyrhaeddon ni'r oedran yma, dwed? Wnaethon ni drafod mwy ar ein llygaid yn gwanio a'n cymalau'n cyffio nag am lywodraeth y Bae y tro hwn. Do, fe drafodon ni'r cŵn yn y feddygfa a diffyg parch i eidiolegau'r gorffennol, ond yn y bôn, gyfaill, wnaethon ni nemor ddim ond cwyno am y ffaith ein bod ni'n mynd yn hŷn a chwerthin ar ben y ffyliaid ifainc sydd o'n cwmpas ni ymhob man.

Wyt ti wir yn credu bod y byd yn mynd yn fwy ffôl a phobol yn mynd yn llai abl i graffu'n dreiddgar? Ynteu wyt ti'n meddwl mai ni yw'r deinosoriaid, sydd mor wahanol i'r cenedlaethau iau nes ein bod ni, erbyn hyn, yn analluog i'w beirniadu? Dwn i ddim mwyach, wir.

A sôn am ffyliaid ifainc, diolch am dy gyngor am y merched hefyd. Rwyt ti yn llygad dy le na wna i eu newid nhw a'i bod yn well felly i mi eu hanwybyddu nhw (neu beidio poeni amdanyn nhw, yn dy eiriau di). Ac eto, serch dy gyngor hael, fe wnes i gynnal y barbeciw... do, cofia... Fe ddigwyddodd neithiwr...

Heb ormod o ragymadroddi, fe wyddost mai'r bwriad oedd braenaru'r tir ar gyfer yr uniad dwi wedi bod yn trio ei sicrhau rhwng mab y doctor a Cêt ni...

Fe dries i fy ngorau glas, Gwilym, ond roedd yr holl beth yn gachfa llwyr o'i gychwyn i'w derfyn. Afraid dweud bod y *consultant* o dad sydd gan y mab yn parhau i fod yn gont (dwi ddim yn defnyddio geiriau felly'n ysgafn, fel y gwyddost). Gwilym, fe wnaeth e fwy neu lai regi'r Blaid yr holl amser roedd e acw (gan fwyta ein bwyd ni! Ein cig drud ni!) cyn mynd yn ei flaen i ddweud ei fod eisiau cydymdeimlo â mi am fod fy merched wedi dioddef 'blynyddoedd anodd' a'i fod wedi bod yn 'meddwl amdana i'. Wel i'r diawl â ti, yr hen goc oen uffarn! Gwell gen i gant o fy mywydau i na'r pot piso rwyt ti'n ei alw'n fodolaeth!!

Ond am y mab wedyn, Gwilym. A dyma ddod at wir wraidd fy anhapusrwydd. Gŵr bonheddig a fyddai'n berffaith i Cêt. A sôn am fod yn debyg i'w fam hoff. Cyw melyn ola, mae'n deg dweud, ond llanc peniog, Gwilym. A llanc pwyllog ac annwyl iawn ei natur. Codwyd fy ngobeithion ar gychwyn y parti pan welais i Cêt a fe'n cael tipyn o sbort wrth sylweddoli eu bod ill dau yn llysieuwyr (wel am gyd-ddigwyddiad rhyfedd!). Yn wir, rwy'n siŵr i mi weld Cêt yn cyffwrdd ym mraich y llencyn yn chwareus.

Wrth gwrs, o edrych yn ôl, a deall y wir sefyllfa, fe wnaeth Cêt hynny'n gwbwl fwriadol er mwyn codi fy nisgwyliadau a'u chwalu nhw'n yfflon drachefn. Oblegid, Gwilym, y mae fy annwyl Cêt wrthi'n 'dêto', mae'n debyg. Rhyw lencyn ifanc o'r enw Pwyll. Mae'n swnio fel trwbwl o'i gorun i'w sawdl. Yn aelod o Poboliaeth ac wedi treulio peth o'i amser prin ar y ddaear yn *rehab*, iff iw plis, mewn ymdrech i ymddihatru oddi wrth... *crack cocaine* (!)

Mae fy annwyl ferch yn meddwl bod y ffaith fod y Pwyll hwn yn 'gyn'-*addict* yn gyfan gwbwl dderbyniol ac yn dangos ei fod yn berson sydd wedi goresgyn sawl her yn ei fywyd. I'r tad, wrth reswm, y mae'n swnio'n gwmws fel *junkie*.

Ond mae gwaeth i ddod, fy ffrind. Oherwydd er mwyn rwto halen i'r briw, mae Pwyll yn awyddus i Cêt ac yntau deithio i Venezuela flwyddyn nesaf. Gydag arian pwy, rwy'n holi???!! Alla i ond gobeithio y bydd Pwyll yn mynd yn ôl at y *crack cocaine* yn go fuan ac y bydd cynllun gwleidyddol diweddaraf fy annwyl ferch yn mynd i'r gwellt. A dweud y gwir, dyw hynny ddim yn ddigon da gen i. Pe na bawn i'n ddoctor parchus, fe awn draw i gartref y Pwyll 'ma ar fy union a chynnig *crack cocaine* iddo fy hun! Pam taflu syniadau ffôl i ben y ferch ffolaf yn y byd, Gwilym?

Fe wnaiff dy blant, fy nghyfaill, dy wthio di'n nes ac yn nes i'r fan a elwir uffern. Fe wnânt gachu ar yr ardd a luniwyd gennyt yn ddestlus a mwynhau gwneud hynny hefyd. Fandaliaid ydynt sy'n adeiladu eu cestyll mewn modd sy'n wrthgyferbyniad llwyr i'r hyn ddysgasant yn blant. Boed iddynt oll fagu plant eu hunain, er mwyn profi'r uffern yn nwfn eu calonnau cyn dyfaru'n dawel mewn cartref hen bobol.

Huw

*

**E-gofnod o gyfnod y Rhyfel Rhithiol (2022–25)**

**E-bost gan Judith Yang (mam Brynach a Rhuon) at ei chwaer Susan**

Sue,

Bues i draw yn 'i weld e 'to heddi. O'dd e'n dishgwl mor wynieth wedd e bron yn anodd credu. Ma nhw'n 'i orfodi fe i fyta withe. Drw tiwbs. Ond ma fe'n gwrthod gymint â ma fe'n galler.

Siaradon ni ddim lot tro hyn. Dim ond dishgwl ar 'yn gilydd. Dim ond neud y gore o fod yn yr un stafell â'n gilydd. A wedyn holodd e am y bois. Gofyn am storis.

'Nes i wenu a gweud y storis o'n i'n cofio. Am y gêm bêl-droed yn erbyn Clunderwen a'r *own goal* a hanes Brynach yn y Clwb Mathemateg. Sôn am y ffaith fod Rhuon yn ffrindie gyda mab y tŷ mowr gas 'i adeiladu bum mlynedd 'nôl ar y troad. Wedes i bod Brynach yn mynd yn fwy galluog bob dydd a bod Rhuon yn tyfu'n dal a wedi penderfynu bod e'n lico pasta nawr. Sonies i ddim am y ffaith fod Brynach yn dala i lwchu'r gwely na'i fod e'n gweiddi yn 'i gwsg. Na bod Rhuon yn llawer llai awyddus i fynd i'r ysgol ddar bod y bois mowr yn gweud 'tho fe bod 'i dad e'n 'skin and bones' a bod neb yn mynd i fynd i'w angladd e achos bod e'n falch bod bechgyn Cymru yn ca'l 'u 'killo yn y war'.

Daflodd rywun wy arall at y car wrth i fi ddreifo mas o'r gwersyll heno. Ond mewn ffordd o'n i'n falch ohono fe. Achos o'dd e'n weithred. Be sy'n gas 'da fi yw'r siarad tu ôl i'r cyrtens. Y pipo. Y lliged. Pobol sy ddim yn gwbod be ma nhw'n meddwl ond sy ddim yn ddigon o ddynon i ddod i siarad 'da fi chwaith. O leia 'da'r wy, ti'n gwbod le ti'n sefyll.

J x

\*

Gan shan712@gmail.com

At Mami@gmail.com

Sai isie sharad am bethe embarasin 'da ti, Mami, ond wy'n llawn hapusrwydd ar ôl i Stewy fod 'ma heddi. Wy'n timlo'n lliwgar i gyd, fel 'se enfys drosta i. A ynddo i. Yn sheino.

Ma Stewy'n gweud bod e'n joio hiwmor *sarcastic* fi. A nath e ganu i fi heddi 'fyd. Cân o'dd 'i fam e'n arfer canu iddo fe pan o'dd e'n blentyn. O'n i'n wherthin a wherthin, Mami. Sai'n lico gweud ond dyw e ddim yn galler canu mewn tiwn. Ond o'dd e'n obfiys bod e'n enjoio, ac yn meddwl 'nôl i adeg hapusach yn 'i fywyd e, wedyn 'nes i jyst wherthin a wherthin tan bod syched arna i. A gathon ni dished o de yn syth wedyn. A o'dd yr holl beth yn berffeth.

Wrth ishte 'na ar y soffa, wedodd Stewy wrtha i bod e'n meddwl bod e'n cwmpo amdano fi a bod e ddim wedi neud dim byd ond meddwl amdana i ddar inni weld 'yn gilydd dwetha. Mae e'n gweud bod e wastod wedi gobeitho allen ni fod 'da'n gilydd a bod e isie dishgwl ar 'yn ôl i. A wedyn diseidodd e weud *secret* masif i fi.

Besicli, ma Stewy wedi ca'l dod mas o'r *jail* yn gynnar achos bod e wedi cytuno i sbeio ar Trevor Small i'r moch. Ac unweth bydd e wedi ffindo digon o *info* mas amdano fe, bydd e'n *free agent* i neud beth bynnag mae e moyn 'to. O'dd 'yn lyged i'n fowr pan wedodd e hyn, wy'n gwbod o'n nhw. Achos o'dd e'n swno'n gwmws fel rwbeth wy wedi gweld yn y ffilms.

O'dd hanner fi'n ecseited a o'dd hanner fi ofon yn ofnadw. O'n i'n grac 'da Stewy 'fyd, am beido gweud dim byd am hyn hyd nawr. Wedodd e sori ond o'dd rhaid iddo fe aros i weld a alle fe drysto fi a gwbod os o'dd fy *love* i amdano fe *for real* cyn gweud dim. Rhoddes i sws iddo fe bryd 'ny. Achos ma *love* yn air cryf i weud, a 'na'n gwmws shwt wy'n dachre timlo.

Wedodd Stewy wedyn bod yr heddlu'n fodlon dishgwl mas am Bruv, achos bo fe'n frawd i fi a bod e wedi gofyn 'na yn sbeshial. Pam bydde raid ti ofyn iddyn nhw ddishgwl ar ôl Bruv? Ody fe mewn trwbwl, ofynnes i. A 'na pryd eglurodd e'r *plan of action*. Ma isie i Stewy planto microffon *tiny* a cwpwl o bethe arall ar ddillad Bruv fel bod y moch yn galler recordo pethe sy'n mynd mlân lawr yn Towy Works. Clŵed beth ma Trevor Small yn gweud.

Pan glŵes i hyn i ddachre o'n i'n becso. Becso gele fe Bruv i drwbwl achos bod e'n siŵr o bad mawddo'r polîs fel ni gyd yn neud. Ond wedodd Stewy, *don't you worry, baby doll*, ma Bruv yn saff, a pan welodd e bo fi dal yn becso nath e assuro fi 'to a 'to a 'to a dala'n 'rist i'n dynn i ddangos bod e'n cymryd y peth yn siriys. O's raid iwso dillad Bruv, 'nes i ofyn wedyn, yn timlo'n itha *protective*. O's, wedodd Stewy. A'r ffordd ore o protecto fe yw peido gweud dim byd wrtho fe am y peth.

Dachreues i deimlo'n sgerd eto wedyn. Fel 'se Stewy wedi'n iwso

i. Ond wedyn shgwles i i'w liged e, a gweld bod e wir yn lico fi. A sdim neb yn galler roid yr act 'na mlân, Mami.

Wy 'di calmo lawr am y peth erbyn hyn a wy'n gwbod bydd popeth yn iawn. Byse Stewy byth yn gweud celwi wrtha i. Wedyn wy'n ca'l popeth wy moyn. Stewy a Bruv. A ma pawb yn hapus.

Ma Stewy'n meddwl daw amser rywbryd pan geith Bruv ddod i wbod am y *recordings*. Ond dim 'to. Falle ryw ddydd pan bydd Trevor Small tu ôl i bars a bydd Bruv wedi dachre gweitho i Stewy 'to. Wedi 'ny gall popeth fynd 'nôl i fel o'dd nhw.

Buodd Stewy lan yn stafell Bruv am awr ar ôl ni sharad. Fficso pethe i'w *baseball caps* e a rhoi microffons yn colers 'i *t-shirts* fe. A wedyn da'th e lawr stâr a galw fi'n *baby doll* 'to.

Un jobyn, *baby doll*, wedodd e, a wedyn gewn ni fyw bywyde ni fel ni moyn *for the rest of our lives.*

Shan x

*

### Darn o ddyddiadur Morfudd Yang, Medi 2056

Ma Lleucu'n deud 'mod i'n rhy feddw i feddwl yn strêt. Dyna'n union mae newydd ddeud 'tha i ar y landing. Union eiria. Ond dwi'n gwbod. Dwi'n gwbod 'mod i'n iawn i ddeud o. Fi laddodd Brynach a fysa fo erioed wedi meddwl gneud be nath o tasan ni'n dal yn Aberystwyth. Tawn i heb adal. Heb fynd â'i hogan o. A phan fydd Tanwen yn ddigon hen i ddallt bob dim, fi fydd yn ca'l y bai am farwolaeth ei thad.

Ma'r euogrwydd mor swnllyd yn bob man. Mae o'n fyddarol. Ei liw o ar bob un o fy meddylia. Ac yndw, mi rydw i. Yn ddig hefo fi fy hun. Yn casáu fi fy hun. Am wthio petha i'r pen. Ond dwi'n wirioneddol ddig hefo Brynach hefyd, am fod mor hunanol â gneud be nath o. Dwi'n gwbod nad ydach chi i fod i ddeud petha felly am bobol sy 'di lladd eu hunain. Ond dyna dwi'n ei deimlo a dwi'n ei feddwl o. Fod Brynach wedi gneud rhywbeth mor frawychus o hunanol. Wedi fy ngadael i a Tanwen ar ôl. I bydru.

A toes 'na'm pwynt gwadu. Mi roedd o'n ffordd o 'nghosbi i hefyd, yn doedd? Gneud be nath o. Fy nghosbi i am ddwyn y bywyd o'dd gynno fo oddi arno fo.

Mi 'nesh i ei ysgaru o yn fy mhen yn sydyn iawn ar ôl iddo ddiflannu.

Dwi'n casáu fy hun am ddeud hynna, ond dwi'n cofio'i neud o. Penderfynu fod ein ffyrdd ni'n gwahanu. Tynnu'r gardigan a'i lluchio hi ar lawr. Mi 'nesh i hynny am reswm. Roedd yn rhaid ifi wrthod ei benderfyniad o. Anghytuno ac ochri hefo'r hil ddynol drwy gredu mai parhau oedd yr opsiwn gora.

Weithia, ma'r hiraeth amdano fo mor llethol nes mai yfad ydy'r unig ffordd fedra i anghofio. Dwi'm isio teimlo. Dwi'm isio cofio. Dwi'm isio atgoffa fi fy hun o betha.

Ŵyr neb hyn, ond ro'n i wedi ystyried dychwelyd i Aberystwyth yn ystod y dyddia cyn iddo fo neud be nath o. Rhoi cyfla arall iddo fo. Ystyried ymbil arno fo i beidio gneud dim byd hefo Poboliaeth eto. Ond be 'di pwynt meddwl am betha felly rŵan? Cosbi dy hun ...

Nid dim ond am Brynach dwi'n hiraethu. Mi dwi hefyd yn hiraethu am yr hen fi. Fi oedd yn meddwl bod petha fel hyn ddim ond yn digwydd i bobol erill. Mi gollish i Bleddyn, do, ond nid ei ddewis o oedd marw. Mi ddewisodd Brynach farw. Dewis fy ngadael i a Tanwen, yng ngwir ystyr y gair.

Wel, ma bywyd wedi dal i fyny hefo fi rŵan. Wedi fy ysgwyd a deud y gwir wrtha i. Mi dwi'n hen bitsh o beth, Morfudd, yn fwy creulon na nest ti ddychmygu i gychwyn hyd yn oed.

Ac am fastard oedd Brynach. Bastard wnaeth fy nwyn i hefo fo. Wyt ti'n fy nghlywad i, Brynach? Wyt ti yno'n cilwenu? Mi wyt ti wedi newid fy nyfodol i a Tanwen am byth. Chdi dy hun oedd yn arfar deud ei bod hi'n amhosib gwahanu pobol yn unigolion, Brynach Yang! Ein bod ni'n un! Ond mi gachist ti ar hynna, yn do? Ac mae o ganwaith yn fwy poenus am dy fod ti'n gwbod hynny'n iawn. Wel, iechyd da ichdi'r bastard hunanol. Mi gyma i ragor o'r gwin gwyn 'ma er cof amdana chdi. Dwyt ti'm yn haeddu coch.

*

**Message from ShanFi**
I think I have done something stupid. Can you give me some advice, Ray?

**Message from Ray**
I am able to talk to you for two minutes and thirty seconds. After that, you will have to register more e-coupons.

**Message from ShanFi**

I kept a secret from my brother and I think I shouldn't have.

**Message from Ray**

Can you tell me more?

**Message from ShanFi**

I was told a secret about something he would have to do without him knowing and now I am worried he is in trouble.

**Message from Ray**

Can you tell him now?

**Message from ShanFi**

He hasn't come home and I am afraid something has happened to him. He is never this late home.

**Message from Ray**

If you feel that you should contact the police because you or your brother might come to harm as a result of this, you should do so immediately.

**Message from ShanFi**

I don't know. I don't know what to do. I'm worried if I tell anyone, I will make it worse. He might just walk in the door right now and then I will have made trouble for no reason.

**Message from ShanFi**

Ray?

**Message from ShanFi**

Ray?

**Message from Ray**

\* \* \*if you require another conversation with Ray you must provide the code details of another e-coupon. If you would like to purchase another e-coupon, please email coupons@e-boyfriend.cymru or visit the website www.e-boyfriendwales.cymru \* \* \* (any conversations had with e-boyfriends may be kept by e-boyfriends limited. Your statutory rights won't be affected. For more information visit e-boyfriend.cymru/rightsandinfo.)

*

Gan shan712@gmail.com
At Mami@gmail.com
Ma fe'n hwyr y nos nawr, Mami, a sdim smic o Bruv. Wy 'di trial ffôn fe *seventy four* o weithe. Gadel negeseuon. Tecsto. Ond so fe wedi ffono 'nôl. Wy wedi trial Stewy 'fyd, ond ma fe'n mynd yn streit i *answer machine*.

In desbyreshyn, 'nes i noco'r wal ar Dai i weld a fydde fe'n galler dod mewn i helpu ond ma fe'n amlwg yn comatos achos sdim pip o sŵn i glŵed o'r tŷ. Wy ddim yn siŵr beth arall alla i neud nawr achos alla i byth â ffono'r heddlu.

Wy'n mynd i drial cisgi, ond yn y bore, os nago's dala smic o Bruv wy'n mynd i ffindo rif Trevor Small a wy'n mynd i ffono fe. A wy'n mynd i sorto hyn i gyd mas.

Sori i drwblu a becso ti, Mami. Fi'n siŵr bydd popeth yn iawn. Fi'n siŵr bydd e. Fi'n siŵr. 'Naf fi preio yn y gwely tan bo fi'n cisgi a gobeitho bod Duw lan ac yn clŵed.

Shan x

*

**E-gofnod o gyfnod y Rhyfel Rhithiol (2022–25)**
**E-bost gan Judith Yang (mam Brynach a Rhuon) at ei chwaer Susan**
Susan,

Diolch am ddod i aros dros y penwthnos. Gododd 'na'n calonne ni. Y tri ohonon ni. Fel alli di ddychmygu, ma'r bois yn dishgwl mlân at y Nadolig a wy mor ddiolchgar am y gwahoddiad i gino. Alla i byth â gweud 'tho ti faint o wahanieth ma gwbod bo ni'n dod atoch chi wedi neud i fi. Beth alla i ddod yn bwdin? Wy'n gwbod nagyw Malcolm yn lico pwdin traddodiadol.

O'dd ffair y pentre heddi, a Brynach yn benderfynol o neud tryffls o'dd e wedi gweld rhywun yn gwitho ar ryw raglen ar y teledu. Powdwr coco, shwgir, menyn a tamed bach o halen. Wir iti, o'n nhw'r pethe symla'n y byd (a ddim yn blasu mor dda â 'na os wy'n onest), ond ta beth, o'dd e moyn neud nhw. Ar dân a gweud y gwir, wedyn helpes i fe i fyrnu'r cynhwysion a rhoi popeth at ei gily.

Ers dyddie, o'n i 'di bod yn treial anghofio am y ffair. Pwsho'r peth i gefn y meddwl. Ond ym mêr 'yn esgyrn i, o'n i'n gwbod fydde raid mynd. Nage achos fi, ond achos fod rhaid cadw pethe mor normal â phosib i'r bois.

Bore 'ma cyn mynd, wên i'n dost, Susan. Hwdes i'n berfedd. O'dd dim byd casach 'da fi na'r syniad o sefyll yn y neuadd 'na, 'yn fab bach i'n treial gwerthu tryffls, a phawb yn pipo arnon ni. Yn pallu dod draw. Rhag ofon bod angen gweud pethe mowr.

Ni yw'r teulu so pobol moyn ymwneud gyda nhw, rhag ofan bydd pobol erill yn siarad. Nagyw pawb fel'na, ond ma lot ohonyn nhw. Fel wy 'di gweud sawl gwaith, ofon sydd wrth wraidd y peth i sawl un. 'Na gyd allan nhw neud yw symud gyda chyfeiriad y gwynt.

Yn wahanol i fi, o'dd Brynach mewn hwylie grêt wrth gario'i dwba hufen iâ llawn tryffls drw'r pentre, yn browd i gyd. Rhuon wrth 'i gwt e, fel ma fe. Fynte'n gobeitho gele fe deirpunt 'da fi i dwrio drw'r twba lwcus ac y bydde'i ffrind e, Macsen, yna er mwyn swopo sticeri Grand Wizards of Powys.

Pan gamon ni mewn, Sue, allen i fod wedi colapso. Llond pentre, mewn neuadd dwym, yn troi i ddishgwl arnon ni. Gwmws fel o'n i wedi dychmygu. Pawb yn gwbod fod 'y ngŵr i ar ei wely ange, yn pallu byta ac yn pallu gweld neb.

O'dd 'yn galon i'n gwaedu dros Brynach. Alla i byth â gweud 'tho ti, Sue. Ar ôl yr holl ymdrech, o'dd e'n dishgwl fel 'se neb yn mynd i byrnu. Ond wedyn, ar ôl 'mbach, da'th un neu ddou. A phan ddele rywun, bydde Brynach yn perfformo fel 'se fe ar y teli. Iyffach, ma fe'n dda 'da pobol, ti'n gwbod. Yn neud iddyn nhw wenu.

Ond o'dd lot o bobol yn dal i aros 'nôl. Nage o'i achos e, ond o'n achos i. Wedd Mami wastod yn gweud bo fi ffaelu cwato be wy'n dimlo, nago'dd hi? Gwallt coch a llyged sy'n gweud gormod o'r gwir. A 'na beth ma pawb yn gweld nawr. Bo fi ffaelu help dangos bo fi'n gwaedu tu fiwn.

Erbyn amser coffi ro'dd Gwawr yn y neuadd a da'th hi'n syth draw i'r stondin i weud 'helô', whare teg. Wy heb 'i gweld hi'n iawn ers ache, Sue. Ond siaradon ni lygad yn lygad am sbel yn y ffair a byrnodd hi bump tryffl 'da Brynach. O'dd e wrth 'i fodd! Ac ar ôl 'ny, wedodd Gwawr fydde hi'n galw rywbryd, ac o'n i'n gwbod wrth yr olwg yn 'i llyged hi bod hi'n siarad y gwir.

Diwedd y pnawn ac o'dd 'yn sodle i'n pingo ar ôl bod ar 'yn dra'd mor hir. Wedd Rhuon ar binne 'fyd, isie mynd gytre i roi'r swops yn 'i lyfyr sticyrs. Ond wedd Brynach yn pallu'n deg â gadel. O'dd hanner y tryffls yn weddill 'da fe a o'dd e'n benderfynol o'u gwerthu nhw. Ma fe mor stwbwrn â'i dad. A 'na pryd dda'th hi. Hen ledi o Hendy-gwyn wynnon ni'n nabod. Nans yw 'i enw ddi. Wedi dod lan 'da'i mab i ga'l lwc rownd. O'dd dim dowt bod hi'n gwbod pwy o'n ni, Sue – ni 'di bod yn y *news* fwy o weithe na'r Cwîn.

Gymrodd hi un pip ar y tryffls a dishgwl ar Brynach. 'Gwed 'tha i pam ddylen i byrnu reina,' wedodd hi gyda ryw olwg ddireidus yn ei llyged hi. I ddachre, o'dd Brynach ddim yn siŵr beth i weud. Boi bach chwech o'd yn syllu lan ar wyneb llawn rhyche a phrofiad. 'Der mlân. Gwed 'tha i,' medde hi'n gellweirus i gyd. Shgwlodd e arno i wedyn. Ond wynnon i'n mynd i roi ateb iddo fe ar blât, Sue.

'Achos rywun fel chi o'dd yn 'yn ben i pan o'n i'n gwitho nhw,' medde fe yn diwedd.

'Na gyd wy'n cofio wedyn yw gwên lydan hen fenyw nes bod hi'n ifanc 'to. Estynnodd hi i'w bag, 'mestyn am ei phwrs a dodi deg punt yn 'i law e. Deg punt, Sue! 'Mestyn wedyn am y bocs hufen iâ a dechre cerdded bant 'da gweddill y tryffls! 'Iawn i fi ga'l y bocs 'fyd, odyw e?' medde hi wrth anelu am y drws, cyn gweiddi 'Nadolig Llawen', heb ddishgwl 'nôl.

Sue, wy'n ffaelu stopo meddwl am yr olwg o'dd ar wyneb Brynach. Wedd e'n pefrio fel yr houl wrth feddwl bod deg punt yn 'i boced a'i focs hufen iâ fe'n hwylio'i ffordd i Hendy-gwyn ar Daf. Ma Whitland yn lle pell ac ecsotic i Brynach a Rhuon. Y pentre le ni'n mynd i byrnu hufen iâ a thorri gwallt. Y pentre le alli di ddala trên sy'n arwain ti i weddill y byd.

Wel alla i weud 'tho ti, Sue, ma 'na hen ledi yn Hendy-gwyn yn hyfed dished ac yn byta tryffls gwaetha'r ganrif heno. Ond hyd yn o'd os neith hi dowlu'r cwbwl lot i'r bin, ma 'da fi dimlad bod hi'n gwenu. Achos mae 'di neud i grwtyn bach yn Llanboidy deimlo'n sbesial iawn.

J X

*

Mami, ma lot wedi digwydd. A sai'n gwbod le ma starto yw'r *honest truth*.

Yn hwyr neithwr ar ôl ifi hala'r *email* atot ti, da'th rat-tat-tat ar y drws a Dai drws nesa o'dd 'na. O'dd e wedi bod yn sharad 'da rieni Kye dros yr hewl o'dd 'di gweud bod rycshyns lawr wrth yr afon bytu wyth o'r gloch a bod Bruv yn rhan o'r cwbwl.

I ddachre, o'n i ddim yn siŵr beth i neud achos o'dd neb i fynd â fi lawr 'na. T'wel, o'n i'n galler gweld wrth Dai bod e wedi bod yn hyfed. Ond wedyn gynigodd e ddrifo fi lawr yn y fan. Ofiysli feddylies i weud 'na' i ddachre ond wedyn newides i'n feddwl. O'dd e'n *dead of night*, Mami. Bydde neb yn gwbod. A o'dd rhaid i fi weld Bruv *as soon as possible.*

Wrth bod Dai yn referso'r fan lan *drive* rieni Kye, o'dd e'n anadlu'n drwm ac yn smelo fel wisgi a *lime cordial*. Ond o'dd e'n dreifo'n iawn, ac yn well 'to ar ôl troi'r *lights* mlân. On i'n *tense* i gyd wrth ishte 'na. Yn becso'n ened am Bruv.

Ond Mami, pan gyrhaeddon ni Towy Works, a'th popeth yn wa'th 'to. Yn ganol y niwl a'r tywyllwch ar bwys y wal, yn sach dato ar lawr, o'dd Bruv. O'dd golwg ofnadw arno fe, Mami. Fel beic wedi twisto ar ôl damwen. A wrth i ni barco lan, weles i lygoden fowr yn darto heibo iddo fe.

Erbyn i Dai dynnu fi o'r car a rhoi fi yn 'yn gader o'n i wedi penderfynu bod e wedi marw. Sy'n rhwbeth 'na i ddyfaru meddwl am weddill 'yn o's, Mami. Ond ma rhaid iti ddeall, nago'dd e'n symud.

Ond wedyn pan whîlodd Dai fi draw yn nes ato fe, weles i bod e'n dal yn briddan a 'nes i ddechre briddan 'to 'fyd. O'dd tiyrs yn chlyged fi, Mami. Ni 'ma nawr, Bruv, wedes i, ti'n saff nawr, wedes i. A Mami, dechreuodd e wingo i gyd. Neud sŵn od. Paid â becso, paid â becso, wedes i wrth bwyso lawr, ti'n mynd i fod yn iawn. Ond er bod e'n galler clŵed 'yn lais i o'dd e'n ffaelu agor 'i lyged. Jyst yn rîlan mewn po'n.

Ffona nain nain nain wedes i 'tho Dai. Ffona am ambiwlans. Ond ar y foment 'na, agorodd Bruv 'i lyged e a dishgwl arna i drw'r gwa'd a'r *puss* melyn a gwyn. Dim ambiwlans, Shan, gyda braidd dim llais. Dim ffycin ambiwlans. O'dd 'i wyneb e'n borffor a'n goch, yn wa'd ffresh a'n hen wa'd. O'dd rhwbeth amdano fe'n atgoffa fi o fabi pan ma nhw newydd ddod i'r byd. Ma rhaid ti fynd i sbyty, Bruv, wedes i. Falle bod rwbeth siriys yn bod. Ond 'na gyd o'dd e'n cadw gweud o'dd - na, na, na. Well 'da fi farw. Ffycin na, Shan.

Bues i'n yman ac aian am gwd munud beth i neud. Dishgwl ar Bruv yn rolan ar y llawr. Dishgwl ar Dai yn feddw dwll, yn dal ei *mobile phone*. Ac yn y diwedd dechreues i weld. Taw Bruv o'dd yn iawn. O'dd be bynnag o'dd wedi digwydd i Bruv achos bod e a Trevor Small *up to no good*. A bydde mynd â fe i'r sbyty jyst yn neud pethe'n wa'th achos bydde'r moch yn *involved*. Ond 'fyd o'dd Dai yn feddw gaib a'i fan e'n *parked up* ar y *curb*. Cyn pen diwedd fory, bydde pawb mewn *police cell*. O'dd dim dewis 'da fi, o'dd rhaid i Bruv ddod gytre.

Tynnodd Dai Bruv i gefn y fan a fe'n sgradan mewn po'n. O'dd e fel *dead weight*, Mami, a Dai yn pwffd i gyd. Yn gefn 'yn feddwl o'n i'n becso bod e'n gwaedu ar y tu fiwn fel o'dd e'n gwaedu ar y tu fas. Ond o'dd rhaid fi jyst anghofio am 'na, *and hope for the very best*.

Erbyn i ni gyrradd 'nôl lan i Park Hall o'dd y lleuad mas yn llawn ac yn wyn ac yn sheini i gyd. A gwa'd Bruv yn sheino'n goch yn y gole. Os welodd rhieni Kye ni'n dod mewn i'r tŷ, nathon nhw gwd job o gwato fe. Ond 'na ni, ma nhw 'di neud *career* o gwato pethe gyda jobyn Kye. O'dd Dai yn sobrach 'to erbyn i ni gyrradd y tŷ a lwyddodd e i gario Bruv lan y steire mewn un *clean sweep*.

Unweth o'dd Bruv yn y gwely, rwtes i dŵr a halen i'w friwie fe, rhoi cwpwl o'n dablets iddo fe a gadel fe i drial cisgi. O'dd e i weld yn dawelach erbyn i fi bennu.

A 'na le ma fe nawr, Mami. Yn 'i wely. Ei lyged e ar gau ac yn *puffed* lan i gyd fel dou bêl-droed.

Y peth pwysig yw bod e gytre, Mami, a bod e'n saff 'da fi. A pan ddaw Stewy 'nôl bore fory, gaf fi fe i fynd lawr i Furnace House i nôl rhagor o blastyrs a drygs.

Pasodd Dai mas ar y soffa 'fyd. A pan ddeffrodd e hanner awr yn ôl, o'dd e ddim yn cofio bod e wedi dreifo lawr i Towy Works! Wherthes i. A gwenu. A gweud diolch. Achos wy'n gwbod taw fel'na byddet ti wedi ymateb, nage fe, Mami? Yn raslon i gyd, fel o'dd Carrie-Anne drws nesa ond un yn arfer gweud. Erbyn i fi ddod â dished o de iddo fe o'dd e wedi cwmpo 'nôl i gisgi. Sdim calon 'da fi ddeffro fe 'to nawr.

Well i fi gisgi nawr 'fyd, Mami. Ma'n lyged i jyst â cued ar ben 'u hunen a ma'r houl yn dechre dod lan a'r adar yn dechre canu. Ma sŵn adar ar doriad y wawr yn ffyni, nagyw e? Ma nhw fel 'sen nhw'n ecseited i weld bo nhw wedi syrfaifo noson arall. Yn gwmws fel Bruv, Mami. Ac yn gwmws fel ni gyd.

Nos da / bore da,

Shan X

*

**E-gofnod o gyfnod y Rhyfel Rhithiol (2022–25)**
**E-bost gan Judith Yang (mam Brynach a Rhuon) at ei chwaer Susan**

Falle bo fi off 'y mhen ond wy'n gweud wrth 'yn hunan 'i fod e'n dal 'na. Yn y gwersyll. Yn pallu byta, ond yn dal i anadlu. Ac yn dal i feddwl am y plant, ac amdana i. Ma 'ngŵr i dal 'ma.

Pan weles i fe am y tro dwetha o'dd e mor dene â sguthan, Susan, allen i fod wedi ei gario fe'n hunan. O'dd e'n gorwedd ar 'i wely, yn gweud dim. Wên nhw wedi ffono fi y bore 'ny. Gweud bod hawl 'da fi weld e. Ac o'n i'n gwbod yn gwmws be o'dd 'na'n meddwl.

Wrth sefyll 'na, yn dishgwl arno fe, wên i'n 'i gasáu e. Yn 'i gasáu e am fod mor stwbwrn ac am beido roid mewn a dod gydre. Ac ro'n i'n 'i garu fe 'fyd. Yn fwy na 'nes i erio'd, achos be o'dd e'n neud. Ond o'dd 'i olwg e, Susan… Gweud y gwir, wy'n mynd i drial anghofio. Wy'n mynd i'w gofio fe fel o'dd e. Pan o'dd e'n fe ei hunan. Yn sorto ordors yn y swyddfa.

Yn ystod y deg muned ola o'n i 'da fe, ddales i ei law e. Siarad yn dawel. Gweud wrtho fe am Rhuon a Brynach. Shwt o'n nhw. Bo nhw'n tyddu, a bo nhw'n grwts mor ffein. Brynach â'i fryd ar fod yn *chef* a Rhuon yn dala i feddwl taw pêl-dro'd yw'r peth pwysica ar y ddaear. A gorweddodd e 'na, 'da'i lyged ar gau, yn anadlu a grondo ar y storis.

Ma rhaid bo fi mewn 'na am hanner awr i gyd. Fi a fe a'r ddou fachan o'r heddlu. Beth o'n nhw'n dishgwl fydden i'n neud wy ddim yn gwbod. Ond o'n nhw'n mynnu sefyll 'na. Fel delwe. Yn dishgwl.

Es i'n syth i gasglu'r bois o'r ysgol ar ôl cyrredd gytre. Acto fel 'se dim byd yn bod. Ond o fewn yr awr, wrth bo fi'n gweitho te, a nhw'n dou yn y parlwr yn whare cwato, o'n nhw wedi dod. I weud bod e wedi mynd. Hanner awr ar ôl i fi adel y gwersyll. Fel 'se'r cloc 'di stopo.

Da'th Gwawr draw, ar ôl gweld y fan. Roi te i'r bois a roid nhw yn y gwely. Sai'n gwbod le es i yn ystod yr orie 'na. Alla i byth â gweud 'tho ti. Ond dda'th Gwawr i ishte gyda fi yn y parlwr yn diwedd a rhoi dished o de i fi o'dd mor felys allen i fod wedi hwdu fe dros y carpet.

Wedon ni ddim yn blwmp ac yn bla'n wrth y bois y noson 'ny. Ond o'n i'n galler gweld bod Brynach a Rhuon yn deall rhwbeth wrth iddyn nhw fynd lan stâr. Ni'n nabod sŵn lo's yn tŷ ni.

Bore 'ma, amser brecwast, ar ôl i Brynach bennu'i dost ac i Rhuon fyta'i wy, wedes i. Bod Dad wedi mynd nawr. Bod e 'nôl gyda Duw. Nath Rhuon redeg o'r ford yn dal ei lwy. Wynno fe moyn fi weld e'n llefen. Jyst ishteddodd Brynach 'na. Dim dagre na dim. Jyst staran. 'I lyged tywyll, a'i wallt du. 'I gro'n melfed. Popeth yn stond fel 'se fe 'di'i neud o garreg. Bachgen bach chwech o'd yn ganol byd oer oedolion. Dries i ddarllen 'i wyneb e. Deall beth o'dd e'n 'i dimlo. Ond ffaeles i. Ffaeles i weld yn gwmws be o'dd yn mynd mlân. O'dd e'n dishgwl i fi weud rhwbeth? O'dd e am i fi siarad 'da fe? Neu a fydde 'na yn neud pethe'n wa'th? Ar ôl muned neu ddwy, gododd e lan o'r ford a mynd i nôl 'i fag. A 'na fel fuodd hi.

Ma Li fi wedi mynd, Susan. Yr un dyn fydde wedi galler 'y nghario i drw hyn i gyd. Ma fe, wedi mynd. Wedi aberthu ei hunan. Ac i beth?

Ma'r ysgol 'di trefnu bod rhyw ddyn yn dod i dynnu llunie 'da'r bois wthnos nesa. Rhyw fath o gwnselydd galar i helpu nhw weitho pethe mas. A be amdana i, Susan? Shwt ydw i fod i weitho'r cyfan mas? Ma llai o glem 'da fi na'r plant, ond sneb i ddishgwl ar 'yn ôl i. Dim hyd yn o'd 'yn hunan.

J x

*

Gan shan712@gmail.com

At Mami@gmail.com

Ma pethe 'di setlo 'ma ers ifi sharad 'da ti dwetha, Mami. Er bod Bruv dal yn gwely ma'i gwte fe'n gwella a ma fe'n cisgi'r nos nawr. Gweud 'ny, ma fe dal yn acto bach yn od. Falle achos bod e 'di ca'l bach o sioc i weld Stewy 'ma. Fi'n credu o'dd e'n meddwl bod e'n hallucinato i ddachre.

Y *news* mawr yw bod Trevor Small wedi ca'l ei aresto dros y penwthnos. *Apparently*, o'dd *car chase* masif lawr yn y Mumbles.

Wedodd Stewy o'dd e'n gwbod am hyn cyn gweld e yn y papur ond so ni wedi gweud wrth Mr Sailynt lan stâr achos sdim pwynt, 'to.

Tra ma Bruv wedi troi mor dawel â *monk* ma Stewy *on the other hand* yn bownso rownd y lle fel fferet. Ers y wicend, mae e'n cadw swsan fi a gweud bod e'n *free agent* (sy'n neud sens nawr bo fi'n deall bod Trevor Small wedi ca'l ei aresto). Gweud y gwir, mae e ar gyment o *high* mae e'n *annoying*. Ar hast gwyllt i ddachre'r busnes 'nôl lan, a finne'n trial gweud 'tho fe *calm down*. Ond yn ôl fe, pan ma *gap* yn y farchnad *you got to get in there quick*. O'n i ofon tamed bach pan wedodd e 'na i ddachre. Meddwl bod e moyn cymryd y *brothels* drosto. Na, na, Shan, wedodd Stewy streit awei. Jyst gwerthu *weed* a *skunk* a *coke* wy moyn. O'dd busnes fel'na 'da Trevor 'fyd.

Wrth bo ni'n byta brecwast bore 'ma nath e ofyn ifi gadw *books* y busnes iddo fe. Gweud bo 'da fi brêns of Brityn a bod e'n hen bryd i fi ddachre sylweddoli 'na. O'dd Stewy ddim yn folon cymryd *no for an answer*, wedyn ar ôl brecwast es i i bipo ar y laptop i weld shwt i neud *spreadsheets*.

Wy ddim yn dwp, Mami, fel ti'n gwbod, a wy yn lico maths. Ond gweud 'ny, sai'n siŵr os taw fi yw'r person iawn i neud holl *accounts* Stewy chwaiff. Os af fi'n styc, falle 'na i ddalu am *e-boyfriend* i helpu fi 'da cwestiyne anodd. Ody 'na yn meddwl bo fi'n tw teimo wedyn? Os wy'n talu am Bot ac yn gweld Stewy 'fyd? *Modern day problems*, nagefe, Mami?

Alla i byth â gweud shwt deimlad o'dd iwso'n frên i 'to ar y *spreadsheets*. O'dd e fel 'se'r *cogs* yn troi a'r *juices* yn fflowo a bod safio *documents* mewn *folders* fel *lease of life*. Gweud y gwir, sai 'di timlo'r timlad 'na ddar neud *exams* ysgol yn y lownj gyda'r tiwtor yn monitro fi a ti yn cwato yn y gegin yn trial peido neud sŵn.

Nawr cyn iti weud unrhyw beth, Mami, wy'n gwbod bod y busnes drygs 'ma'n galler bod yn frwnt a'n ddanjerus ond ma fe'n *chance* i ennill arian, nagyw e, a ca'l byw y bywyd licen i fyw.

Weithe, pan wy'n ishte 'da Stewy yn agos, wy'n credu bod fi'n timlo trw lyf. Yfe fel hyn o't ti'n timlo 'da Dadi, Mami? Yn saff i gyd? Yn dwym? Ma Stewy'n gweud bod e'n mynd i ddishgwl ar ôl fi a Bruv nawr. Fel tad. Am byth. A galla i dim ond diolch i Dduw bod e isie bod obytu.

Wy'n gwbod bod pethe'n bell o fod yn berffeth, Mami, gyda Bruv yn sownd yn y gwely, yn acto fel 'se fe 'di llyncu'i dafod. Ond wy'n dal yn timlo'n positif am y ffiwtshyr. Achos ma Stewy wedi gweud bod e'n mynd i helpu ni nawr, nagyw e, Mami? A wy'n gwbod neith e 'fyd.

Neithwr, achos bod e mewn gyment o gwd mŵd, a'th Stewy lan stâr i ga'l sbliff gyda Bruv. Wy'n gwbod bydde Bruv wedi bod yn hapus iawn gyda 'na achos weithe ma fe'n dishgwl mor wyn a paranoid a desbryt am tamed bach *of the green stuff* fi'n credu alle fe dagu rywun. Wedyn *sure enough*, fel o'n i wedi gobeitho, glŵes i nhw'n wherthin ar ôl tamed bach. Wel, clŵed Stewy'n wherthin ta beth. A *next thing* wedyn, o'n i'n gweld strips o niwl gwyrdd yn neud 'i ffordd lawr y stâr fel nadrodd. A'r hen ddrewdod yn dod yn gwmni i'r nadrodd 'fyd. O'dd y drewdod mor gryf o'n i'n timlo'n *high as a kite* yn hunan, Mami. *Skunked out* ar y soffa.

O'n i arfer casáu smel *skunk* a *weed*, nago'n i? Ond gweud y gwir yn onest sai'n meindo fe ragor. Achos y smel 'na yw smel teulu fi nawr. A ma fe'n meddwl bod bywyd 'ma. A storis.

Wy isie gweud 'tho ti 'fyd... Gafon ni *breakthrough* bach heno. Wy'n gwbod byddi di'n hapus pan 'nei di glywed... Da'th Bruv lawr stâr i ga'l swper 'da fi a Stewy! *Happy face! Happy face! Happy face!* Syniad fi a Stewy o'dd e, ond nath Bruv ddim gwrthod chwaith. *So we went for it.* Iwson ni *stairlift* fi i ga'l e lawr, t'wel. Wedyn rhwng y gader olwyn, y tablets a'r lifft ma *disabilities* fi wedi dod mewn yn handi iawn yn ddweddar. T'wel, ma'r tŷ yn *kitted out for all* efenshiwalitis os ti'n meddwl amdano fe, Mami. Ac os yw drygs fi ddim yn ca'l gwared ar y bo'n, ma wastod *skunk* Stewy i ga'l. Ma fe fel *hospital* bach jyst i ni!

Pan whîlodd Stewy Bruv at y ford yn barod i fyta o'dd e'n dishgwl fel babi bach. A mewn ffordd od o'dd e'n timlo fel bod babi 'da fi pan o'n i'n liquidizo'r *chips* 'fyd. Sdim byd yn bod 'da'i geg e, Mami, paid â becso. Ond ma fe 'di colli lot o ddannedd yn y ffeit a gymrith e sbel i ni sorto popeth mas.

Ta beth, tra o'dd Stewy'n tyco mewn bwydes i Bruv. *Chips*, wy a pys o'dd 'da ni a o'dd e'n dishgwl yn *delish*. Wel, be o'dd 'da fi a Stewy ta beth. Sai'n credu o'dd Bruv yn lico bo fi'n gorfod bwydo fe, ond wedyn o'dd dim lot o ddewis 'da fe chwaith os o'dd e isie byta. O leia o'dd ei fwyd e'n dal yn dwym. Erbyn i fi fyta, o'dd popeth 'di mynd yn o'r ac yn galed.

Ar ôl fe fyta, ishteddodd Bruv 'na'n dawel. Grondo ar Stewy yn mynd mlân am hyn a'r llall ac yn wherthin ar ei jôcs ei hunan. Sai'n siŵr os yw Bruv *still* yn siŵr iawn am Stewy. Neu falle bod e jyst ddim yn iwsd i'r ffact bod Stewy yn tŷ ni *full time*. Jyst timlad yn y bola sy 'da fi, 'na i gyd. Ta beth, fi'n siŵr deith e i lico fe yn diwedd. Fi'n cofio ti'n gweud o'r bla'n bod e 'di cymryd tair blynedd i Bruv ddod yn iwsd i ga'l fi o gwmpas pan des i mas i'r byd. A shgwla arno fe nawr. Bydde fe ar goll hebdda i!

Heno ma fe 'nôl yn y gwely achos ma fe'n nacyrd ar ôl ei *outing* lawr stâr. Ond wy'n gobeitho ryw ddydd bydd e 'nôl i normal. Neu o leia mor normal ag o'dd e'n arfer bod.

Well i fi weud *so long* nawr, Mami. Ma fe bron yn midnait a ma dal lot o waith 'da fi neud ar yr *accounts*. Ma Stewy moyn *spreadsheet* yn barod erbyn y bore iddo fe ga'l sorto mas faint o *skunk* i roi i bawb dîlo rownd dre. Wy wedi neud popeth yn barod yfe, ond wy isie dybl tsieco bo fi wedi neud popeth yn iawn. Wy yn credu mewn neud jobyn yn reit, fel ti'n gwbod. Achos *otherwise*, beth yw point neud e o gwbwl?

Shani X

**Gwanwyn 2057**

**Neges gan Edith@poboliaeth.cymru**
**At Cet@poboliaeth.cymru**
Cêt,
Galli di trefnu bod cynrychiolaeth o Poboliaeth Caerfyrddin yn dod i y Buarth dros y pythefnos nesaf os gwelwch? Mae angen cyfarfod strategaeth arall. Sut mae y gwaith addysgu gwleidyddol yn mynd? Siŵr bod yn help bod chi yn merch o'r tref.

**Neges gan Cet@poboliaeth.cymru**
**At Edith@poboliaeth.cymru**
Ie, fe drefna i hynny, dim problem. Oes rhaid i bawb fod yn aelodau?
    Ydy, mynd yn dda. Ry'n ni'n dilyn y modiwl am ddadgoloneiddio ar hyn o bryd. Mae Barcelona yn cynnal e-seminarau ac mae sawl un o'r merched ifanc yn ffansïo Ralph!

**Neges gan Edith@poboliaeth.cymru**
**At Cet@poboliaeth.cymru**
Wrth gwrs ei bod. Mae e yn *Skype-o-genic* iawn. Efallai dweud wrthyn nhw y gwir am ei personoliaeth ar ôl pedwar vodca?
    Dim ond aelodau ar y pwynt yma, os gwelwch. Diolch.

*

**Adroddiad Dr Eurgain Simmons**
**Claf – Brynach Yang**
Mae Mr Yang wedi derbyn triniaeth ddwys ers bron i ddeg mis ar ward breifat y Buarth. Fel rhan o'r driniaeth, derbyniodd gyfuniad o therapi siarad gen i, y Seicolegydd Dr Eurgain Simmons, tabledi wedi eu dogni gan

y Seiciatrydd Dr Elamin, yn ogystal â therapi ymarfer a meddylgarwch gan nyrsys yr adran.

Barnwn ar y cyd y byddai'n llesol i Brynach Yang ymwneud yn llawn yn awr gyda gweddill cymdeithas Poboliaeth ar y Buarth a chyfrannu'n adeiladol at drefniadau'r mudiad. Mae Mr Yang yn gwbwl ymwybodol o nod y mudiad a chynllun penodol Gwales.

Yn ei gyfarfod olaf gyda mi, dywedodd Mr Yang ei fod yn teimlo iddo gael cyfle i ddod i delerau â sawl agwedd o'i orffennol dros y misoedd diwethaf. Rwy'n hyderus felly, o barhau â'i ymarferion meddylgarwch, a pharhau i gymryd y tabledi presgripsiwn, fod Mr Yang mewn sefyllfa i ailafael yn ei fywyd mewn modd annibynnol a iachus.

Amgaeaf drawsgrifiad o un o'r cyfweliadau therapi siarad lle dechreuodd y claf drafod sut mae e'n bwriadu byw gyda'i gyflwr yn y dyfodol.

*

### E-gofnod o gyfnod y Rhyfel Rhithiol (2022–25)
### E-bost gan Judith Yang (mam Brynach a Rhuon) at ei chwaer Susan
O'n i mor falch o dderbyn dy neges di bore 'ma, Sue. Ma'r wthnos ddwetha 'di bod yn galed y diawl. Ma hyd yn o'd y bobol fuodd yn ffein wrtha i ar ôl yr angladd yn cysylltu llai nawr. Nage achos syno nhw'n becso, ond achos taw 'na beth sy'n bownd o ddigwydd yn diwedd, ondyfe? Wy 'di neud e'n hunan dros y blinidde. Ti'n slipo 'nôl i dy fywyd dy hunan achos so ti'n gwbod beth arall alli di neud. Yn enwedig os nag'yt ti'n nabod rhywun yn dda iawn. Wrth gwrs, ma Gwawr yn galw. Ond ma hi fel gweld 'yn wyneb 'yn hunan 'di mynd.

Alla i byth â help ond dala dig yn erbyn rhai pobol. Pobol ddyle fod wedi dod i'r angladd. A phobol fel Jac Watkins roddodd wad i Li yn y Lamb yr holl fishodd 'na 'nôl. Weithe, wy'n meddwl tase Li heb ffeito 'da Jac bydde fe ddim 'di styfnigo a gwrthod tyngu llw fel nath e. Ma fe fel 'se'r holl bethe ddigwyddodd yn y cyfnod 'na wedi arwen at 'i benderfyniad e.

Ond nage ar neb arall ma'r bai chwaith, yfe, Sue? Achos fi fynnodd fod Li yn dod i'r twll lle 'ma i fyw ar ôl inni briodi. Fi addawodd y bydde byw yng nghefen gwlad yn cynnig bywyd braf i ni fel teulu. A shgwl shwt weithodd pethe mas. Tasen ni yn G'rdydd falle bydde mwy o gefnogeth i ni. Bydde'i deulu fe obytu. A'r gymuned Tsieinïedd. Nage bo fi ddim yn ddiolchgar i ti, yfe.

198

Ma fe'n dishgwl fel 'se rhai o'r lleill sydd ar streic newyn mewn cyflwr sefydlog. Nage bydden i moyn iddyn nhw golli'r frwydr hefyd. Wrth gwrs ddim. Ond ma fe'n ergyd i'n tylwth ni 'fyd, on'd yw e? Ti byth yn gwbod, Sue, falle baran nhw tan ddiwedd y rhyfel. Falle gewn nhw gisgi 'nôl yn eu gwlâu, 'da'u partneried. Ac os cewn nhw? Bydd neb yn hapusach, nac yn dristach, na fi.

Judith x

*

Gan shan712@gmail.com
At Mami@gmail.com
Mami,

Buodd rycshyns yn tŷ ni ddo, a o'dd e i gyd achos tun o *baked beans*. 'Na i dorri stori hir yn fyr i ti ond y pwynt o'dd bod Stewy a fi wedi bod mas o'r tŷ achos o'n i wedi gorfod mynd lawr y syrjeri i ga'l *review* am drygs fi. Ta beth, pan gyrhaeddon ni 'nôl, ffindon ni bod Bruv wedi dod lawr stâr ar ben 'i hunan a bod e yn y gegin! O'dd e'n *relief* i weld e mas o'r gwely achos ma fe 'di bod drw'r gaea fel *plank of wood*, nagyw e? Ond ddoe o'dd e 'di iwso'r *stairlift* a cader fi, i gyd wrth 'i hunan bach.

Ta beth, wrth inni gyrraedd o'dd e yn ganol trial agor tun o bîns yn y gegin ond achos bod un o'i ddwylo fe dal yn cripld o'dd e ffaelu neud e. O'n i'n gachler gweld wrth ei wyneb e mor *frustrated* o'dd e.

Achos bod Stewy'n galler gweld be o'dd y broblem 'fyd, a'th e streit lan ato Bruv a gweud - gad fi helpu ti 'da hwnna, shgwl. Ond am pwy bynnag reswm, nath Bruv jyst pwsho Stewy bant. 'Na i neud e'n hunan, *fuck off*, wedodd e. So safodd Stewy tu ôl iddo fe a dishgwl arno fe'n trial.

Ond Mami, wrth bod llgade pawb ar Bruv, o'dd agor y tun yn mynd yn mwy o *impossible task*. Ei law e'n cadw slipo a'r tun yn cadw cwmpo ar y top. Unweth 'to wedyn, nath Stewy stepo mewn. *Mate, c'mon mun*, bydda i *two seconds*... Ond 'na pryd nath Bruv fflipo a dal y *tin opener* lan at wyneb Stewy fel bod e wedi colli ei farbls.

Bai ti yw bo fi fel hyn, *you fucking wanker*, o'dd e'n cadw gweud yn dawel. Bai ti. Ti nath e. *Cool head* nawr, *cool head* nawr, o'dd Stewy'n gweud. Ond o'n i'n galler gweld bod geire Stewy'n neud Bruv yn *hundred times* wa'th.

Erbyn hyn o'n i'n sharad 'fyd. Yn gweud 'tho Bruv i cwlo lawr ac yn gweud 'tho Stewy i ddod o'r gegin. *Next thing* nath Bruv afel yn y tun o bîns a dishgwl fel 'se fe'n mynd i dowlu fe'n strêt at wyneb Stewy.

Bruv! gwaeddes i, a trial whîlo'n gader i draw ato fe. A 'na pryd daflodd e'r tun. Dycodd Stewy a gwaeddes i a bwrodd y tun y wal tu ôl i Stewy yn galed, fel bom. A'th bîns i bob man. Dros y wal gwyn i gyd. A'r *sauce* oren yn dripan dros y carpet. *You fucking fool*, wedodd Stewy wedyn. Yn ffaelu help ei hunan. *Fuck you, you piece of shit*, poerodd Bruv yn lot rhy agos i'w wyneb e a landodd bach o sbit ar *lips* Stewy. Ond erbyn hyn, o'dd dim ffeit ar ôl yn neb.

Wedodd neb ddim byd am weddill y nos ar ôl 'ny, Mami, a gathodd Bruv ddim swper na cynnig chwaith.

Shan x

*

Gwilym,

Hoffwn gyhoeddi unwaith yn rhagor mai camargraff gwaradwyddus yw'r syniad ei bod hi'n werth cael plant. Yn ddi-os, dyma'r peth gwaethaf wnes i erioed. Dwi ddim am i ti gamddeall. Rwy'n caru'r ddwy ar fy ngwaethaf ond dydy hynny ddim yn meddwl fy mod i'n eu hoffi nhw, Gwilym. Maen nhw'n faen melin am fy ngwddf i a Margo ers cyn iddyn nhw gyrraedd y byd, ac ers iddynt gyrraedd dwi'n gwbwl anfodlon gyda'r penderfyniadau mae'r ddwy wedi eu gwneud.

Wrth gwrs, dwi'n gweld yr eironi. Roedd fy rhieni'n teimlo'n gwmws yr un peth amdana i'n aros yng Nghaerfyrddin. Roedden nhw'n gobeithio, oherwydd i mi gael fy ngeni yn fab i ddiplomydd yn Sierra Leone, y byddwn innau yn fy nhro yn mynd ymlaen i… redeg y byd siŵr o fod! Iddyn nhw, roedd bod yn feddyg teulu yn golygu fy mod mewn perygl mawr o dangyflawni. Os dewis bod yn ddoctor (wrth gwrs, roedd yn broffesiwn anrhydeddus yn eu tyb hwy), pam felly peidio ymlafnio'n galed er mwyn bod yn *consultant* neu'n llawfeddyg *maxillofacial* neu'n brif *honcho* ar ryw ysbyty arbenigol yn ochrau Caerdydd, neu well byth – Llundain. Roedd fy rhieni i'n rhai difyr. Eisiau i'r hen wlad hon gael ei rhyddid ac eto'n parhau i lygadu Llundain a Rhydychen fel mannau gogoneddus, aruchel. Prydeinwyr oeddynt yn y bôn, ond rhai oedd yn gwisgo cot o groen dafad ar ben y cyfan. Eisiau'r gorau oedden nhw, dwi'n siŵr. Peth cas yw tynnu ar bobol dda sydd bellach yn eu bedd (amlosgwyd fy nhad ond yr un yw byrdwn fy mhwynt, wrth reswm).

Beth bynnag am hynny, rwy'n cysylltu'n benodol i adael i ti wybod bod yna newyddion trist (a rhagweladwy) i'w hadrodd am Elen. Ar un cyfnod gallesid bod wedi ystyried y penderfyniad yn un lled gall ond o'i wneud yn awr mae hi'n llwyddo i adael llanast nid ansylweddol ar ei hôl. Mae hi wedi gadael y ffŵl gwirion o Ffrancwr hwnnw, Gwilym. Yr un ddefnyddiodd ei bwerau lledrithiol i'w hudo ato. Bruno Bernard y bwbach.

Wrth gwrs, y gachfa fawr yw bod ganddi ddau o blant ac mai fe yw'r tad. Na, fyddwn i ddim yn newid y ffaith fod gen i wyrion am y byd ac eto, mae Elen wedi gwneud mochfa o bethau unwaith eto, yn tydy? Wedi dychwelyd i Gaerdydd ers wythnos yn y gobaith y down ni i lawr yno i fyw ymhen rhai misoedd er mwyn ysgwyddo baich y gwarchod.

Ond mae hi dair blynedd o leiaf yn rhy hwyr, Gwilym! Ers i ni fflyrtio gyda'r syniad o symud mae prisiau tai wedi codi, a'r gwahaniaeth rhwng gwerth tŷ yng Nghaerdydd a Chaerfyrddin wedi cynyddu hefyd. Ond yn fwy na hynny, ac mae'n rhaid i mi fwrw fy mol, gyfaill, mae 'na damed ohona i a Margo sydd wedi (a) styfnigo a (b) blino ar y syniad o orfod codi pac ac ail-leoli yn y brifddinas. Dros amser, mae'r iorwg wedi tyfu dros ein traed yng Nghaerfyrddin a gallaf ddweud wrthyt yn ddigamsyniol bod y dyhead parod i wasanaethu ein hannwyl blant wedi pylu'n sylweddol hefyd.

Mae'r ffaith fod Cêt adref (ers misoedd lawer) wedi lliwio'n barn yn ddi-os. Mae'r ferch yn ddi-wardd. Yn cyrraedd 'nôl gyda'r nosau, yn sglaffio'r swper mae Margo hoff wedi ei baratoi i'r teulu ac yna'n dianc i'w hystafell am y nos i 'ddarllen' neu 'anfon negeseuon e-bost'.

Ti'n cofio i mi sôn ei bod hi a'r Pwyll yma wedi ymadael rai misoedd yn ôl a 'mod i ar ben fy nigon? Wel erbyn hyn mae'r gwron wedi gadael Poboliaeth hyd yn oed a does dim Cymraeg rhwng y ddau. Pan holais yn betrus a oedd Pwyll wedi mentro yn ôl i fyd y cyffuriau caled fe wnaeth hi hisian arna i fel cath sydd mewn cornel. Mae'n debyg mai dyna fu'r hanes felly. O diar.

O Gwilym, mae Cêt yn gymeriad! Hi a'i syniadau am sut i newid y byd! Pryd ddaw hi i ddeall na fedrith neb newid y lle 'ma? Mae'r Seioniaid yn credu'n ddigamsyniol mai nhw ddylai fod yn Israel ac mae'r rhelyw o Fwslemiaid yn sicr mai nhw ddylai fod yno ac mai Palesteina yw enw'r lle. Sut fedri di ddechrau meddwl bod yna atebion a fyddai wrth fodd pawb? Oblegid mae pawb yn meddwl mai gyda nhw mae'r ateb cywir!

O'r eiliad ry'n ni'n cael ein geni ry'n ni'n cael ein bwydo ar wirioneddau penodol ac absoliwt. Fe elli di newid llwyth o bethau am berson ond elli di byth newid y pethau sylfaenol hyn. Y gwirioneddau mawr, sydd fel petaent wedi eu geni ynom (y gwir wrth gwrs yw ein bod wedi ein cyflyru a'n bod wedi ein geni'n bur… ysywaeth…).

Yn ddiweddar fe borthais wrth Cêt y dylai hi roi'r gorau i'r ymgyrchu plentynnaidd yma ac ymuno gyda'r blaid genedlaethol. Dod yn wleidydd er mwyn rhoi diwedd ar yr anghyfiawnderau mawr. Wyddost ti iddi chwerthin? Mae democratiaeth wedi marw, Dad, oedd ei geiriau doeth. O Cêt Huw. Pam roddais iti fy enw'n gyfenw ar dy hurtwch, dwed?

Felly fel y gweli wrth fy e-bost, Gwil hoff, mae'r ddwy wrthi'n ein blino ni'n arw ac fel petaent wedi ein gwneud yn fwy penderfynol nag erioed i fyw ein bywydau ni'n hunain. Bendith fawr yw'r ffaith fy mod i a Margo yn gweld lygad yn llygad am hyn wrth gwrs. Fe allasen ni'n hawdd fod mewn sefyllfa lle y buasai un yn fwy awyddus na'r llall i gowtowio i ddyheadau Elen a derbyn ffwlbri Cêt.

Ai hunanoldeb yw hyn, Gwilym? Ynteu henaint? Efallai mai cyfuniad – henanoldeb? O, yn tydw i'n gês?!

Wyddost ti, Gwilym, mae'n falm i'r enaid cael taro neges atat oblegid rwyt yn fy atgoffa o bwy ydw i. Erbyn i ti gyrraedd rhyw oedran rwyt ti'n dechrau colli nabod arnat ti dy hunan, gan droi yn hytrach yn sawl fersiwn o'r hyn mae pobol eraill yn meddwl wyt ti. Doctor Huw i sawl un yn dal i fod, a da hynny. Ond tad hefyd. Tad i Cêt a thad i Elen. Hen gonyn ym marn y ddwy, mae'n siŵr. Hen ddiawl blin sydd am iddyn nhw sefyll ar eu traed eu hunain. Ceidwad fyddwn i'n hoffi meddwl ydw i. Ceidwad y gwerthoedd a'r synnwyr cyffredin.

Bid a fo am hynny. Pryd wyt ti a Barry yn mynd i ymweld â ni nesaf? Byddai'n braf iawn cael taflu Cêt o'r tŷ am benwythnos a'ch gwahodd chi draw am benwythnos o ymgolli yn ein hoff bynciau. Dwi'n siŵr fod cant a mil o straeon gen ti nawr dy fod ti'n Ustus Heddwch (ry'n ni fel y banc fel yr wyt ti'n gwybod). A phe baech chi'n llwyddo i ddod, byddai modd i Margo adrodd hanes ei thaith ddiweddar i'r Camp Ioga Cenedlaethol yn Sir Benfro. Mae ganddi gant a mil o straeon hurt o ddoniol am bobol oedd yn gwmni iddi am benwythnos cyfan! Fe fyddi di ar dy liniau, Gwilym! Mae'n debyg fod un gŵr yn glanhau ei hun yn ei iwrea a hefyd yn ei yfed! Ffordd wych o fod yn hunangynhaliol, mae'n debyg. Ffordd wych o ddrewi a cholli ffrindiau, yn fy marn ddiffuant fy hun.

Cofia roi gwybod am y moch newydd, y gwalch! Ydy'r arbrawf yn llwyddiannus hyd yma? A beth felly am hanes y *chorizo*? Anfon bwt o neges, os gweli di fod yn dda – dwi'n boddi mewn môr o fenywdod digyfeiriad ac yn sychedu am ychydig o destosteron! Well imi fynd. Mae gwynt cino dydd Sul yn llenwi'r stydi a chig oen Cymreig sydd ar y fwydlen heddiw (cynilwyd y ceiniogau, alla i ddweud 'tho ti!). Diolch byth am fenywod call fel Margo Huw. Nhw sy'n achub cam y gweddill.

Huw

*

**E-gofnod o gyfnod y Rhyfel Rhithiol (2022–25)**
**E-bost gan Judith Yang (mam Brynach a Rhuon) at ei chwaer Susan**
Annwyl Susan,
Ma pethe 'di mynd o ddrwg i wa'th 'da Brynach dros y dyddie dwetha. Ti'n cofio fi'n sôn ambytu fe'n thympo crwtyn yn 'i ddosbarth e, wthnos ar ôl yr angladd? Wel, ma straeon fel'na 'di dod yn gyffredin yn tŷ ni 'to. Fel 'se fe miwn a mas o ffeits bob yn ail ddyrnod. Llygad ddu. Gwefus dew. Rhwyg yn ei drowsus. I weud y gwir yn onest 'tho ti, wy 'di colli cownt.

A wedyn neithwr, a'th pethe'n wa'th 'to. Digwydd mynd miwn i'w stafell wely fe 'nes i, i weld a wedd e'n cisgi. A 'na le ffindes i fe'n ishte lan a gole'r lamp ynghyn. Gorffes i ddishgwl ddwyweth cyn sylweddoli bod e'n byta rwbeth. Be ti'n byta, bach, holes i a dishgwl arno fe'n od. A 'na pryd weles i beth o'dd e. O'dd e'n byta sialc. Pam ti'n neud 'na, wedes i'n siarp i gyd cyn tynnu'r stwff mas o'i ddwylo fe'n ryff y diawl. A'th e i lefen wedyn. Cropian ar hyd y gwely i gwato o dan y flanced. O'dd 'yn feddwl i'n raso'n ofnadw, Sue. 'Yn galon i'n pwmpo. A darne o'r sialc 'ma yn bobman dros y dillad gwely. Allen i fod wedi'i shiglo fe! Wel, wynnon i'n gwbod faint o'r dam stwff 'ma o'dd e wedi byta, o'n i!

Rwyges i'r flanced oddi amdano fe a fynte'n llefen a cico. Be ti'n neud ychan, grwt?! Ond atebodd e ddim. Dim ond cican a sgradan a strancan a gweud 'tho fi i fynd mas. Faint ohonyn nhw ti 'di byta, waeddes i wedyn, gwed 'tho Mam!

Erbyn hyn o'dd Rhuon yn y stafell 'fyd. Newydd ddeffro a ddim yn deall be o'dd yn mynd mlân. Cer di 'nôl i gwely nawr, bach, wedes i, ond o'dd e'n pallu'n deg â mynd. Wedyn o'dd ddim dewis 'da fi ond cario mlân i siarad 'da Brynach o'i fla'n e. Faint o sialc ti 'di byta, Brynach? Ma rhaid i Mami wbod. Ond o'dd e'n dal yn pallu siarad. Ei wyneb e'n goch erbyn hyn a'i liged e'n pallu dishgwl arna i. Dishgwl ar dy fam, wedes i fel'na wedyn, yn gryf ac yn gas. Ond nele fe ddim. Beth yffarn sy'n bod arnat ti, grwt? Dishgwl ar dy fam pan ma hi'n siarad 'da ti! A gwed faint o'r ffycin mwc 'ma ti 'di byta!!!

Yn syth wedi 'ny, dalodd e'i law fach e lan a dangos dou neu dri bys. Ma rhaid ni ga'l ti i Glangwili, medde fi wedyn, a'i dynnu fe a Rhuon i'r car yn eu pyjamas. Y ddou ohonyn nhw'n llefen ac yn sniffls ac yn ddryslyd i gyd.

A 'na le o'n i tan bore 'ma, Sue. Yn Glangwili. Yn dishgwl i'r doctoried benderfynu p'run a o'dd e'n iawn i'r crwt ga'l dod gytre neu beido. Nathon nhw ddim pwmpo'i stwmog e, dim ond monitro fe drw'r nos wrth bo Rhuon yn cisgi yn 'yn gwêl i. A wedyn, am chwech o'r gloch y bore wedodd y doctor bod e'n *good to go*. *Good to go*? meddyles i'n hunan. Wynnon i'n gwbod le i ddachre.

Wrth i ni anelu am y maes parcio, a finne'n cario Rhuon, yn cisgi'n sownd, ofynnes i i Brynach beth o'dd y gêm o'dd e'n whare gyda'r sialc. Fydd Mami ddim yn grac 'da ti, ond bod hi'n ca'l clŵed y gwir. A 'na pryd wedodd e'r pedwar gair.

Isie bod yn wyn.

Shgwles i arno fe am eiliad, cyn clywed 'yn hunan yn siarad. Pam ti'n gweud 'na, bach?

Os bydd fi'n wyn bydd neb yn galw fi'n *Chinky* bach melyn yn y dosbarth.

Safes i 'na am eiliad. Trial llyncu'r dagre a'r lo's 'nôl lawr i'n fola i. Dala'n wefuse i rhag crynu. A wedyn, wasges i ar yr allwedd i agor drws y car a gweud dim byd arall amdano fe.

Wrth i fi ddrifo gytre, a'r ddou fach yn cisgi yn bac y car, dimles i bob mathe o bethe yn codi drwydda i. Yn cymysgu 'da'i gilydd i gyd. Wên i'n ypsét, wên. Yn amlwg. Ond wên i mor grac 'fyd. Mor uffernol, uffernol o grac bod y byd 'ma'n pallu derbyn 'yn gryts bach i. Ond bydden i'n gweud celwydd os fydden i'n gweud nad o'n i'n gynddeiriog wrth Brynach 'fyd. Pam na alle fe fod fel Rhuon? Yn llai cymhleth. Yn llai dwys a dwfwn. Ma Rhuon yn gweld isie'i dad 'fyd. Wrth gwrs bod e. A ma pobol yn gweiddi *Chinky* arno fe 'fyd, achos ma fe 'di gweud wrtha i. Ond syno Rhuon yn byta sialc! Mae e fel blagur ar gangen, yn mynnu gwthio mlân.

Le a'th y bachgen bach 'na o'dd yn arfer hudo pobol 'da'i gleber, Sue? Ody fe wedi mynd am byth? Cyn i bopeth ddigwdd i ni, o'dd 'da fi dimlad y bydde Brynach yn newid y byd ryw ddydd. O'dd y ddawn 'na 'da fe. Wy'n gwbod. Ond so fe fel 'se fe'r un boi ragor.

Ma Gwawr yn meddwl ddyle fe fynd i weld rywun. I siarad. Ond nele fe ddim siarad, Sue, wy'n gwbod fel ma fe. Neith e jyst gadel i bopeth bydru tu fiwn a gweud y pethe iawn fel nath e 'da'r therapydd celf.

Wy'n timlo'n euog am weud y pethe 'ma nawr, cofia. Ti'n gwbod bo fi'n 'i garu fe yn gwmws fel wy'n caru Rhuon. Ond licen i weithe tase fe'n fwy abl i ddala wal rhwngto fe a'r byd.

Wyt ti'n cofio'r dyddie pan o'n ni'n dwy yn arfer ca'l 'yn casglu gan Rhys a Mari Pendwyfer a'r pedwar ohonon ni'n mynd i ffair Whitland? Dreifo lan o Sanclêr yng nghar Rhys a'r tywydd yn oer braf? O'n ni'n arfer pipo ar y sêr yn gefn y car, nago'n ni, ti'n cofio? Wyndran pwy fydden ni'n cwrdd â nhw yn y ffair a'n tra'd ni'n sythu yn y bac. Pwy fydden ni'n cusanu tu ôl i'r *waltzers*. Wy'n cofio dod 'nôl unweth gyda darn o bapur o't ti fod i roi o dan dy obennydd er mwyn ffindo mas pwy fydde dy ŵr di. Ac yn y bore o'n i'n meddwl bod G 'na – ti'n cofio? A'r ddwy ohonon ni'n gwbod bod 'na'n meddwl bo fi'n mynd i briodi Garry Thomas!

Le a'th y dyddie 'na, Sue? Wrth gwrs, ma Malcolm yn brawf bod y bywyd 'na wedi digwydd. Malcolm gas dy bysgodyn aur cynta di i ti, nagefe – Snowy! Ond iyffach, Sue, meddylia'r bywyd sy 'di digwydd ddar 'ny. Bywyd cyfan hyll. Wedi parco rhwngton ni a dyddie llencyndod.

J x

*

**Llythyron at Morfudd Yang a gyfansoddwyd gan Brynach Yang mewn gwersyll ger Cwmfelin Mynach, 2057. Ni dderbyniodd y llythyrau.**

Ar ôl yr holl flynydde o redeg oddi wrthot ti… Yn y diwedd, pan o'n i mewn yffach o stad, dim ond gyda ti ro'n i isie bod… Ma Edith 'di cytuno i gysylltu gyda ti. Mae'n mynd i egluro 'mod i'n fyw cyn i ti ga'l y llythyre 'ma. Wy'n sori bo ti'n gorfod cario shwt gyfrinach… Ond wedyn, gobeithio bod cadw hynny yn dy galon yn well na meddwl 'mod i wedi marw.

Sai'n dishgwl ymatebion i'r llythyre. Sai moyn dim byd 'da ti… Ond wy moyn ti wbod be sy 'di bod yn digwydd ifi dros y mishodd dwetha. Ma'n rhaid i ti ddeall… nath y cyfnod ar y ward neud i fi sylweddoli taw ti a Tanwen yw popeth i fi. Ma'n rhaid ti ddeall 'na.

Wy wedi bod yng Nghwmfelin Mynach ers mishodd nawr… I ddechre, dim ond mewn un adeilad o'n i. Fi ac un ferch arall. Yn derbyn gofal arbenigol ar ward. Niamh yw hi. Dim ond bob yn ail bnawn o'n i'n 'i gweld hi, ar ôl gweld Dr Elamin a myfyrio gyda Nyrs Carol.

Un fach yw Niamh… Pum troedfedd pedair modfedd. O'dd hi mor dawel â llygoden eglws pan gwrddes i ddi gynta. Yn pallu dishgwl arna i hyd yn o'd. Wedyn ar ôl cwpwl o wthnose, ddechreuodd hi ymlacio yn 'yn gwmni i… a dechreues i ddeall be o'dd yn mynd mlân tu fiwn iddi. Hi yw'r fenyw drista, ddoniola i fi gyfarfod erioed, Morfudd. Gwallt du fel tar a llyged glas fel teils stafell molchi Lleucu ers talwm. Ti'n cofio rheina? O Sbaen? Glas dwfwn fel inc ysgrifbin.

Yn G'rdydd o'dd Niamh yn byw cyn iddi gyrraedd y Buarth. Ro'dd hi'n fyfyrwraig, yn astudio Anthropoleg yn y brifysgol. Roedd hi hefyd yn aelod gweithgar o un o'r grwpie Rhyddid i Balesteina yn y ddinas. Ond croten o deulu Pabyddol yn Iwerddon yw hi'n wreiddiol a'i thad hi'n siarad Gaeleg. Erbyn heddi ma Niamh yn siarad mwy o Gymrâg na Gaeleg. Ro'dd hi'n ca'l triniaeth ar y ward am iddi geisio lladd ei hunan. Ffrind i Edith ofynnodd a fydde Poboliaeth yn fodlon dishgwl ar ei hôl hi ac fe gytunon nhw.

Mae hanes Niamh yn drist ofnadw. O'dd hi'n caru gyda dyn o Libya o'dd yn gweithio fel cyfieithydd Arabeg yn y Tramshed yn Grangetown. O'dd hi wedi cwrdd ag e drw ddigwyddiade Rhyddid i Balesteina a chwympo dros ei phen a'i chlustie. Chwalodd y berthynas ar ôl ryw flwyddyn ac fe ddo i at y ffeithie 'na yn y man. Ond ma Niamh a fi'n rhannu cyd-ddigwyddiad afiach. Oddi ar bontydd ddewisodd y ddau ohonon ni ddod â'r cyfan i ben… A'th sbel hir cyn inni ddarganfod hyn… Wedi'r cyfan, pwy sy'n trafod lle nethon nhw drial lladd eu hunen dros ddished?

Des i ddeall dros amser bod rhesyme Niamh dros fod isie marw yn fwy cymhleth o lawer na dim ond carwriaeth yn mynd o le. Yn gynta, ma hi'n diodde o sgitsoffrenia. Nawr, tase Niamh yn darllen 'na am ei hunan bydde hi'n uffernol o grac. Fydde Llawen yn anhapus hefyd. Fan hyn, ar y Buarth, ry'n ni fod i dderbyn bod pobol yn cael eu geni'n wynieth i'w gilydd. Wedyn nage 'diodde' o sgitsoffrenia ti fod i weud, ond 'byw gyda' sgitsoffrenia. A ma pwynt 'da nhw fan'na, sbo. So'r ffaith fod lleisie yn siarad gyda ti yn dy ben o reidrwydd yn broblem, ody e? Y broblem yw pan ma nhw'n dechre gweud pethe dinistriol.

Ma'r meddylfryd 'ma'n perthyn i faniffesto newydd Poboliaeth sy'n trio shiffto normau cymdeithas cyn y chwyldro cyfan. Yr hyn ma Llawen, Dr Elamin a Dr Simmons yn cadw pwysleisio yw fod Niamh wedi cael triniaeth ar y Buarth achos ei bod wedi trio lladd ei hunan. Nid achos ei bod hi'n 'byw gyda' sgitsoffrenia.

Wy'n siŵr bo ti'n ei weld e'n rhyfedd 'mod i'n siarad mewn shwt fanylder am Niamh... wyt ti?... Wrth gwrs bo ti... ond ma'n rhaid iti ddeall... Ar y dechre, ar wahân i'r staff meddygol, hi o'dd yr unig berson fydden i'n gweld ar y Buarth am wythnose bwy gilydd. Cofia, o'n i yn gweld Llawen, gŵr Edith, ar brydie 'fyd. Ond Niamh o'dd yr unig berson o'dd yn cyfoesi â fi, mewn ffordd o siarad.

Roedd y ffaith mai Llawen oedd yn dod i 'ngweld i ar y ward yn lle Edith yn rhyfedd i ddechre. Ti'n gwbod dy hunan mai Edith oedd fy ffrind. Ond am gyfnod ar y ward Llawen oedd un o'r bobol bwysica yn fy mywyd. Ac felly mae'r ddau yn ffrindiau da imi nawr. Mae'n persbectif ni o bobol yn newid yn barhaus, on'd yw e? Wrth i amser ein treiglo. Ry'n ni'n dishgwl ar bobol drwy wahanol ffenestri. Ydw i'n gwneud synnwyr? Ma'r tabledi 'ma'n drysu'n ben i weithie. Er fy mod i bellach mas o'r ward.

Pan fydde Llawen yn dod, fe fydde fe'n gyndyn i drafod Gwales gyda fi. Ro'dd e wedi ca'l cyfarwyddiade gan y tîm meddygol y bydde sôn am bethe gwleidyddol yn rhoi gormod o straen arna i ac ar Niamh. Ond dros amser fe wnaeth e ddechrau datgelu bod y cynllun i gipio Caerfyrddin yn dal ar y gweill a bod fferm y Buarth (rai llathenni o'r ward) yn fan ymgynnull ar gyfer pob math o drafodaethau a threfniadau hollbwysig.

Wy 'di dod i ddeall bod Llawen yn gymeriad llawer mwy difyr na wnes i sylweddoli flynyddodd yn ôl. Yn un peth, dyw e ddim fel petai e'n gallu cwato emosiwn. Mae popeth mae e'n ei feddwl yn ymddangos yn ystumiau ei wyneb. Pob plygiad yn ei gro'n. Pob gwg a hanner gwên. Alle fe ddim gweud celwydd hyd yn o'd tase fe'n trial.

Roedd Niamh yn argyhoeddedig ei bod hi'n derbyn triniaeth ar y Buarth achos bod Poboliaeth yn awyddus i lais ei mam (Mam yw'r llais sy'n siarad gyda hi yn ei phen) gyfrannu at yr ymgyrch yn genedlaethol. I ddechre, ro'n i'n meddwl bod hyn yn rhan o'r cyflwr. Yn rhan o fod yn amheus o bopeth, gan feddwl bod 'na gynllwyn ar bob cornel. Ond wrth glywed sylwade Mam yn dod o ben Niamh yn ystod y cyfnod, dechreues i weld bod sail i'r hyn ro'dd hi'n ei honni.

Ti'n gweld, Mofs, ma byd cyflawn yn bodoli ym mhen Niamh a sgwrs gyson (a dadle weithie) rhyngthi hi a llais Mam. Erbyn hyn, wy'n gallu gweld yn glir bod gan lais Mam gyfraniad i'w wneud i'r ymgyrch, ac mae hi wrthi'n cyfrannu. Wyddost ti imi ddod i'w nabod hi, yn ogystal â Niamh, dros y misoedd? Fe ges i sawl sgwrs ddifyr gyda hi yn y stafell ddarllen ac yn yr ardd hefyd, pan oedd y tywydd yn caniatáu. Ma Mam yn fenyw benderfynol iawn ac ma hi a Niamh yn hollol wynieth i'w gilydd, Morfudd! Do's dim dwywaith fod rôl gyfrin gan y ddwy, ond bydd angen gofalu'n dyner amdanynt.

Un pnawn ar ôl ein sesiynau gyda Dr Simmons fe ddechreuodd Niamh siarad fel pwll y môr. Sai'n siŵr beth yn gwmws oedd i gyfri am y ffenomen, ond roedd fel petai tap wedi agor yn ei phen a bod y dŵr yn llifo. Y cyfan 'nes i o'dd ishte yn y stafell ddarllen, yn yfed un dished o de Red Bush ar ôl y llall (ma rhaid cadw oddi ar y caffîn achos y tabledi), a gwrando'n astud arni'n adrodd ei stori.

Roedd hi eisiau trafod y cyfnod tywyll cyn iddi geisio lladd ei hunan... Er ei bod hi'n anorecsig ers blynyddoedd maith, fe lwyddodd Niamh a Mustafa (y cariad fues i'n ei drafod gynne) i feichiogi yn anfwriadol. Roedd hyn yn sioc enfawr i Niamh am nad oedd hi'n meddwl bod gobaith i hynny ddigwydd. Ac eto, yn fuan iawn, fe ddaeth hi i deimlo'n syndod o llawen am y peth. Doedd Mustafa, ar y llaw arall, ddim mor hapus a dwedodd wrth Niamh yn blwmp ac yn blaen na fyddai'n cael dim i'w wneud â'r babi petai hi'n mynnu ei eni. Yn waeth na hynny, fe berswadiodd Niamh i gael gwared ar y babi er mwyn iddynt fedru parhau â'u perthynas. Doedd colli Mustafa ddim yn opsiwn ac felly dyna, yn ei thrallod, a wnaeth hi. Rai wythnosau ar ôl yr erthyliad, fe ffeindiodd na allai fynychu ei darlithoedd yn y brifysgol. Roedd y felan wrthi'n cydio a'r unig beth oedd yn ei chadw hi'n gall oedd Mustafa.

Wy'n cofio ei holi ai dyna pryd ddechreuodd hi glywed lleisiau. Ei hymateb hi oedd chwerthin yn iach. O na, roedd hi wedi bod yn sgitsoffrenes ers blynyddoedd lawer, ac roedd hi wedi llwyddo i gelu'r gwirionedd hynny oddi wrth Mustafa. Roedden nhw'n gawdel o gelwyddau, felly. Ac eto roedd natur wedi penderfynu y byddai'n syniad da i Niamh druan feichiogi! Un ar bymtheg oedd Niamh pan ddaeth hi'n sgitsoffrenes, gyda llaw. Roedd hi wedi bod yn smygu canabis gyda'i ffrindie ysgol pan glywodd ei mam yn siarad â hi. Roedd hyn yn amhosibl achos roedd honno wedi marw ers blwyddyn. Gyda hyn, fe drodd Mam yn bresenoldeb yng nghrombil meddwl ei merch a dechrau byw a bod trwyddi hi.

Ond, Morfudd, roedd tro i ddod yn stori Niamh... oherwydd deufis wedi'r erthyliad, fe wnaeth hi ddarganfod bod gan Mustafa deulu yng Nghasnewydd. Gwraig a merch saith oed. Chwalwyd hi gan y newyddion. Roedd y gwirionedd newydd falu'n gyrbibion a wyddai hi ddim beth i'w gredu mwyach. Ac yn waeth na'r cyfan hyn, roedd hi wedi aberthu bywyd un bach ar sail celwydd.

Ar y noson yr anelodd am y bont, fe geisiodd Niamh gysylltu â'i chwaer yn Birmingham ond chlywodd hi ddim byd yn ôl mewn pryd (am fod ganddi hithe ei phroblemau hefyd). Ac felly ar y diwedd un, doedd ganddi neb. Neb i drafod 'da nhw a neb i lefen 'da nhw. Neb, ond llais ei mam yn dannod iddi am fod mor ffôl â chredu celwyddau Mustafa.

Roedd *gen* i bobol, yn doedd, Morfudd? Fe allen i fod wedi siarad a llefen gyda sawl person. Ac eto, wyt ti am glywed y gwir? Yr unig un ro'n i isie siarad â hi go iawn oedd ti... Sai'n dy feio di am be nest ti. Doedd dim dewis 'da ti ond mynd. Meddwl am Tanwen o't ti. Wy'n gweld 'ny nawr... Mewn ffordd wyrdroëdig, ro't ti'n fy nabod i'n well na fi fy hunan... Ro't ti'n gwbod bod y chwyldro yn 'yn galon i, yn do't ti? Yn gwbod ei bod hi'n frwydr barhaus imi. Ac eto rwyt ti'n dal i 'ngharu i, yn dwyt, Morfudd? Beth bynnag mae'r geiriau bychain hynny'n ei feddwl. Rwy'n gwbod dy fod ti. Achos wy'n ei deimlo fe hyd heddiw.

Dyn achubodd Niamh o'r bont. Dyn oedd yn dychwelyd o'i waith yn gynnar y bore ar ôl shifft nos. Fe stopiodd i siarad â hi am ei fod e'n becso amdani. A rhywsut, fe lwyddodd i'w pherswadio i ddod am ddished i ryw gaffi yn Grangetown.

Roedd y ffaith fod y dyn ar y bont wedi crybwyll dished cryf o de yn drobwynt i Niamh, mae'n debyg. Roedd hi mewn twnnel du a dim byd ar ei meddwl ond marw a dod â'i hartaith i ben. Ac eto ar yr eiliad dywyllaf un, fe hoffodd Mam y syniad o ddished o de a dechre siarad gyda Niamh. Cer am ddished gydag e gynta, Niamh fach, a rho lwyed hael o siwgir yn dy gwpan. Ac felly dyna wnaeth hi. Llais ei mam achubodd Niamh mewn ffordd. Ei sgitsoffrenia.

Ac ar waetha'r holl dristwch 'ma, Morfudd? Niamh yw un o'r bobol ddoniola i fi gyfarfod â nhw erio'd. Hiwmor brwnt a chlyfar sy'n dy daro di byth a beunydd nes neud iti chwerthin a chrechwenu a rhechu weithie. Ac mewn ffordd ryfedd, ma'r groten 'ma… sy'n wewyr o'i chorun i'w sawdl… wedi gwneud ifi garu bywyd eto.

'Na i byth anghofio'r sgwrs gafon ni un noson pan o'n ni'n hwylio i fynd i'r gwely.

– Falle fyddwn ni yma am byth, Niamh. Purdan yw hwn. Purdan perffaith o falu cachu.

– Beth yw purdan, Brynach?

– Dwi ddim yn gallu meddwl am y gair Saesneg. O ie. *Purgatory*.

– O! *Purgatory*! Wel does neb yn gallu aros mewn purdan am byth. Dwyt ti ddim yn gwbod dy Feibl! Rydyn ni'n gwbod llawer am hynny, yn tydyn, Mam? Purdan cyn Poboliaeth falle? A Poboliaeth yw'r nefoedd?

– Ha. Falle.

– Prioda fi, Brynach.

– Ha ha! Pwy sy'n dweud 'na nawr? Niamh neu Mam?

– Fi. Niamh… Pam nad ydw i'n gallu hoffi *nice guys* fel ti?

– Pam yn wir!

– Rwyt ti'n ddim yn ddigon cas i fi. Ddim yn ddigon *challenging*…

– Heriol.

– Rwyt ti'n ddim yn ddigon heriol… *oh no… here comes the devil with the fattening juice*.

– Der mlân, Niamh. Ma rhaid ti ga'l rhwbeth. Jyst neud 'i job ma Nyrs Carol.

– I'm anorexic. It's my prerogative to refuse it. Go to hell, Carol, you hear me?

– Paid neud jôcs am y peth, Niamh. So fe'n ddoniol.

– Feck, Brynach! What have we got if we haven't got jokes!

– Digon teg. Ond yfa'r ffycin ddiod.

– *Now now*. Oes angen *swear*?

– Rhegi.

– Exactly… now take that away now, Carol, there's a crackin' lass.

Mishodd ar fishodd o sgyrsiau cyfareddol fel hyn, Morfudd. Nes un dydd, daeth Edith… ac agor y drws.

*

**Neges gan Llawen@poboliaeth.cymru**
**At Edith@poboliaeth.cymru**
Be wna i 'da'r holl lythyre 'ma?

**Neges gan Edith@poboliaeth.cymru**
**At Llawen@poboliaeth.cymru**
Rhoi nhw i Dr Simmons. Bydd yn ffordd i hi gallu 'assess' ef ers iddo adael y ward.

*

Gan shan712@gmail.com
At Mami@gmail.com
Mami,

Sai'n credu bo fi erio'd wedi bod mor fishi yn 'yn fywyd ag ydwi dyddie 'ma. Wy'n sori bo fi ddim wedi sgwennu ers gyment o amser. Ma tŷ ni yn llawn o bobol bob dydd, ti'n gwel', a fi'n ffaelu ca'l amser i'n hunan wrth y compiwtyr. Ac os 'yf fi, wy *usually* yn neud yr *accounts*. Ffrinde Stewy a pobol sy'n gweitho iddo fe sy'n dod 'ma ond sai'n conan, Mami, achos mewn ffordd hwn yw'r mwya hapus wy 'di bod ers ache. Fel ti'n gwbod, fi'n hapus pan ma'r tŷ yn llawn, y tegil yn berwi a'r radio mlân yn y gegin.

Gweud 'na, sai'n lico pawb sy'n dod 'ma chwaith. Ma un boi o'r enw Terrier wy ffaelu godde. Fe sy'n redeg *franchise* ardal Abergwili. Wy 'di cwrdda fe ddwyweth nawr a ma fe'n whare ar 'yn gro'n i bob tro. Ma'n cadw galw fi'n *little lady* a sdim ots faint o weithe wy'n dod mas 'da *witty one liners*, wy'n galler gweld bod e jyst yn meddwl amdano fi fel cripl. Cracodd e jôc wrth Stewy pwy ddyrnod, y dylen nhw fynd lawr i joio'r *brothels* yn Blue Street neu Towy Works. Wedodd Stewy *wise up*, strêt awei. Ond nath Terrier cario mlân i cyfarth. *You must be mad, mun. All them foreign girls looking for someone to look after them. We could show 'em a good time.* Mami, gallen i fod wedi stabo fe yn y winci gyda *bread knife.*

Y newyddion neis yw bo fi di ca'l desg newydd! A wy wedi ca'l Stewy i roid e o fla'n y ffenest yn bedrwm ni. Fel'na, fi'n galler dishgwl mas dros G'fyrddin pan wy'n gwitho. Os o's gormod o sŵn lawr stâr, wy'n pwno'r llawr 'da co's y ford a ma Stewy'n shwsho pawb, sy'n neud i fi dimlo fel Queen of Park Hall.

Ma be sy 'da Stewy a fi mor neis dyddie 'ma, Mami. Ni 'da'n gilydd ers *months and months* erbyn hyn, nagy'n ni? Ma fe'n cadw gweud bo fi wedi ca'l fy geni i sorto busnes fe mas. Mewn ffordd, wy'n meddwl bod e'n reit achos ma fe wedi neud lot o mistêcs 'da arian dros y blinidde. Ond ma *accounts* e'n dishgwl yn *smashing* nawr a ni 'di dysgu shwt i gwato arian yn y llefydd ryfedda.

Ma lot o bobol ofon Stewy. Achos tatŵs fe ac achos taw fe yw'r bòs yn dre nawr. Ond sai ofon fe rhagor. Wy'n deall be sy'n cadw fe'n sofft ar y tu fiwn a wy'n gwbod bod e angen fi 'fyd.

Wy moyn ti wbod shwt ma pethe'n gweitho 'da'r gang, Mami, achos fi 'di disgi lot yn ddweddar. Ma fe'n oreit ifi weud 'tho ti achos fi'n e-mailo o'r we dywyll nawr, rhag ofn i'r moch ga'l sniff o be sy mlân 'da ni.

I starto o'r *start*, ma rwbeth o'r enw'r *board of directors*. Sai'n nabod nhw ond ma rhai yn Abertawe a ma rhan fwya yn Liverpool. Ma Stewy'n gorfod riporto 'nôl i'r *directors* yn Abertawe bob dydd Llun. Ond Stewy yw'r bòs ar y dre a fe sy'n leaso mas y *franchises* yn bob patshyn. A'r bobol sy'n prynu'r *franchises* sy'n emploio pobol o'r enw *footers*, fel ni'n galw nhw. Nhw sy'n mynd mas a gwerthu.

Ma lot o'r *footers* yn fois ifenc sy 'di colli gwaith ddar i'r *bot-machines* ddod i neud y gwaith clau a labro rownd dre. T'wel, mae'n tsiepach nawr i dalu rywun yn Kenya i controlo *bot-machines* C'fyrddin na talu pobol y dre i neud y gwaith. Wedyn ma lot yn segur nawr ac yn desbryt. Ac wedyn os nago's *qualifications* 'da nhw ma bod yn *footer* yn berffeth.

Un problem sy 'da ni yw bod y moch yn ca'l *crackdowns* weithe. Yn stopo bois ni werthu jyst i ddangos bod nhw'n trial neud rhwbeth. Ma nhw'n gwbod be ma Stewy lan i ond ma rhan fe o'r *chain* yn *immune* achos bod e wedi helpu nhw gyda Trevor Small. Dal i fod, *fact is*, os yw *footers* ni mewn *police cell*, ni'n styc am bobol i werthu, nagy'n ni?

Ond ma plan 'da fi... a wy 'di gweud 'tho Stewy... Dyle fe instrycto bobol y *franchises* i gymryd mwy o ferched mlân. A galw nhw'n *booters* (Plan B i'r *footers*). Ma merched *loads* yn llai *likely* o ga'l 'u dala, a ma nhw'n gweitho mewn llefydd *really* handi fel *hairdressers*, a'n galler paso pethe i *bags* a *jackets* pobol. Wedodd Stewy bo fi'n *genius*. A tro hyn, 'nes i ddim anghytuno.

So Stewy yn *loaded* na dim byd eto, Mami, achos collodd e bron popeth ar ôl mynd i'r *jail*. Ond ma fe wedi leaso car lyfli. Ma fe hyd yn o'd yn neisach na un Kye dros yr hewl. So Kye yn lico bod Stewy yn bòs arno fe. T'wel, Kye sy bia *franchise* Park Hall a ma fe'n timlo fel bod Stewy yn cadw *watchful eye* arno fe. *Truth is*, sim Stewy'n becso am Kye. *For one*, ma 'da fe G'fyrddin i gyd i watsio. A *for two*, ma 'da fe gangs erill i fecso ambytu. Pobol sy'n pwsho lwc nhw a'n treial gweitho ar *patch* ni. Wy 'di grondo lot ar Stewy yn sharad ar y ffôn 'da bobol dros y mishodd dwetha, Mami. Ma fe'n *seriously* gwbod 'i stwff.

Ma Bruv 'di dod mlân *leaps and bounds* yn ddweddar 'fyd, Mami, sy'n *such good news*. Ma fe'n dod lawr stâr bron bob dydd a wy'n gweitho cawl a pethe i swper. Wy dal yn *slow* yn y gegin, achos y *wheels*. Ond fi'n ffastach na o'n i, nawr bo 'da fi *freedom of the kitchen*.

Ers tua wthnos, ma cwpwl o drygs arall ar *slate* Stewy. Nage *skunk* yw'r gêm ragor yn G'fyrddin. Ma fe gyd ambytu *crack cocaine*. So Stewy'n twtsha'r stwff, na Bruv chwaith, ond 'na le ma'r arian. Wy'n gwbod so *crack* yn briliant i ti, a bod e'n wa'th na stwff arall, ond so byrgers yn dda i ti chwaith, odyn nhw, a ma pobol yn dal i fyta nhw. Smoco *crack cocaine* ti'n neud, Mami, nage snorto. A byddet ti'n *surprised* y pobol sy'n prynu fe. Ma Stewy'n gweud bod rhai yn itha uchel lan a *respectable*.

Wy'n gwbod be fydde rai pobol yn gweud, Mami. Bo ni'n *scum of the earth* am werthu drygs mor siriys â *crack*. Ond so Stewy yn ddrwg. A sa i yn ddrwg chwaiff. Wy'n treial cadw llygad mas am bawb. Neud yn siŵr bod pawb yn ca'l 'i siâr a bod y *footers* yn ca'l 'u trîto'n oreit. Wy 'di darllen ar yr *internet* yn ddweddar bod ti fod i talu *footers* yn well os y'n nhw *at risk* neu'n gweitho mewn lle caled. Wedyn wy 'di gweud 'tho Stewy bod rhaid i'r *franchisers* gytuno i 'na *as soon as*.

Ond *at the end of the day*, Mami, *business* yw hwn, jyst fel unrhyw beth arall. Ac am y tro cynta erio'd wy 'di ffindo rwbeth wy'n dda ato fe. Wedyn *I'll be damned* os yw rywun yn mynd i stopo fi.

Sharad cyn bo hir,

Shan x

*

**Darn o ddyddiadur Morfudd Yang. Tymor y gwanwyn 2057. Yr Eglwys Newydd.**

Bastad o foi 'di'r Peredur 'na yn y ganolfan Gymraeg. Mae o 'di bod isio terfynu'r contract cyfieithu o'dd gynna i hefo nhw ers blynyddoedd. Ffwcia fo am 'i e-bost a ffwcio fo am 'i esgusodion. 'Sa Lleucu'n dallt, dwi'n siŵr. Ond cheith hi'm gwbod. Dwi'm am ddeud. Be 'di'r iws gneud i rywun boeni?

Ma Tanwen yn 'y nghasáu i'n ddiweddar. Ma blwyddyn naw yn flwyddyn anodd a ma'r hormona ym mhob man ond ma hi'n deud calon y gwir pan ma hi'n 'i ddeud o. Bydde Dad dal 'ma heblaw amdanot ti. Ma hi'n dal i gofio'r noson ddoth o yma, yn gaib i gyd. Mae'n cofio galwad yr heddlu, a mor flêr oedd petha. Ma hi'n meddwl y bysa petha wedi bod yn hollol wahanol petawn i wedi gadael iddo fo gysgu ar y soffa. Ac ella'i bod hi'n iawn.

Ma hi'n sbiad ar y gwydr gwin yn fy llaw i weithia a mi dwi'n gwbod be ma hi'n 'i feddwl – sbia chdi. Sbia chdi a dy foesa. Sbia chdi o'dd mor feirniadol o 'nhad i. A sbia chdi rŵan. Yn methu codi o'r gwely heb ddiod yna chdi.

Ddefrish i bora 'ma hefo potel win yn y gwely hefo fi. Yn wag ac yn wyrdd. Ac mi gofish i. Ma fi oedd i fod i roi lifft i Tanwen i'r ysgol am 'i bod hi 'di ca'l 'i dewis i fod ar y tîm Cemeg ac mi o'ddan nhw'n mynd i ryw gynhadledd wyddoniaeth ben bora. Ond pan ddeffrish i, ro'dd y tŷ'n wag a negas ar fy ffôn i'n deud bod Lleucu wedi mynd â hi.

Mi 'nesh i agor y botal ola yn y tŷ i frecwast wedyn ac ma honno ar ei hannar erbyn hyn. Bai'r ffycin Peredur 'na ydy o. Am anfon e-bost yn hwyr neithiwr. Ffwcia fo.

Ma Lleucu'n canlyn y syrjyn 'ma o Ghana sy'n gweithio hefo hi ar hyn o bryd. Mae o'n byw mewn fflat wrth ymyl yr Heath. Mi o'dd o'n briod ond mae o wedi gwahanu ac ma gynno fo dri o blant o'r briodas honno.

Dyma 'di'r peth mwya ffycd yp ma hi 'di neud erioed, dwi'n meddwl, ac ma hi'n ei neud o er mwyn anghofio bo fi yn y tŷ 'ma'n yfad ei hochr hi. 'Mod i'n glaf sy'n gwrthod cydweithio. Ma'n siŵr bod hi isio secs hefyd, dydy? Debyg. Deud gwir, 'swn i'm balchach. Sgynna i'm awydd cyffwrdd yng nghroen neb.

Weithia ro'dd Brynach yn meddwl 'mod i'n boring uffernol. Mond isio cysgu hefo fo unwaith yr wthnos. Ar nos Sadwrn fel arfar. Wrth gwrs, mi a'th o i dderbyn hynny'n iawn yn ystod y cyfnod ro'dd o mewn cariad efo Edith. Roedd 'i egni o'n mynd i lefydd gwahanol bryd hynny, 'doedd?

Dwi'm isio swnio'n orffwyll, 'de, ond esh i byth yn genfigennus ohono fo a hi. Mi nath o frifo, do, bod o'n neud o. Ac mi oedd o'n beth hollol hunanol iddo fo neud. Ond dwn i'm, to'dd gynno fi'm problam efo fo a dynas arall. Y broblam oedd y blydi ymgyrchoedd. Y blydi obsesiwn 'ma hefo newid y byd. Yn fan'na ro'n i wir yn colli gafal arna fo. O'dd o fatha tasa fo'n ca'l affêr hefo syniada. Dwi'm yn gwbod os dwi'n gneud sens 'di mynd. Ond fel'na o'dd o'n teimlo i fi. Ac yn 'y mhen i, dyna oedd y bygythiad mawr. Y ffaith na fedrwn i fyth fod yn bwysicach na'r syniada 'na. Dwi 'di dŵad i'r casgliad nad cariad o'dd gynnon ni beth bynnag. Dibyniaeth o'dd o. Nath o erioed fy ngharu fi a 'nesh i erioed ei garu o chwaith. Cyd-ddibyniaeth dau berson, am bod y ddau ohonan ni mor ffycin ffycd yp â'n gilydd.

Mi dwi am fynd â'r car i'r Tesco bach i nôl bara a photal ne' ddwy. Fedra i'm wynebu cerad. Mae'n law fatha llenni glas. Glaw trwm a gwlyb. Glaw aros o dan y cynfasa. Glaw Cymreig sy'n gneud i chdi gwestiynu gwerth bob dim am bod bob dim mor blydi glyb.

Ma gynnyn nhw haul tanbaid ar ddiffeithdiroedd Affrica. Haul tanbaid sy'n gneud i chdi gwestiynu bob dim. Dwi'n cofio darllan hynna mewn nofel wych. *Season of Migration to the North.* Ond nid haul sy gynnon ni yng Nghymru, naci? Ond dŵr. A glaw. A gwlypter. Glaw ydy'n peth ni, yn de? Dyna sy'n 'yn llethu ni. Y peth na fedrwn ni wneud hebddo fo, ond y peth sy'n licio ein hatgoffa ni ein bod ni'n ddim ond penbyliaid di-glem o'r eiliad 'dan ni'n nofio tuag at y *cervix.* Mond meddwl bo ni'n callio ydan ni. 'Dan ni'n mynd yn fwy hurt bob munud. Ac yn wlypach 'fyd.

Ella wna i frwydro yn erbyn y glaw 'ma wedi'r cyfan. Osgoi dreifio a mentro i'r siop gornal. Ma gynna i ysfa fatha ysfa i biso am wydryn arall o win ac ma'r botal ddiweddara newydd ei gorffan rhwng dau baragraff. Ond wedyn, mae'r hogyn sy'n fy syrfio i yn y siop gornal yn fama 'di cychwyn sbio arna i'n wirion pan dwi'n troi fyny yn fy mhyjamas. Dwi 'di'i weld o. Yn llgada mawr i gyd. Wel ffwcia fo. Dio'm yn gwbod be 'di bywyd eto. Dio'm yn dallt a dio'm isio dallt. Na, sgynna i'm mynadd gorfod meddwl am fynd i'r siop gornal. A ma Tesco'n rhy bell heb y car. Yn enwedig yn y glaw uffar 'ma. Ffycin glaw. Ffycin ffwcia o 'ma, 'nei di'r uffar?

Gesh i freuddwyd am Bleddyn neithiwr. Y ddau ohonon ni 'di mynd i wersylla i Benrhyn Gŵyr efo dau arth mawr. Pan ddeffron ni yn bora roedd yr eirth wedi mynd i rwla. Wedi gadal eu pebyll ac wedi 'i gluo hi. 'Di diflannu fel tasan nhw 'rioed 'di bodoli. Mi ddudodd Bleddyn eu bod nhw wedi bodoli ond do'n i'm yn gwbod sut fysa fo'n medru profi hynna, 'de. Ddudodd Bledd bod 'na'm isio ffordd o brofi os ydan ni'n gwbod. Yn 'yn c'lonna.

'Udish i bod o'n iawn, ond dwi'n cofio ma deud celwydd o'n i er mwyn gneud iddo deimlo'n well. Achos fedrwn i'm taeru'n ddu las nad o'n i 'di dychmygu'r cyfan a bod yr eirth yn ddim ond breuddwyd. Nath Bleddyn bwyntio at y pebyll gweigion wedyn. Sbia ar y pebyll, Morfudd, medda fo, ma'n rhaid eu bod nhw 'di bod 'ma. Ac erbyn i fi droi i sbio ar y pebyll a throi 'mhen yn ôl, mi oedd Bleddyn wedi mynd hefyd. Mi ddeffrish i'n ddagra hefo'r botal win. Cydio ynddi fatha tasa hi'n dedi bêr. Lwcus bo fi'm 'di gwasgu'n rhy galad yn 'y nghwsg neu mi fyswn i'n fflawia gwydr hyd fy nghorff. Yn waed ac yn wydr ac yn ddagra. Ac ella na fysa hynna 'di bod yn ddiwadd byd chwaith.

*

Gwilym hoff,

Gobeithio dy fod yn cadw'n dda a bod yr antur o fynd ati i ddysgu sut mae gwneud *chorizo* yn parhau i dy ysbrydoli yn hytrach na dy lethu (fel y byddai, rwy'n sicr, yn fy llethu i). Rwy'n edrych ymlaen at flasu peth o'r cigach cartre yma. Mae'n wir dweud bod hyd yn oed y dosbarth canol yn bwyta llai o gig nag y gwnaethon nhw'r llynedd.

Ymlaen yn awr at newyddion trist. Wyt ti'n cofio i mi sôn rai misoedd yn ôl am un o ffrindiau gorau Cêt yn y chweched fuodd farw? Brynach Yang? Ie, dyna ti. Yr ymgyrchydd hwnnw fu yn y cyfryngau sawl blwyddyn yn ôl. I mi gael dy atgoffa, roedd Brynach yn un o'r radicaliaid mawr y bu fy merch yn cyfoesi â nhw yn yr ysgol. Mab i Li Yang, un o'r carcharorion rhyfel lwgodd i farwolaeth yn Nhrostre yn ystod y Rhyfel Rhithiol.

Mae Cêt yn taeru mai ein llyfrgell ni radicaleiddiodd Brynach Yang. Dwi'n beio Margo a'i chasgliad o lyfrau adain chwith, llyfrau'n aml nad yw hi wedi eu darllen, rwy'n prysuro i ddweud, sydd bellach yn hel llwch yn yr atic. O, wyddost ti'r math o lyfrau, Gwilym. Fanon, Gandhi, Thiong'o, Chomsky – y math o beth fyddai'n peri breuddwyd wleb i fyfyriwr adain chwith.

Serch hoffter Brynach o'r llyfrau hyn, dwi'n argyhoeddedig mai hoffter Brynach o fy Margo i oedd yn bennaf gyfrifol am ei ymweliadau cyson pan oeddent yn y chweched dosbarth. Yn wir, fe awn mor bell ag awgrymu ei fod wedi ffoli'n lân â hi. Mae'n ddealladwy hefyd, cofia. Diau y byddai ei byd-olwg bohemaidd wedi apelio'n fawr at fab oedd ar goll yn y byd ac yn gandryll wedi ymadawiad ei dad, druan. A dweud y gwir, fe fydd yn rhaid i mi atgoffa Margo o fy theori dros swper heno, a chael bonclust yn ateb, dwi'n siŵr!

Beth bynnag am hynny, yn ôl at y newyddion trist. Yr hanes sydd wedi ein cyrraedd ni echnos yw fod Morfudd Yang wedi ei hanfon i ganolfan trin anhwylderau alcoholiaeth, a'i merch (a merch Brynach Yang) yn aros gyda'i chwaer yng Nghaerdydd. Tybed wyt ti'n cofio rhieni Morfudd o'n cyfnod yng Nghaerdydd… Alcwyn 'cash in hand' a Barbs? Coc oen mwya'r ganrif yw 'cash in hand' – wyt ti'n ei gofio tybed? Gormod o gybydd i brynu peint ac eto'n mynnu bod yn rhaid ichi wrando arno'n paldaruo. Roedd fel petai popeth ddeuai o'i ben yn groes graen. Yn drist iawn, fe gollon nhw fab flynyddoedd yn ôl mewn damwain car (Bedwyr, dwi'n meddwl, oedd ei enw). Mae'r chwaer yn ddoctor yn Ysbyty'r Waun, mae'n debyg. Felly o leia mae ganddyn nhw hi.

Ysywaeth, dwi'n siŵr dy fod yn synhwyro fod 'na ragor i ddod. Ac felly dyma ddod at ddarn gwaetha'r hanes. Cyn i Morfudd gael ei hel i'r ganolfan bondigrybwyll yma, mae'n debyg iddi gael ei harestio am yrru dan ddylanwad y ddiod gadarn yn yr Eglwys Newydd. Ond mae mwy. Mae'n debyg iddi golli troad a gyrru'n syth drwy ffenestr flaen bwyty ei thad, oedd yn digwydd bod ar ochr arall yr hewl. Diolch i Dduw, doedd prin neb yn y bwyty ar y pryd ond bu'n rhaid i un gweinydd dderbyn triniaeth am fân anafiadau i'w fraich. Mae fel drama, on'd yw hi, Gwilym? Gyrru'n feddw drwy ffenestr bwyty dy dad dy hun! Mae'n debyg mai gyrru i'r Tesco bach lleol oedd ei bwriad. Ar wib i brynu rhagor o alcohol, mae'n siŵr.

Ydy dy feddyliau di'n troelli hefyd, Gwilym? A wnaeth hi hyn yn fwriadol? Neu efallai ar lefel isymwybodol? Fel y gwyddost o'r tamaid sgwennais i uchod, does gen i fawr o fynedd gydag Alcwyn 'cash' ac eto dwi'n methu help ond teimlo'n annifyr iawn bob tro mae fy meddwl yn dychwelyd at y stori. Mae'r hen fyd 'ma, Gwilym, yn lle sobor o ddigalon ar brydiau, onid yw?

Ar nodyn ysgafnach – am bâr rhyfedd o anghymharus oedd Alcwyn a Barbara. Doedden nhw ddim fel petaen nhw wedi eu cenhedlu ar yr un blaned! Ar wahân i'r ffaith eu bod yn 'Gogs' wrth gwrs, ac yn byw yng Nghaerdydd. Welais i erioed bâr o fronnau gwell na bronnau Barbara, cofia. Wedi meddwl, efallai mai dyna oedd gan y ddau'n gyffredin. Hoffter Alcwyn o fronnau Barbara a'i balchder hi ohonyn nhw. Byddai hynny'n ddigon i gadw pâr gyda'i gilydd ar y cychwyn, oni fyddai?

Wrth gwrs, cawn fonclust ar bob clust gan Margo a Cêt pe dwedwn i hynny wrth y bwrdd bwyd. Ond dwi'n dweud calon y gwir, Gwilym! Mae bronnau yn bwysig iawn i rai dynion. Yn ddigon iddynt. Rwyt ti'n hoyw, ond siawns y gelli weld bod hyn yn wir? Awn ymhellach hyd yn oed a honni bod hyn yn wir am garfan fawr o ddynion mewn cymdeithas. Canran debyg i'r ganran o fenywod sy'n meddwl bod cyflog braf y gŵr yn bwysig i'w perthynas. Fyddai mwyafrif y celwyddgeist ddim yn fodlon cyfaddef tros eu crogi, ond fe wn i beth yw'r gwir, fy ffrind. Naw wfft i'r rheiny sy'n meddwl fy mod i'n hen ddeinosor, fe wn i beth sydd yng nghalonnau pobol.

Mae'n flin gen i am fy sangiadau, Gwilym. Fe soniaist mewn e-bost blaenorol fod angen i mi geisio cadw at brif lif y stori. Ac er gwaetha fy nwli, tristwch sy'n peri i mi sgwennu atat. Tristwch am Morfudd Yang a'i sefyllfa.

Dwi'n meddwl mai'r hyn sydd wedi fy ysgwyd i am yr hanes yw'r ffaith fy mod i'n ei chofio hi'n cael ei geni. Mae 'na rywbeth ingol am wylio trywyddau trasig plant rwyt ti'n eu cofio'n cael eu geni, onid oes?

Morfudd Yang oedd *golden girl* Glantaf pan oedd Cêt ym Mro Myrddin. Dwi'n ei chofio hi'n curo Cêt a'i chronis mewn cystadleuaeth siarad cyhoeddus (drybeilig o ddi-fflach) yn ochrau Pontardawe. Wrth gwrs, Morfudd oedd yn hawlio cadeiriau Eisteddfod yr Urdd am gyfnod hefyd (ac Alcwyn yn clochdar yn gyfoglyd ar Trydar, fel y galli di ddychmygu).

Dwi'n cofio fy chwaer yn sôn mai Morfudd oedd y Rhiannon Tywyn newydd, ac roedd hi'n amlwg fod golygyddion *Clebran* yn cytuno achos roedd ei hwyneb hi ar glawr y cylchgrawn yn rhy aml o lawer pan fyddai'n ennill y cadeiriau 'na. Och, wyddost ti fel ry'n ni fel cenedl, Gwilym. Mor hoff o ddatgan bod dyfodol y genedl yn ddiogel am fod yna ryw fab neu ferch ddarogan wedi dod i'n hachub o'n hadfyd! Ac yna cyn pen dim, maen nhw'n gyrru'n feddw i fewn i fwytai eu rhieni!

Mae Barbara, mam Morfudd, yn yfwraig hefyd, cofia. Dwi'n credu i'm chwaer awgrymu mai dyna oedd sail y tor priodas yn y pen draw. Ffordd o geisio ymgodymu gyda marwolaeth y mab, bid siŵr. Ac fel'na weli di, Gwilym, ondyfe? Fod y straen o golli plentyn yn ormod i rai pobol. Yn gwahanu cyplau ac yn rhwygo teuluoedd.

Weithiau dwi'n meddwl mai ffactorau allanol nad oes modd eu rheoli sy'n bennaf gyfrifol am drywydd ein bywydau. Hynny a thueddiadau teuluol anffodus sy'n llechu yn ein genynnau ac mewn perygl o ddod i'r fei bob nawr ac yn y man.

O'r safbwynt hwnnw, rydyn ni'n dau wedi bod yn gymharol lwcus, yn do, yr hen gi? Wrth gwrs, mae talp da o fywyd wedi dod i'n rhan ni'n dau. Ti a'r ysgariad. Fi a helbulon fy merch hoff. Ond ar y cyfan, dydyn ni ddim wedi dioddef yn enbyd, nac ydyn? Heb golli ein plant, heb golli ein swyddi na'n gwragedd / partneriaid (marwolaeth rwy'n ei feddwl – fe wnaeth Madeleine fy ngadael ac fe wnaeth Elwyn dy ysgaru – sori, dwi wedi ei grybwyll ddwywaith mewn un paragraff nawr! A gaf faddeuant?). Ar ben hyn (ac rwy'n croesi fy mysedd wrth deipio), dyw'r naill na'r llall ohonom wedi bod yn ddigon anlwcus i ddioddef dan law cancr eto chwaith. Na, ar y cyfan, Gwilym, allwn ni ddim â chwyno. Nawr, dyna iti ddatganiad nad oeddet ti'n disgwyl ei ddarllen wrth agor yr e-bost yma ar dy oriawr!

Mae gen i ofn y bydd yn rhaid i mi hwylio i fynd i'r gwely ar y nodyn hunanfoddhaus hwnnw. Deuparth cwsg ei ddechrau – fel roedd fy nhad yn arfer dweud.

Yn ffyddlon, fel erioed, gyfaill,

Huw

*

**Llythyron at Morfudd Yang a gyfansoddwyd gan Brynach Yang mewn gwersyll ger Cwmfelin Mynach, 2057. Ni dderbyniodd y llythyrau.**

Wrth i'r diwrnodau ddechrau ymestyn, aeth Edith â fi am wâc i wersyll y Buarth am y tro cynta. Dim ond i ben draw gardd y ward ro'n i wedi bod cyn hynny ac fe fethais i weld dros y waliau. Wrth gwrs, roeddwn i a Niamh wedi clywed itha lot o fynd a dod wrth sefyllian yn yr ardd dros y mishodd. Sŵn ceir. Sŵn lorïe. Sŵn pobol yn chwerthin weithie. Sŵn yr adar yn y bore bach. Ond tan y diwrnod hwnnw, ro'n i wedi methu â gweld dim. Wedi bod fel babi yn y groth. Yn tyfu'n iach ac yn gryf, yn barod ar gyfer y byd mawr.

Gad i fi dy arwain di drwy beth ddigwyddodd i fi yn ystod y wâc cynta, yfe? Yn syml, fe ddes i ddysgu mwy am y Buarth, sef y pentre bach lle mae cymuned Poboliaeth yn byw. Ar dir ffarm teulu Llawen ry'n ni i gyd. Ac wrth 'ni i gyd' wy'n siarad am aelodau Poboliaeth sydd wedi penderfynu byw ar dir y mudiad er mwyn gweithio ar gynllun Gwales yn llawn-amser. Mae nifer o lefydd tebyg yn bodoli ar draws y byd erbyn hyn, mae'n debyg. Byddin Heddwch Poboliaeth yw'r enw swyddogol ar yr holl weithwyr. Ar y Buarth hefyd mae cyfarfodydd strategol Gwales yn ca'l eu cynnal ac i'r fan hon mae timoedd o ddinasyddion Caerfyrddin yn dod i gynnal trafodaethau.

Roedd hi'n brofiad rhyfedd cerdded o amgylch y lle gydag Edith ar y pnawn cynta. Y tro dwetha ifi weld hi ro'n i'n sefyll ar bont ac ar fin bennu popeth. Ac eto fe anghofion ni am hynny'n syndod o glou 'fyd. Ro'dd e mor braf ei gweld hi, Morfudd. Gweld y llyged byw 'na unweth 'to.

Fe es i deimlo'n eitha ansicr ar fy nhraed ar brydiau. Ond pa syndod mewn gwirionedd? Do'n i ddim wedi bod mas yn cerdded ers mishodd. Wrth gwrs, ro'n i wedi bod yn ymarfer ar beiriant rhedeg y ward, ond does dim i'w gymharu â cherdded, o's e? Rhoi un goes o flaen y llall. Dy holl gorff yn dibynnu ar dy draed.

Wrth gerdded a siarad, fedrwn i ddim help ond meddwl sut olwg oedd ar y Brynach gyrhaeddodd y ward. Ar ôl yr holl fisoedd, ti'n gweld, roedd gen i farf. Ac mae gen i farf yn dal i fod, Morfudd! Barf hir hefyd.

Wrth gerdded yn yr awyr iach, fe sylweddoles i rwbeth hefyd. Dim ond dros y bryn fancw roedd Mam a Rhuon a Llanboidy. Am ryw reswm, fe ddychmyges i Mam a Rhuon fel ro'n nhw pan o'n i'n fachgen bach. Mam yn trial tyfu planhigion Dad yn y tŷ gwydr. Rhuon yn helpu gyda'r dyfrio ac yn llwyddo i wlychu ei dra'd. Y ddau ohonon ni'n cico pêl yn ddidrugaredd yn erbyn wal y garej, sef hen swyddfa Dad. Pam ro'n i'n cadw meddwl am y cyfnod penodol hwnnw, wy ddim yn gwbod. Cyfnod ar ôl Dad oedd yn mynnu dod i'r cof. Cyfnod pan mai dim ond y tri ohonon ni oedd yn weddill.

Erbyn hyn wy'n byw ar y Buarth lle gerddes i ar y pnawn cynta 'na. A wy'n hapus, Morfudd. Wy am i ti wbod 'ny. Ac eto weithe, wy yn gweld isie 'nghyfnod ar y ward. Ro'n i wedi dod i lico'n stafell fach i. Lico ei bod hi fel croth amdana i. Fy stafell fach â gwely, cwpwrdd a lamp. Yn y stafell fach honno 'nes i ishte'n dawel gyda fi fy hunan am y tro cynta. Nage diodde cwmni'n hunan, clyw, ond dod i lico cwmni'n hunan. Stafell fach i feddwl a datgymalu a deall – am y tro cynta yn fy mywyd – 'mod i 'di bod yn diodde ers blynydde am nad o'n i'n fodlon brifo. 'Nes i lefen lot. Amdanat ti a Tanwen ac am bethe eraill. A bues i'n grac yn y stafell 'na hefyd. Wrth Edith, am 'i bod hi wedi'n herwgipio i. Wrth 'yn hunan am bo fi 'di gadel iddi berswado fi 'mod i moyn bod ar dir y byw. Wrth Mam. Ond dros amser fe droiodd y dicter yn garedigrwydd. Bo fi'n cael cyfle i fyw ac wedi cael y cyfle o gwbwl.

Ges i hefyd gyfle i feddwl lot am Dad. Weithe, ro'n i'n dychmygu mai fi oedd Dad. Yn gorwedd ar y gwely yn y gwersyll. Dreulies i orie'n dychmygu'r pethe fydde fe wedi meddwl amdanyn nhw. Bron iawn fod hynny'n llesol. Cyfle i ddeall yn gliriach pam nath e be nath e. Neu yn hytrach, pam oedd yn *rhaid* iddo fe neud e. Wy 'di dod i sylweddoli mor anochel oedd popeth. Mor anochel yw popeth. Ydw i'n neud synnwyr, Morfudd? Gobeitho 'mod i.

Fel sonies i yn y llythyr dwetha, roedd Llawen wedi fy mharatoi i ers amser at y ffaith y bydde 'na bethe difyr i'w gweld a'u clywed y tu hwnt i walie'r ward. Mewn ffordd wahanol, roedd Dr Simmons wedi fy rhybuddio i ynghylch hynny, hefyd. Eisiau 'mharatoi i at y ffaith y bydde pethe'n symud yn gyflymach o lawer na'r hyn ro'n i wedi dod i arfer ag e ar y ward roedd hi. Yn enwedig o 'styried y byddwn i'n dychwelyd at gymdeithas wleidyddol iawn hefyd. I Dr Simmons a Dr Elamin, dim ond fy lles meddygol i oedd yn bwysig ac os nad oeddwn i'n teimlo'n barod i fod yn rhan o weithgareddau

Poboliaeth, roedden nhw'n grediniol y dyle fod gen i'r hawl i ohirio fy ymweliadau neu adael cymdeithas Poboliaeth yn llwyr. Er mai Poboliaeth sy'n cyflogi Dr Simmons a Dr Elamin, maent yn dilyn eu cydwybod feddygol ar bob achlysur ac mae gen i barch aruthrol tuag atyn nhw am hynny.

Ar y Buarth wy'n rhannu cwt gyda thri dyn arall. Ma 'na bedwar gwely, pedair lamp a stafell ymolchi drws nesa. Ac ma 'na ffenest fach 'fyd, Morfudd, sy'n dishgwl mas ar goedwig. Ac os edrychi di i'r gogledd-orllewin ar ddiwrnod braf, alli di weld y Preseli.

Ond yn ôl at y pnawn cynta 'na. A'r profiad o glywed am weithgareddau Gwales. Codi llaw ar hwn a'r llall wrth inni gerdded a cherdded a thrafod. Gweld rhai wynebau cyfarwydd hefyd. Theresa Morgan, Llanelwy. Arawn Myfyr. Ma'r ddau wedi heneiddio, cofia, ond yn dal yr un mor ffein. Ar un adeg a'th Edith a fi i'r ffreutur ganolog am ddiod oer o sudd oren. Wrth inni gysgodi rhag yr haul soniodd hi wrtha i am fanylion diweddara'r cynllun. Ges i gro'n gŵydd wrth wrando, t'mod. A ti'n gwbod pam? Achos ma hwn wir yn digwydd. Pan o'n i ar fy isha, fe 'nes i ddechre colli ffydd yn y syniad o chwyldroi Cymru. Ro'n i'n becso bod y prosiect ar ben. Ond 'na le bues i mor dwp. Achos allen i fod wedi marw hyd yn o'd, a bydde Gwales wedi digwydd.

Ma'r hyn ma Poboliaeth yn anelu ato mor ysbrydoledig a dewr ac mewn ffordd wy wedi gorfod marw am gyfnod er mwyn deall 'na.

Af i ddim i ormod o fanylion nawr ond ma fe ar waith, Morfudd. Ac mae'n digwydd mewn llai na deufis.

Cariad atat,

Brynach

*

Gan shan712@gmail.com
At Mami@gmail.com
Mami,

Ma'r dyddie dwetha 'di bod fel *madhouse* yn tŷ ni a sai'n deall yn gwmws shwt wy'n twmlo. O'dd Stewy a fi yn ca'l *romantic supper* neithwr a Bruv yn watsio rwbeth ar y tablet ar y soffa pan da'th galwad mewn i Stewy o'dd e'n ffaelu ignoro.

Weithe, ma ffôn Stewy mor dwym â'r ma'n o't ti'n arfer iwso i neud pancos i ni ar Shrowf Tiwsdei a sdim pum muned yn mynd heibo heb bod rywun isie gair. Pan ma fe'n gwbod bod isie fe roi sylw i fi, ma fe'n ignoro ambell i alwad. Wrth Kye lan yr hewl, gweda, neu Terrier os yw e'n gweitho'r *outskirts*. Ond tro hyn, o'dd pethe'n siriys achos shgwlodd e lawr ar y rhif a wedyn dishgwl arna i. O'dd dim isie gweud mwy.

Bytes i'r mash a pys tra bod e'n dal yn dwym a dishgwl ar 'i un e yn mynd yn oer ar ochr arall y ford. Ac ar ôl y *chat* ar y ffôn da'th e 'nôl miwn yn hasld i gyd. O'dd e fel 'se fe 'di bod yn dadle. 'I foche fe'n goch. 'I freiche fe'n mynd. Dries i helpu fe rilacso drw agor potel o gwrw iddo fe, ond pan dropes i'r *bottle opener* ar 'i dro'd e *by accident* nath e sgradan a galw fi'n iwsles cripl...

So Stewy erio'd wedi gweud rwbeth fel'na o'r bla'n, Mami, *I promise*, wedyn ges i sioc. Wrth i'r dagre a'r lo's ddod lan i gwddwg fi a golchi rownd ar dop 'yn *chest* i, nath e goffa fi o shwt o'n i'n twmlo pan o'dd merched yr *estate* yn arfer gwiddi arna i pan o'dd y sbesial eletric bỳs yn dod i fynd â fi i Merlins. Cripl, cripl on Mami's nipl. 'Na be o'n nhw'n arfer gwiddi. A o'n i'n arfer trial cued cluste fi lawr, gyda pŵer *brain* fi. Ond bydde rhai gire yn dal i slipo trwyddo.

Glywodd Bruv geire Stewy 'fyd achos weles i fe'n pipo lan a tynnu *earphone* mas o'i glust e. Wedodd e ddim byd, ond o'n i'n galler senso wrth y *look* arno fe bod 'i gefn e lan fel cath.

Y noson 'na yn y gwely da'th Stewy mewn o dan y *sheets* a 'mestyn am gwtsh. O'dd e fel sached o rew achos o'dd e 'di bod mas ar y patio yn ca'l *sbliff* a o'n i ddim rili yn y *mood* i dwymo fe lan chwaith. Wisbrodd e yn 'yn glust i bo fe'n sori am gynne a wedes i bod dim problem, er bo fi dal yn twmlo bod itha lot o broblem tasen i'n *totally honest*.

Ond y peth yw, Mami, a wy 'di ca'l amser i realeiso hyn erbyn hyn... wy'n gwbod o'dd Stewy ddim yn meddwl be wedodd e, o'dd e jyst wedi dod mas. Achos 'na be sy'n digwdd pan ti'n grac, yfe? Ti'n lasho mas ar y person agosa atot ti. Wedyn mewn ffordd ma rhaid fi gweld be nath Stewy fel peth da. Fi lashodd e mas arno fe achos taw fi ma fe'n caru. *And I'm a lucky, lucky woman* hyd yn o'd os fi ddim yn timlo fel'na wastod.

Wrth bo ni'n cwtsho lan a'r *street lamp* yn towlu gole oren rhwng y cyrtens dros y gwely, ofynnes i iddo fe pwy o'dd wedi neud e mor grac. O'dd e'n dawel i ddachre, fel 'se fe'n meddwl a o'dd e'n mynd i weud y gwir wrtha i neu beido. A wedyn wedodd e bod un o'r tai le ni'n dîlo ar Blue Street wedi ca'l 'i gau lawr a bod y cops 'di bordo fe lan. Orweddes i 'na'n dawel yn meddwl am hyn am sbel. Gweud dim gair. Cwtsho lan a gwynto'i wynt e. Tan 'na, o'n i ddim yn deall bo tŷ 'da ni lawr yn Blue Street. Weithe sai'n siŵr ydw i'n gwbod popeth sy'n mynd mlân yn ben Stewy. Ond wedodd e ddim byd mwy ar ôl 'ny so 'nes i ddim pwsho chwaiff.

Gathon ni sws lyfli wedyn cyn i fe weud 'Where would I be without you, doll?' A wy'n gwbod bod e'n meddwl 'na. Achos ma Stewy'n rili gwd yn neud *deals* 'da pobol pan ma'r *bags o' rock* yn cyrradd y tŷ ond so fe dal yn gwbod shwt ma handlo arian. Achos 'na wy 'di creu *account* yn 'yn enw i 'fyd a ni'n roi peth arian mewn fan 'na.

Ryw ddydd byddwn ni'n galler ffordo tŷ lan ar bwys y coleg. Neu'n well byth, yn rhwle fel Llanddarog. A bydd *Alsation* 'da ni a gardd, a geith Bruv fyw mewn *self-contained flat* gyda *ice-machine* ar y ffrij yn bac y tŷ. A geith e smoco faint bynnag o *skunk* ma fe isie a gorwe'n comotôs mewn cwmwl gwyrdd drw'r dydd.

Shan x

*

**Llythyron at Morfudd Yang a gyfansoddwyd gan Brynach Yang mewn gwersyll ger Cwmfelin Mynach, 2057. Ni dderbyniodd y llythyrau.**
Roedd dod i fyw i gymuned y Buarth yn brofiad anhygoel i ddechre. Popeth fel petai e'n rhedeg fel watsh. O fewn deuddydd ro'n i wedi sefydlu trefn braf o godi a gwneud fy ngwaith. Yn cydweithio gyda phobol o bob lliw a llun. Petra o Ddyfnaint. Len. Niamh. Edith. Dr Simmons. Lle bynnag ro'n i'n troi roedd yna bersonoliaeth newydd, difyr a chymhleth.

Yn y boreau, roedd Edith wedi trefnu fod yna wersi Cymraeg dwys i bawb nad oedden nhw'n siarad yr iaith. Mae pedwar tiwtor iaith ar y campws (sy'n aelodau o Poboliaeth) a'u hunig swyddogeth yw hwyluso'r broses o ddysgu Cymraeg. Ro'dd un o'r tiwtoried yn hanner cyfarwydd i fi am fy mod i wedi gweld ei wyneb mewn gigs dros y blynyddoedd. Einion yw ei enw. Boi tal, sych sy'n joio'i gwmni ei hunan. Ac eto, mae e'n diwtor gwych. O fewn yr wythnos ro'n i wedi cytuno i helpu gyda'r gwersi. Yn fwy na dim, wy'n mynychu er mwyn i bobol aller ymarfer eu sgiliau llafar. Ry'n ni'n cyd-ddarllen llyfrau, yn perfformio mewn sgetsys ac yn cael gwersi coginio drwy'r Gymraeg. Ry'n ni'n cynnal gwersi ffitrwydd Cymraeg hefyd. Mae'r tiwtoriaid yn meddwl bod cyfuno ymarfer corff â dysgu iaith newydd yn llesol iawn. Wrth gwrs, erbyn amser cinio bob dydd mae pawb wedi ymlâdd.

Moto mawr Edith yw nad yw dysgu Cymraeg ar ei ben ei hunan yn ddigon. Mae'n rhaid cael rhywbeth Cymraeg i'w ddweud a'i wneud. Fe gafodd hi afael ar y cysyniad ar ôl ymweld â Seland Newydd a gwrando ar bobol oedd yn siarad Maori'n dweud rhywbeth tebyg.

Bob prynhawn wedyn bydd hanner aelodau'r Buarth yn mynd i weithio yn y tai gwydr solar gyda Llawen a phartner Dr Simmons, tra bydd yr hanner arall yn aros ar y Buarth er mwyn cynllunio ymgyrch Gwales. Wrth ifi ishte yn y cyfarfodydd corff cyntaf fe ges i fy nghyfareddu gan y drafodaeth a chyn pen dim ro'n i'n cyfrannu'n helaeth. O fewn pythefnos roedd Edith yn dymuno symud Niamh a fi i'r prif bwyllgor strategaeth am ei bod hi o'r farn bod 'da ni gyfraniad arbennig i'w wneud.

O fewn dim felly, cynhaliwyd pleidlais a throsglwyddwyd ni i'r prif bwyllgor gyda Len, Edith, Dr Simmons a Harri (sy'n rhannu stafell gyda fi a Len). Mae sylwedyddion o blith gweddill poblogaeth y Buarth wastad yn bresennol yn y cyfarfodydd hynny ac mae'n rhaid i ni hefyd adrodd yn ôl i'r cyfarfod corff yn wythnosol. Mae'r cyfarfod corff yn gweithredu ar sail system gylchynol sy'n meddwl bod pawb o'r Buarth (gan gynnwys y rheiny sy'n gweithio yn y tai gwydr) a grŵp Poboliaeth Caerfyrddin yn mynychu yn eu tro. Un amod pwysig arall yw nad oes hawl gan unrhyw un sy'n mynychu cyfarfodydd y Buarth ddatgelu wrth eraill pwy oedd yn bresennol. Rhaid i hunaniaeth y sawl sy'n byw yma aros yn gyfrinachol.

Un o brif negeseuon cyfredol Poboliaeth yw fod angen i bob person byw gyfrannu at ddemocratiaeth er mwyn iddo ffynnu. Dyw pawb ddim o reidrwydd yn 'wleidyddol' yn ystyr traddodiadol y gair ond mae Edith yn argyhoeddedig bod gan bawb ei arbenigedd, ei ddiléit a'i brofiad unigryw sy'n amlwg yn mynd i fod o werth i'r corff. Y 'corff' yw'r gair sy'n cael ei ddefnyddio am bawb nad y'n nhw mewn grym. Gyda'i gilydd, mae'r 'corff' yn creu un grym. Y grym torfol all newid y byd.

Ar fater personol, Morfudd, un o'r pethau cynta ro'n i wedi gweld isie yn ofnadw ar y ward oedd mynd ar y we. Er nad o'n i isie gofyn i Edith, fe lwyddes i gael gair gyda Len am y peth un noson, wrth i griw ohonon ni gerdded ar hyd caeau'r ffarm ar ôl swper. Roedd 'na wybed yn bobman y noson honno a'r gwanwyn cynnar yn deffro'r tir. Caeau fy llencyndod, feddylies wrth fy hunan wrth gerdded, a finne ar blaned wahanol.

– Sdim we ar y Buarth achos dy'n ni ddim am i bobol wybod lle ry'n ni.

– Ond siawns fod pobol mewn awdurdod yn gwybod ta beth? A be am y we dywyll, Len? Ma modd mynd ar honno heb i neb wbod.

– Pam wyt ti eisiau mynd ar y we beth bynnag, Brynach?

– Er mwyn ca'l clywed beth sy'n digwydd dros y byd! Y newyddion diweddara.

– Ond ry'n ni'n ca'l adroddiade boreol dros frecwast… ac yn cael gofyn cwestiynau, hyd yn oed os ydyn nhw'n wrthun i egwyddorion Poboliaeth.

– Ond dwi'n gweld isie pethe fel YouTube hefyd. A cherddorieth.

– Wy'n deall hynny. Wy'n gweld isie gwylio, a betio ar rasys ceffylau fy hun. Ond mae peidio cael y we yn llesol i benderfyniadau'r mudiad yn rhyngwladol. Syniad ddaeth o'r Aifft yw e'n wreiddiol. Eironi'r peth wrth gwrs ydy mai technoleg a'r we gynorthwyodd yr Arab Spring cyntaf yn ôl yn negau'r mileniwm. Ond gydag amser fe sylweddolodd sawl un o athronwyr y cyfnod fod penderfyniadau mwy pwyllog, ar sail egwyddorion cadarn, yn llawer mwy hirhoedlog a bod modd defnyddio'r we wedyn mewn ffordd fwy dethol. Yn achlysurol felly. Fel y byddwn ni'n amlwg yn ei wneud yn ystod cyfnod Gwales.

– Oes bwriad gwahardd y cyhoedd rhag mynd ar y we pan fydd Poboliaeth yn helpu i gipio trefi yn ôl?

– Jiw, nag oes. Wyt ti'n meddwl ein bod ni moyn ail-greu Ciwba'r ugeinfed ganrif?

– Ond ni'n cynnal fagddu.

– Dim ond wrth baratoi at Gwales. Fel bod yr awdurdodau yn methu ysbïo. Enw'r cyfnod yma, cyn y chwyldro cymunedol, yw cyfnod 'y deori'. Ac felly mae angen cadw'n pennau'n glir ac yn lân am y cyfnod hwn.

– Yn lân?

– Ie! Dim byd i dynnu'n sylw. Dim ond cynllunio ac ymlacio. A bod ym myd natur.

– Ti'n swnio fel hipi, Len.

– Rwy'n llawer mwy o hipi nag wyt ti'n sylweddoli, Brynach.

Be allen i ddim gweud wrth Len, am 'i fod e'n rhy agos at y gwir, yw mai'r unig reswm wy isie mynediad at y we yw er mwyn gallu gweld llunie ohonoch chi'ch dwy. Gweld 'ych bod chi'n oreit.

Hyd yn oed os oes dyn newydd yn dy fywyd di, Morfudd, wy moyn dy weld di. Dy wyneb, dy wallt, dy wên di. Pe cawn i ond dwy funud, i weld bod

Tanwen yn tyfu ac yn dysgu ac yn datblygu… Bydde'r llunie 'na'n ddigon i 'nghadw i fynd am flynydde!

Un dydd, fydda i 'nôl a ga i fod yn rhan o beth bynnag sy'n bosibl.

Cariad atat,

Brynach

\*

**E-gofnod flynyddoedd wedi'r Rhyfel Rhithiol (2022–25)**
**E-bost gan Judith Yang (mam Brynach a Rhuon) at ei chwaer Susan**
Susan,

Wy'n ffaelu credu bod blwyddyn ers llawdrinieth Malcolm. A diolch am hala'r garden post o Blackpool gyda llaw. Swno fel bo chi 'di ca'l yffach o sbort!

Gweddol yw pethe 'ma i weud y gwir. Fuodd gweithiwr cymdeithasol mas i siarad 'da Brynach heno. Ar ôl i'r boi adel, holes i shwt a'th hi ond o'dd Brynach yn pallu dishgwl arna i. Rhai dyddie neith e ddim dishgwl arna i o gwbwl. Dim go iawn, dim i'n lyged i. Dechreuodd pethe tro 'ma achos ballodd e fynd ar y bỳs i Fro Myrddin wthnos dwetha. Bob bore o'dd e'n conan bod bola tost 'da fe ac yn mynnu sefyll yn y gwely. Wrth gwrs, bydde dim ots 'da fi, tase fe wir yn dost. Ma fe'n ddigon rhwydd i fi alw 'nôl o'r ysgol gynradd i gadw lligad arno fe. Ond o'n i'n gwbod, nago'n i? Bod e'n rhaffu celwydde. A ges i weld 'na'n ddigon clou 'fyd.

Pnawn dydd Mawrth es i 'nôl i tsieco arno fe fel arfer ond wynno fe yn 'i wely. Wynno fe yn y parlwr chwaith. Y syniad cynta dda'th i'n ben i o'dd bod e wedi redeg bant. Paid gofyn pam, Sue, ond 'na beth feddyles i.

Whiles i rownd yr ardd wedyn. Bydde'r crwt wedi sythu mewn cot drwchus hyd yn o'd. O'n i bythdu mynd 'nôl i'r tŷ i ffono Gwawr am help pan sylwes i bod drws swyddfa Li ar agor. Ma rhaid bod e 'di ffindo'r allwedd yn y drâr o dan y micro. Mewn â fi ar hast wedyn. A'n galon i yn 'y ngwddw.

'Na le o'dd e, Sue. Yn 'i byjamas, wrth ddesg 'i dad, yn dishgwl trwy'i bethe fe. Ond o'r foment welodd e fi, bolltodd e drw'r drws a finne ar 'i ôl e.

Erbyn i fi gyrradd 'nôl i'r tŷ o'dd e yn 'i stafell a'r drws ar glo. O'dd dim gobeth o siarad 'da fe wedi 'ny, o'dd e?

Y nosweth 'na gathon ni'n tri swper wrth y ford a Rhuon yn cadw mynd mlân am y ffaith fod e moyn mynd mas i bysgota 'da rai o gryts y pentre dros y penwthnos. Syna i'n lico'r syniad ohonyn nhw yn y Taf ar 'u pen 'u hunen,

Sue, na bod nhw'n cario drylle. Ond ar y foment wy jyst yn falch bod un o'n fois i isie neud pethe normal 'da cryts erill. Pethe ddyle cryts eu hoed nhw fod isie neud.

Ar ôl dyrnod arall o weud bod e'n timlo'n dost a'th Brynach 'nôl i'r ysgol. A fentra i weud bod pethe'n normal am damed. Tan i Rhuon ddod mewn i'r parlwr nos Iau a gweud bod gwa'd yn sinc y bathrwm. Gweud bod plant Bro Myrddin yn gweud bod Brynach yn gytie dros 'i fraich e.

Ruthres i at 'i stafell e a mynnu bod e'n agor y drws. Tynnu 'i lewyshe fe lan yn rwff, a fynte'n stranco, yn gweud *get off, get off*. Allen i fod wedi tagu'r crwt! So fe'n meddwl bod digon ar 'yn blât i? So fe'n galler clŵed fi'n llefen yn y gwely? Gweld mor galed yw pethe?

Ond pan weles i'r cytie, Sue, dechreues i lefen. Syna i byth yn llefen o'u blaene nhw ond wynna i'n galler dala 'nôl. Rhuon wrth y drws. Yn rhy ifanc i weld bod ei frawd mowr e'n rhwygo'i gro'n yn bishys. Stopa fod mor ffycin hunanol, wedes i drw'n ddagre a'n boer i. Troies i'n ben a gweld cilleth boced goch. Ar y cwpwrt wrth y gwely. Cilleth boced Li o'r swyddfa. Yr un o'dd e'n arfer iwso i sleiso pacedi ar agor pan fydde fe'n ca'l ordor mowr o Tsieina. Wedes i ddim byd. Dim ond 'mestyn amdani a'i rhoi ddi yn 'yn boced yn saff. Syna i'n dwp, Sue. Neith y crwt ffindo rwbeth i iwso os yw e'n benderfynol o neud niwed i'w hunan. Ond so fe'n mynd i iwso'r gilleth 'na 'to.

Hyd nawr ma fe wedi bod fel cwningen yn jengid. Yn rhedeg bant i'w dwll e. Ond geith e ddim jengid rhagor achos ma rhaid iddo fe siarad. A ma rhaid iddyn nhw neud yn siŵr bod e'n siarad tro hyn, yn lle gadel iddo fe staran ar y walydd a gweud be ma nhw moyn clŵed.

Weithe wy'n timlo fel 'se fi'n ca'l 'yn gosbi, Sue. Am feddwl alle pethe fod yn syml. Y galle cariad Li a fi goncro popeth. Shwt fues i mor naïf, gwed?

Wedd Mami wastod yn gweud bod cariad fel hyfed botel o win. Dim ond wrth i ti ddod at ddiwedd y botel ti'n gweld mor fwclyd ma popeth go iawn. Ond ma rhaid iti yfed y cwbwl, sbo, cyn bo ti'n ffindo mas. A mae'n rhy hwyr wedyn.

Dere am *visit* yn glou, 'nei di, Sue? Allen ni ga'l nosweth o wau hetie *refugees* a watsio teli. Jocan bod popeth fel mae e fod. Nele fe fyd o les.

Judith x

*

Gan shan712@gmail.com

At Mami@gmail.com

Ma Bruv *seriously* 'nôl ar 'i dra'd, Mami, a ma fe *out and about* tamed bach 'fyd. Ma dal fel 'se rwbeth ar goll pan ma fe'n sharad weithe, ond ma fe yn *huge improvement* so sai'n cwyno.

Ers contacto ti dwetha wy 'di bod yn gweitho fel *crafty little fox* i glywed mwy am y tŷ 'ma lawr yn Blue Street. Grondo mas pan ma Terrier yn ca'l sbliff gyda Stewy a pethe fel'na. Ond un nosweth wthnos 'ma dath *news* arall i overtako popeth.

Yn y gwely wrth cwtsho a canwdlo un nosweth dechreuodd Stewy agor lan. Yr hanes sy'n mynd rownd y lle yn ôl Stewy yw bod ryw fath o *coup* mlân yn y dre. Ryw *military group* isie cymryd *charge* o G'fyrddin achos bod gormod o drygs a *poverty* a *shit* mlân 'ma. Wigles i tamed bach yn y gwely pan wedodd Stewy 'na. O'dd meddwl am y lle 'ma'n newid yn sgero fi tamed bach.

*No way* neith dim byd fel'na actiwali digwydd *though*, Stew. Dim yn G'fyrddin. Ond wedodd e bod e ddim mor siŵr. Ma gyment o bobol wedi ca'l llond bola o fod yn *skint* a *fucked over* mae e'n meddwl allen nhw fod yn barod i drial rwbeth.

Mater o ddishgwl yw e nawr, yn ôl Stewy. Am *phone call* gan y *group* 'ma. Ma fe 'di ca'l *heads-up* 'da ffrind sy'n gweitho i'r moch bo nhw'n trial cwrdda pawb sy 'da unryw bŵer yn y dre. Dimlodd Stewy fi'n tenso lan bryd 'ny, fi'n credu, achos droiodd e'n sofft i gyd. So fe'n ddim byd i fecso amdano fe, ti'n clŵed, *baby doll*? Ni yw'r unig gang yn dre sy'n *armed*, wedyn bydde neb ddigon twp i bigo ffeit 'da ni. A wedyn swsodd e clust fi.

Wy'n gweld dryll Stewy yn y cwpwrt o dan y stâr bob tro ma Bruv yn 'mestyn am yr *hoover*. Hyd nawr o'n i'n meddwl am y dryll fel *nuclear missile*. Rwbeth ti'n cadw rag ofon, ond ti byth yn mynd i iwso. Ond ddar inni ga'l y *chat* 'na yn y gwely, sai cweit mor siŵr.

Shan x

*

**Llythyron at Morfudd Yang a gyfansoddwyd gan Brynach Yang yng ngwersyll Cwmfelin Mynach, 2057. Ni dderbyniodd y llythyrau.**

Morfudd,

Ges i air 'da Edith neithiwr. O'n i wedi mynd i fecso'n dawel bach 'mod i heb dderbyn llythyre yn ôl gen ti. Wedi darbwyllo'n hunan bod rhwbeth yn bod arnat ti neu Tanwen a bod Edith heb weud.

Ond ma Edith wedi egluro'r sefyllfa ifi erbyn hyn. Dy fod ti'n hapus i dderbyn y llythyre (ac yn falch, hyd yn oed, wedodd Edith!) ond na fydde fe'n ddiogel iti ateb. A wy'n deall 'ny'n iawn!

Pan nath Edith gadarnhau dy fod ti a Tanwen yn ddiogel ac yn iach nath 'yn llyged i ddechre dyfrio. A phan wedodd hi wedyn mai'r unig neges sydd 'da chi i fi yw eich bod chi'n ffaelu aros i 'ngweld i ar ôl i gyfnod Gwales ddod i ben, bues i bron â chwmpo ar fy mhenglinie. Dyna'r unig beth oedd angen i fi glywed, Mofs. Dim byd mwy.

Ma'n debyg fod sawl person mewn awdurdod yn gwbod am fodoleth y Buarth. Wedi'r cyfan, does dim modd i gymuned gyfan ddiflannu'n llwyr. Mae rhai yn hapus i gadw'n dawel am eu bod nhw'n gefnogol i Poboliaeth a'r lleill yn fodlon cadw'n dawel am eu bod nhw'n eistedd ar y ffens. Pobol fel'na sy'n fy nrysu i erio'd. Y rhai sy'n hapus i aros i weld pa ffordd fydd y gwynt yn chwythu.

Edith yw arweinydd y Buarth. Wrth gwrs, pe baet ti'n gofyn i unrhyw un arall, fe fydden nhw'n dweud nad oes arweinydd 'da ni. Wedi'r cyfan, mae'r prosiect yn perthyn i ddraddodiad anarchaidd sy'n awgrymu bod pawb yn gydradd a bod modd inni wneud penderfyniadau ar y cyd, fel corff, ar bob achlysur. Wrth gwrs, ma hyn yn nonsens llwyr. Ydyn, ry'n ni i gyd yn gydradd, ond hyd yn oed os yw pobol eisiau esgus fel arall, mae wastad arweinydd. Ac Edith yw hwnnw ar hyn o bryd.

Wrth sgwrsio 'da Llawen yr wythnos hon, wy 'di dysgu lot am y canolfanne sydd wedi eu lleoli dros y byd. Ma 'na gannoedd, ac maen nhw'n weithgar tu hwnt. Maen nhw'n amrywio o ran pwrpas a maint ond cymunede tanddaearol ydyn nhw i gyd a'u prif nod yw rhoi siâp newydd ar bethe, yn unol ag egwyddorion Poboliaeth. Llawen yw ffynhonnell pob gwybodaeth, wy'n gweud 'thot ti. Wy wrth 'y modd yn 'i gwmni fe.

Ar adege fel hyn, wy yn timlo'n gartrefol iawn 'ma, Morfudd. Ma'r bobol sy 'ma'n debyg ifi. Maen nhw isie gweld pethe'n newid. Ac maen nhw'n barod i neud unrhyw beth er mwyn gweld y newid 'na'n digwydd.

Wrth gwrs, fe ddaw'r sefyllfa bresennol i ben yn fuan ac fe newidith popeth eto. Ond ar hyn o bryd celwydd fydde gwadu nad ydw i'n fodlon.

Dros y nosweithe dwetha wy 'di treulio llawer o amser gyda Edith a Llawen. Swpera. Rhannu sigarét. Rhannu straeon. Mewn sawl ffordd, mae wedi bod yn fraint fawr ca'l gweld beth sy'n eu gyrru nhw fel pâr. Eu gyrru nhw at ei gilydd, ie, ond be sy'n eu gyrru yn eu blaene hefyd. Y natur benderfynol 'ma.

Fel erio'd, wy'n gweld Edith yn gliriach nesa at Llawen. Mae e'n cynnig cyd-destun iddi. A hithau'n disgleirio. Ond mae e'n berson arbennig hefyd, Morfudd, ac mae'n hawdd anghofio hynny. Mae e'n radical yng ngwir ystyr y gair. Ei rieni'n Saeson rhonc a fynte wedi tyfu lan yng Ngheredigion gan ddewis cofleidio'r tir a'r bobol. Mae e'n Gardi o'r Cardis, Morfudd! Fel y ffermwyr weli di yn rhywle ar ddiwrnod mart. Ond yn wahanol iddyn nhw, mae e wedi dewis hynny – sy'n ei wneud yn fwy o Gardi fyth, rywffordd. A hynny er ei fod e'n byw yn Sir Gâr nawr. Wy hefyd yn gwbod bod Llawen yn ffyddlon. Doedd 'na ddim un wythnos ar y ward pan na fyddai ei lyged glas yno yn dweud helô. Ac roedd hynny werth y byd, ar y pryd.

Ma Edith a Llawen yn argyhoeddedig bod 'da ni siawns wych o weithredu sawl chwyldro cymunedol yng Nghymru dros y blynyddoedd nesa. Maen nhw'n dadle fod ein hanes ni – o'r Silwriaid yn Ninas Powys i syniadau radical Robert Owen – yn profi ein bod ni'n bobol styfnig sy am neud pethau ar ein telerau ni. Wrth gwrs, wy 'di clŵed lot o'r rhethreg 'ma o'r bla'n. Ond ti'n gwbod be sy'n wahanol y tro 'ma? Nage am brotestio ry'n ni'n siarad. Ry'n ni'n siarad am gipio grym.

Yn ddiddorol, fe wylltiodd Edith gyda Llawen dros swper neithiwr. Roedden ni i gyd wedi blino'n lân. Yn oriog ar ôl diwrnod o drafodaethau dwys. Ond roedd dadle Edith mor danbaid â phe buasai hi newydd godi. Nid cipio grym roedden ni'n ei wneud wrth weithredu cynllun Gwales ond cynorthwyo pobol y dre i adennill grym. Roedd hyn yn bwynt sylfaenol yn ei barn hi. Yn greiddiol! Wrth gwrs, dwi yn cytuno, ac eto, roeddwn i mewn hwylie i herio. 'Ond fydde hyn ddim yn digwydd heb ein help ni,' medde fi, yn llanc i gyd, 'ry'n ni'n newid ffawd cymuned drwy ymyrryd. Trwy gynorthwyo.' Fe weles i lyged Llawen yn fflachio wrth i fi siarad. Wy'n meddwl ei fod e'n parchu unrhyw un sy'n fodlon herio unplygrwydd Edith.

'Hwyluswyr' oedd ei gair hi, mewn ymateb i fy her, 'rydym ni ddim yn ymyrryd, rydym yn hwyluso. Hwyluso pobl fel mae'r lobïwyr yn hwyluso cwmnïau mawr.'

Ti'n gwbod weithie, Morfudd, Cymraeg Edith yw'r Cymraeg perta sydd i ga'l. Hyd yn oed os nad oes yna dreiglad ar ei gyfyl.

Neithiwr hefyd, fe ddaeth Niamh i ymuno gyda ni am baned a ches gyfle i glywed faint mae Edith yn trysori ei chyfraniadau ar y Buarth. Bron nad yw hi'n ei thrin fel duwies ar brydie. Nid yn unig yn gweld heibio'r ffaith fod ganddi broblemau iechyd meddwl ond yn ei mawrygu hi o'r herwydd.

– Rwyt ti'n cymaint caffaeliad i Gwales, Niamh. Mae'r ffaith fod gen ti dy llais ti a bod gen ti llais dy mam, mae'n dy gwneud yn person arbennig iawn. Rwyt ti'n medru craffu mewn ffordd mor gwahanol i pobl eraill achos rwyt yn aml wedi cael dadl gyda Mam yn barod. Mae'n fel petaet ti byth yn dweud dim nes bod ti a Mam wedi penderfynu ar yr ateb gorau yn cyntaf. Ydw i'n cywir?

Roedd llygaid glas Niamh yn pefrio wrth i Edith siarad. A phetai Edith yn berson emosiynol sensitif fe fydde hi wedi stopio'r sgwrs. Ond yn unol â'i steil arferol, aeth Edith yn ei blaen.

– Mae pobl gyda *schizophrenia* wedi cael eu gwthio i ffwrdd gan cymdeithas. Pobl yn meddwl maen nhw'n peryglus, neu'n brawychus. A pan maen nhw'n sâl iawn, ac yn methu delio gyda eu salwch, mae hynny yn gallu bod yn wir. Ond mae sawl lle dros y byd nawr, Niamh, sy'n dechrau gwerthfawrogi bod e'n posibl i pobl byw gyda lleisiau. A gwneud y gorau o'r lleisiau. Rydych yn person arbennig iawn.

Er bod y Wyddeles yn aml yn siarad bymtheg y dwshin mae hi hefyd yn un sy'n hoffi gadael i ystyr gwmpo rhwng y geiriau. Ond nid Edith. Mae hi'n blaen ei thafod. Yn dweud, dweud, dweud a dweud eto er mwyn gwneud yn siŵr fod rhywun wedi deall y pwynt.

Wy'n becso bod y sgwrs honno wedi rhoi tipyn o bwysau ar ysgwydde Niamh druan. Oherwydd, o wybod ei bod hi'n gaffaeliad, mae hi hefyd yn gwybod bod ganddi gyfrifoldeb. Ac i Niamh mae hynny fel cael llyfu eising oddi ar lafn cyllell finiog.

Wy'n sylweddoli nad ydw i wedi siarad rhyw lawer am y bobol wy'n rhannu stafell â nhw, Morfudd. Wedyn gad ifi sôn amdanyn nhw'n glou. Tristram o Ddyfnaint yw un. Ffrind i Edith o'i chyfnod ym Mryste. Fe fu'n protestio'n frwd yn erbyn ynni niwclear ac mae e'n feddyliwr praff. Mae e hefyd yn foi mawr. Enfawr a dweud y gwir!

Er dy fod ti wedi clywed tipyn am Len, dyma ddweud ychydig yn rhagor amdano fynte hefyd. Mae e wedi dysgu Cymraeg ac yn dod yn wreiddiol o

Fife. Gwmpodd e mewn cariad gyda merch ar gwrs gyda'i waith ac mae hi (Gwen) ar y Buarth hefyd. Mae'r ddau yn eu pumdegau. Len yw trysorydd y Buarth a'r tŷ gwydr solar, ac mae e'n drewi tamed bach 'fyd.

Y trydydd person sy'n rhannu stafell gyda fi yw Harri. Boi ifanc o'r Cymoedd yw e, a thipyn o fardd. Roedd e'n arfer gweithio i Blaid Cymru Werdd cyn sylweddoli bod dim byd yn mynd i newid mewn system Neo-Ddemocrataidd chwe phlaid. Ac felly mae Harri fan hyn. Gyda ni. Ar y Buarth. Yn barod i newid y byd.

Fe sgwenna i eto'n fuan, Morfudd. Mae gwybod i sicrwydd dy fod ti'n darllen y llythyron yma wedi rhoi shwt hwb i fi. Mae'n galed rhoi'r peth mewn geirie rhywsut.

Brynach x

*

### 'Fy nghynefin' gan Tanwen Yang – Blwyddyn 9, 2057

Rydw i'n byw gyda fy Anti Lleucu sy'n ddoctor yn ysbyty y Hith a fy Mam. Rydym yn byw yn Eglwys Newydd sydd yn bentref yng Nghaerdydd. Byddai fe yn bosib byw yn Eglwys Newydd heb fynd i unrhyw le arall achos mae llefydd trin gwallt a gwinedd yma, siopau fyrdd a canolfan mesur iechyd. Hoffaf fyw yn Eglwys Newydd achos gallaf gerdded i gwrdd â fy ffrind Cadi sydd yn byw dros y ffordd a cherddwn gyda'n gilydd o amgylch y parc.

Mae fy Mham wedi bod yn dost yn ddiwedar achos mae hi yn alcoholic, felly dydy hi ddim adref ar hyn o bryd. Cyn i ni fyw yn Eglwys Newydd, roeddwn i a fy Mam yn byw gyda fy'n Dad yn Aberystwyth. Mae e wedi marw nawr achos roedd yn sâl hefyd.

Rwy'n cofio bywyd yn Aberystwyth yn dda. Rwy'n cofio'r môr, yr siopai hufen iâ, fy ffrindiai gorai (Tamsin, Heti ac Eleri) a'r pwll nofio ar bwys yr ysgol fawr lle roeddwn yn cael gwersi. Roeddem yn arfer mynd i wersi dawnsio, nofio (fel ddwedais) a Japaneg gyda ein gilydd a byddwn yn mynd i gwrdd â nhw dros yr haf gobeithio.

Yn y dyfodol, hoffwn fyw yn Sbaen neu unrywle lle mae haul. Efallai hoffwn fynd i China hefyd achos roedd fy Dad yn hanner *Chinese* sy'n gwneud fi yn chwarter *Chinese* ac rydw i yn edrych yn *Chinese* iawn achos mae gen i wallt du a llygaid *Chinese*. Rwy'n lwcus iawn i fyw yn fy nghynefin hardd ac rwy'n caru Cymru yn fwy na fy nghalon.

## Nodyn gan Mrs Blythe, Adran y Gymraeg, Ysgol Gyfun Glantaf

Gwaith da, Tanwen, a darn hir iawn! Rwyt ti'n ysgrifennu mewn modd diddorol iawn ac rwyt ti'n creu darluniau difyr yn y meddwl. Cofia baragraffu a bod angen gofal gyda'r U gwpan weithiau – fel yn 'ffrindiau'. Byddai wedi bod yn braf darllen mwy am bobol yr Eglwys Newydd hefyd. Pa fath o gymeriadau sy'n byw yno? A mwy o ddefnydd o'r synhwyrau efallai. Ond gwaith da iawn ar y cyfan ac rydw i'n edrych ymlaen at ddarllen rhagor o dy waith.

*

Gan shan712@gmail.com
At Mami@gmail.com

Mami,

Dim ond fi a Bruv o'dd yn y tŷ drw'r dydd heddi achos o'dd cyfarfod rili pwysig 'da Stewy 'da'r *board of directors* yn Abertawe a o'dd Terrier wedi pigo fe lan cyn i fi hyd yn o'd deffro.

Wy'n credu 'nes i be 'nes i achos bo fi bach yn *bored*, Mami. Pipo rownd yn ffeils Stewy. O'n i ar 'yn bedwar yn y bedrwm yn pipo mewn *box file* pan da'th Bruv miwn. Paid â gweud 'tho Stewy, wedes i heb feddwl. O'n i'n timlo fel merch ddrwg wedi ca'l 'i dala mas. Am be ti'n whilo? holodd e, 'i ben e'n llawn o *skunky thoughts*. Gwyn 'i lyged e bron yn wyrdd.

Wy isie gwbod be sy mlân 'da ni lawr yn Blue Street, wedes i fel'na. Achos o'dd dim digon o *imagination* 'da fi weud unrhyw beth arall. Beth 'yt ti? *Thick*? wedodd Bruv fel'na. *Brothel* yw'r tŷ yn Blue Street. Shgwles i arno fe. Ond drygs ma Stewy'n neud, wedes i, a nath Bruv jyst borsto mas i wherthin yn 'yn wyneb i. Gweud bo fi'n gwbod *all along in reality* ond bo fi wedi dewis ignoro'r peth. Bod Stewy mor *crooked* â Trevor Small.

Ddar i Bruv weud y *news* wrtha i wy ffaelu stopo meddwl am fenwod sneb yn nabod yn gorwe mewn stafellodd tywyll, du. 'U coese nhw ar agor a cefne blewog ryw hen ddynon yn mynd 'nôl a mlân. Beth yw hanes y menwod 'ma nawr, ti'n meddwl, Mami? Ddar i Blue Street gau lawr? Ma nhw siŵr a fod wedi ca'l 'u symud i adeilad arall ac yn dala i neud yr un peth, ti'n meddwl?

Wy'n gwbod bod Stewy wedi gweud celwdd 'tha i am y *brothels* er mwyn protecto fi ond fi dal yn timlo tamed bach yn ypsét. Licen i tase fe wedi gweud 'tha i fel bo fi heb ga'l y timlad horibl 'na yn bol fi pan wedodd Bruv.

Watsiodd Bruv a fi ffilm ar ôl 'na. Towlu fe lan o'r tablet i'r wal yn y lownj. *Action movie* o'dd e. Un ecseiting o China. Wrth i ni ishte 'na, a rannu bocs o *malted-chocks* a hyfed te rhy gryf, dechreuodd e dimlo fel yr hen amser. Pan o'dd Bruv yn arfer gweitho lawr y farced a dod 'nôl â *tea towels* i fi. Am tamed bach, 'nes i anghofio am y merched a'r *brothels* a Stewy. Anghofio am y cwbwl lot a jyst briddan.

Wy'n gwbod be ma Bruv moyn. Mae fe moyn i fi feddwl bod Stewy yn *crook of the crooks* achos so fe'n lico fe. Ond nage fel'na fi'n gweld e, Mami. Achos sneb erio'd 'di bod mor ffein i fi â Stewy a ma fe'n neud be ma fe'n neud *for our sakes*.

Da'th Stewy 'nôl o'r cyfarfod yn Abertawe 'da blode i fi. Bwnshed mowr lliwgar a gwên ar 'i wyneb e. Wedodd e bod e 'di seciwro *deal* a bod masif *delivery* o *rock* ar y ffordd i tŷ ni dydd Gwener amser cino. O'dd e mor hapus am y newyddion nath e gwtsho lan i fi ar y soffa a roi swsus i fi bobman. Gathon ni gyment o sbort a gigls 'nes i benderfynu pido gweud dim byd am Blue Street a'r menwod. Gall 'na aros am ddyrnod arall, Mami. Sdim pwynt roco'r *boat* am y tro.

Shani x

*

**Neges gan Llawen@poboliaeth.cymru**
**At Edith@poboliaeth.cymru**
Edith,

Gan bo fi heb dy weld di heddi, wy'n nodi ambell i beth mewn e-bost rhag ofon i fi anghofio heno:

1 – Ma'r *delivery* dwetha o'r offer 'di cyrradd. Wy 'di storio nhw gyda help Tristram. Pwy arwyddodd amdanyn nhw? Nage fi na Trist. Yfe ti? Ma isie ni gadw rheoleth ar bethe fel hyn yn y dyfodol.

2 – Ma Beijing wedi bod mewn cyswllt eto. Wy'n gwbod beth yw dy farn di ond maen nhw wedi anfon llythyr swyddogol o adran economi'r llywodraeth

tro hyn. Gweud bod nhw'n wirioneddol awyddus i gyfarfod. Gad wbod shwt ti moyn i fi ymateb.

Llawen

**Neges gan Edith@poboliaeth.cymru**
**At Llawen@poboliaeth.cymru**

1 – Nid fi oedd wedi arwyddo. Dim *offence*, Llawen, ond cyfrifoldeb Tristram ydyw hyn.

2 – Beijing. Dwed diolch iddynt am cysylltu ond bydd Poboliaeth byth yn bodlon cyfarfod gyda China dim ots pa *deal* sydd ar y bwrdd.

3 – Cefais clywed drwy ffrind heddiw bod yr heddlu wedi trio recriwto Brynach cyn iddo diflannu. Eisiau i fe adrodd 'nôl i nhw am Gwales os mae'n eisiau gweld ei plentyn eto. Rhaid bod yn ofalus be rydym yn dweud wrtho. Mae person heb gwybodaeth yn person saffach. I'w hunan ac i eraill.

Gweld ti heno.

E

\*

Cerddi Morfudd Yang ar gyfer y Goron? Drafft.doc Cyfansoddwyd yn ystod ei chyfnod yng nghanolfan alcoholiaeth Dechrau, Casnewydd.

Dilyniant o gerddi ar y thema 'Dibyniaeth'

Methu_drafft1

Rhwng cloriau gobaith
doedd dim ond tudalennau gwag.
Breuddwydion pwdwr na throesant yn eiriau ar bapur
ond yn sibrydiadau fel gwynt main ar hyd y papur.
Sibrydiadau sy'n goglais y glust ac yna'n diflannu
i fudreddi'r glaw smwc.

Rhwng cloriau gobaith,
doedd dim ond tudalennau gwag.

Rhwng cloriau gobaith
doedd dim ond tudalennau gwag
a'r holl sibrydiadau yn ddim ond anadl cynnes ar bapur oer.
Ond glynais yn dynn yn y llyfr gwag
ac esgus i mi fy hun ei fod yn llawn geiriau darogan,
yn llawn dyfodol.

Ond dim ond tudalennau gweigion
oedd i'w gweled ar y gorwel...

*

**Llythyron at Morfudd Yang a gyfansoddwyd gan Brynach Yang. Gwersyll Poboliaeth ger Cwmfelin Mynach, 2057. Ni dderbyniodd y llythyrau.**
**Maniffesto Moroco 2056**
**PMRB – Poboliaeth. Mudiad Rhyddfreinio'r Byd.**
Unwn ar draws y cenhedloedd er mwyn cynorthwyo pobloedd cyffredin y byd i archwilio eu rhyddid a gweithredu eu grymoedd torfol. Ymrwymwn i'w haddysgu am hanes y grymoedd imperialaidd a'r gwladychiad parhaus. Hwyluswn ddinasyddion i archwilio'r posibilrwydd o ailadeiladu eu cymunedau mewn modd sy'n seiliedig ar yr hyn a elwir gan Poboliaeth yn 'wir ddemocratiaeth', trwy herio'r grymoedd sy'n camddehongli democratiaeth yn fwriadol yn enw Neo-Ddemocratiaeth a Neo-Ryddfrydiaeth.

1 Dathlwn amrywiaeth a hyrwyddwn ieithoedd y byd fel tarian yn erbyn unffurfiaeth.

2 Cydnabyddwn y bydd natur chwyldroadau Poboliaeth yn amrywio o wlad i wlad ac o gyfandir i gyfandir. Serch hyn, ymrwymwn i aros yn driw i werthoedd craidd y mudiad, i rannu gwybodaeth ac i gydsefyll ymhob ffordd bosibl.

3 Defnyddiwn ddulliau di-drais (gweler pwynt 3.1 yn yr is-ddogfen i wybod mwy am y defnydd o drais er mwyn amddiffyn a chipio grym ar gychwyn chwyldro).

4 Ni wnawn gefnogi na chynorthwyo unrhyw chwyldro nad yw'n gwbwl unplyg yn ei nod o gynnal hawliau dynol cyffredin pob

person. Mae pawb yn gydradd yn system Poboliaeth. Parchwn holl amrywiaethau'r ddaear ond glynwn yn daer at y ffactorau sy'n ein huno fel pobol gyffredin (gweler pwynt 4.7 yn yr is-ddogfen).

5 Mae'r ddaear yn eiddo cyffredin i bawb a phob peth. Ymrwymwn i sicrhau bod pob cymuned sy'n gweithredu yn enw Poboliaeth yn parchu'r ddaear a phobol nad ydynt mewn sefyllfa i godi eu lleisiau (gweler pwynt 5.2 yn yr is-ddogfen am bobol na allant godi eu lleisiau – yr anghenus ar y ddaear heddiw ynghyd â chenedlaethau sydd heb gael eu geni eto).


Gydag ond cwpwl o wythnose i fynd nes ein bod ni'n gweithredu cynllun Gwales, Morfudd, geirie'r maniffesto hwn sy'n llosgi yn fy meddwl bob nos.

Yng Nghymru ry'n ni wedi ein magu i feddwl nad yw colli gwa'd yn mynd i wella dim yn y pen draw. Wrth gwrs, ry'n ni'n llawn gwrthddywediadau os feddyli di am y ffordd ry'n ni'n dathlu rhyddid Iwerddon, er enghraifft. Yn cynhyrchu rhaglenni dogfen sy'n sôn am hanes yr Ynys Werdd yn hawlio'i rhyddid! Ond ni yng Nghymru? Codi arfau? Ry'n ni wedi ein magu i wrthod hynny. Dyw e ddim yn ein natur ni.

Ro'n i'n digwydd ishte gyferbyn â Tristram un pnawn wrth fyta cino yr wthnos hon pan benderfynes i gyfadde 'mod i'n becso am y peth. Becso bod Poboliaeth yn ei gweld yn dderbyniol defnyddio trais ar ddechre chwyldro cymunedol.

Nath e ddishgwl arna i'n hurt i ddechre, cyn ymddiheuro na fydde fe'n gallu ymateb yn Gymraeg oherwydd ei eirfa gyfyngedig.

– Tria dipyn o Gymraeg a thipyn o Saesneg, Trist.

– OK. Well, fight power with power, isn't it, Brynack. If they're sending the army out, trying to stop us from taking Caerfyrddin for the people, what are we to do? Hold them back for the people is what. Fight back in self-defence.

– Ond mae ffyrdd eraill…

– At that very moment? Really? If it's a choice between winning and losing? Gaining Caerfyrddin or *colli* Caerfyrddin?

– Ma wastad ffordd arall.

– Listen here. If you lived in the Hispanic communities of Miami, in the tin towns where girls as young as fourteen are taken in the middle of the night to work as sex slaves for the drug cartéls, are you trying to tell me that you wouldn't grab your gun?

– Fydden i ddim yn dewis defnyddio trais… na…

– *So, beth bydd ti'n wneud* then, Brynack? *Cael sgwrs* is it? A lovely chat to try and sort things out?

– *I would utilize the power of diplomacy and democracy properly.* Talu arian i ryddhau'r merched falle… Dechrau deialog gyda'r cartéls. Bach o *backchannelling.* Dwyt ti ddim yn mynd i fficso'r *issue* drwy saethu dou foi mewn fan ddu yng nghanol nos. Ie, galli di achub cwpwl o ferched. Ond ydy hynna'n ateb y broblem?

A dyma pryd ddechreuodd Trist gleger chwerthin cyn rhoi ei fforc i orffwys ar ochr ei blât.

– Have you ever thought about going into comedy, Brynack? You're a bloody giggle, I swear.

Wedes i ddim llawer ar ôl 'ny. Dim ond ishte 'na'n dawel a byta 'nghino. Y gwir o'dd 'mod i'n llawn rhwystredigaethe ac yn becso mwy nag erio'd. Ry'n ni ar gampws penodol i drafod pethe fel hyn, Morfudd. Ma 'da ni gyfle i wneud pethe'n wahanol… a dyma lefel y sgwrs?

Dyw'r mater heb ddiflannu chwaith. Os rwbeth, mae e'n chwyddo a chwyddo yn 'yn ben i fel balŵn. Balŵn bach o'dd e i ddechre. Un o'n i'n galler dala yn fy llaw. Ond erbyn heno ma fe'n ddigon o seis i gario basged, a finne yn y fasged honno, yn ca'l 'y ngharío gyda'r gwynt.

Gyda chariad,

Brynach x

*

Gan shan712@gmail.com

At Mami@gmail.com

Ma diwedd y byd wedi dod, Mami. A ma drwm yn curo tu fiwn i'n ben i. Bam bam bam.

O'dd Stewy'n nyrfys bore 'ma achos o'dd boi o'r enw Darren ar y ffordd gyda *rock* i ni. 'Na gyd o'dd e'n neud o'dd smoco un ffag ar ôl y llall a gweitho'i hunan lan yn barod fel *boxer* cyn *match.* Yr unig beth o'dd Stewy yn folon gweud am Darren o'dd bod e'n shwffti. A o'dd amlen frown 'da *thirty thousand* ar y ford yn barod iddo fe.

O'n i wrthi'n stabo *coffee granules* 'da llwy pan gyrhaeddodd e. O'dd e'n gynnar. So *dealers* na gwerthwyr byth yn gynnar. Ma nhw wastod yn hwyr ac yn fishi.

Erbyn fi gyrradd mewn i'r lownj 'da dou goffi o'dd bocs carbord mowr yn ishte yn ganol y lownj a Darren wedi mynd. Wenodd Stewy arna i wedyn. Yn ddannedd i gyd. A wenes i 'nôl. Popeth wedi mynd yn *smooth*, medde fe wrth smoco dros goffi. Ond o'n i'n gwbod nago'n ni mas o'r fforest chwaith.

T'wel, ma risg weithe, ar ôl *drop off* mowr, Mami. Risg bod pwy bynnag dda'th â'r stwff yn mynd i ddod 'nôl i nôl e. I wardo fe off, wedodd Stewy bod e wedi wisbran *sweet nothings* i Darren cyn iddo fe adel y tŷ. Bydd bwled yn dy ben di erbyn diwedd nos os ti'n trial unrhyw beth. Geith y sewin weld ti ar waelod y Tywi. Ar ôl clŵed 'ny, o'n i'n hapusach.

Ond ganol nos neithwr, dechreuodd pethe fynd yn ddrwg. O'n i wedi bod yn cisgi achos wy'n cofio o'n i'n breuddwydio ambytu llond bws o bobol yn mynd rownd y dre yn canu 'Land of my Fathers' pan ddeffres i'n glou 'da'n galon i yn 'yn lwnc i. O'dd sŵn lawr stâr. Erbyn i fi rejistro be o'dd yn digwydd o'dd Stewy mas o'r gwely ac ar ei ffordd lawr.

Rasodd popeth trw meddwl fi, Mami, a dechreuodd y *creeps* redeg drwydda i. O'dd Darren wedi dod 'nôl am y stwff?

Waeddes i ar Bruv. Bwrw'r wal 'da'n ffists i i drial dino fe, ond o'dd e'n cisgi'n sownd.

O'n i wrthi'n drago'n hunan ar hyd llawr y bedrwm pan glywes i sŵn saethu. O'dd e mor uchel o'dd e fel 'se *eardrums* fi 'di popo ac a'th 'yn gorff i'n o'r fel *ice*. Da'th nerth o rwle wedyn. A dynnes i'n hunan i'r *chair lift*. Calon fi'n pwmpo yn *chest* fi fel bod e bytu torri. Pan gyrhaeddes i lawr stâr o'dd y lle'n hollol dawel. Stewy? Stewy? Dim ond gole'r lleuad yn dod mewn i'r lownj a drws y bac ar agor. Dynnes i'n hunan dros y carped at y drws. Llosgi'n goese'n goch achos bo fi ddim yn gwishgo dim byd ond *nightdress*. Stewy? o'n i'n cadw gweud. Stewy?

O'n i wedi preparo'n hunan yn barod. Bo fi'n mynd i ffindo fe ar y llawr yn rhwle. Gwa'd yn pistillo o'i ben e fel wy 'di gweld mewn ffilms. Ond wrth gyrradd drws y bac a dishgwl mas i'r ardd nage 'na be weles i. Be weles i o'dd Stewy. Yn sefyll 'na. Y lleuad yn sheino ar 'i wallt e. O'dd e'n saff! Ond 'na pryd droiodd e rownd ata i a weles i'r olwg 'na yn 'i lyged e. A 'na pryd shgwles i lawr.

O'dd corff arall ar y glaswellt glyb wrth ei ymyl e. Y bocs o *rock* yn ishte 'na 'fyd. Dim ond top 'i ben e weles i ond nabyddes i fe'n streit. Bruv, yn gorwedd yn gelen.

Shgwles i 'nôl ar Stewy. Ar y gwn yn 'i law e. Nath Bruv dreial mynd â'r *rock*, medde fe, neud *run for it*. Ond o'n i ddim yn galler clŵed e'n sharad. 'Na gyd o'n i'n gallu clŵed o'dd calon Bruv bach. Yn slowo lawr yn cluste fi tan bod e'n stopo. Brawd mowr fi 'da dim dannedd. Wedi mynd.

Dales i'n ddwylo mas i Stewy wedyn, fel 'se fi'n desbret am gwtsh. A gerddodd e draw yn *slow*. Pwyso lawr ar bwys drws y bac. O'n i'n ddigon agos ato fe nawr. Yn galler gweld 'i anadl e ar yr awyr. O'n i'n o'r, Mami. Yn crynu. Ond o'dd 'yn ddwylo i'n dal i weitho. 'Mestynnes i at 'i boced a'i saethu fe yn 'i fol. Da'th gwa'd yn streit. A wedyn colapsodd e 'nôl. Lando ar y glaswellt.

Shgwlodd e arna i wedyn. Ei lyged e fel dou bêl mowr. *That's for Bruv*, wedes i. A wedyn a'th y gweld mas o'i lyged e.

Syches i'r gwn a'i roid e 'nôl yn llaw Stewy. Ishte 'na a dishgwl mas ar G'fyrddin cyn i bawb ddino.

Feddylies i ffono'r moch. Erbyn iddyn nhw gyrradd fydde'r *rock* wedi galler mynd i gwato, a dou drygi ar y *back lawn* wedi ca'l eu saethu wrth i rywun drial dwgyd eu *stash* nhw. Fi fydde'r chwâr fach *disabled* hollol *clueless*. Druan bach, wedi colli ei brawd a'i *lover*. Mewn un *fell swoop*. Ond nage ffono'r moch o'dd y syniad gore, yfe, Mami? Y syniad gore o'dd ca'l gwared ar y cyrff. Neud fel o'n i 'di gweld mewn *horror films* a darllen mewn llyfre. Disolfo nhw mewn sylffiwrig asid sy 'da Stewy'n stiwo yn y sied, 'jyst rhag ofon'.

Wrth ifi drial tynnu'n hunan at 'i gilydd, shgwles i lan a gweld Stewy'n sefyll o'n fla'n i. Fi'n credu 'nes i bron sgradan. Nago'n i wedi 'i saethu fe, Mami – dim ond wedi imajino fe. O'n i mor grac 'da fe'r foment 'na. O'dd dim raid iddo fe ladd e. Galle fe wedi saethu fe yn ei go's neu rwbeth. Yn lle 'ny o'dd e wedi ca'l gwared ar yr unig *blood brother* sy 'da fi ar y planet.

Hwdes i ar ôl 'ny. Watsio Stewy'n symud y corff. Dishgwl mas ar G'fyrddin a deall *once and for all* bo fi ar 'yn ben 'yn hunan.

Steddodd Stewy'n dawel yn y lownj am orie ar ôl 'ny. Dala'i dalcen e yn 'i law a dishgwl ar y carpet. Ma fe'n insisto o'dd e ddim yn gwbod taw Bruv o'dd yn yr ardd neu bydde fe byth wedi saethu. Wy'n gwbod bod 'na'n wir, Mami, ond ma fe dal yn neud lo's ofnadw.

Achos fi a Bruv 'di bod da'n gilydd *forever and a day*, nagy'n ni? O'n ni'n mynd ar nyrfs 'yn gilydd a ddim yn diall 'yn gilydd a'n hêto'n gilydd weithe 'fyd. Ond ar ddiwedd y dydd, fe o'dd Bruv fi a fi o'dd Shani fe. A 'da'n gilydd o'n ni'n neud sens.

Shani X

*

**Cofnodion a theipysgrif cyfarfod corff rhif 41, Gwales, 2057. Y Buarth. Cwmfelin Mynach.**

**Yn bresennol:** Oddeutu chwe deg o aelodau Poboliaeth

**Edith:** Iawn. Nes ymlaen ar yr agenda mae'r grŵp strategaeth yn mynd i adrodd yn ôl i ni am y waith maen nhw a campws Meirionnydd a Bryste wedi bod yn cynllunio mewn cydweithrediad gyda campwsiau weddill Ewrop.

Ond yn cyntaf, bydd Petra yn ceisio pleidlais. Petra, pan ti yn parod…

**Petra yn dod i'r llwyfan o flaen y corff.**

**Petra:** Ok. So I'm really sorry but my Welsh isn't good enough for me to be able to present these findings *yn Cymraeg* so for now, if you wish to hear my speech in Welsh please put on your translation headphones… We will be voting on two aspects of the Gwales project today. We are seeking your mandate to implement a plan that, in our opinion, best represents the principles of Peopleism.

**Cwestiwn o'r gynulleidfa.**

**Arawn:** Pryd fydd hawl gan siaradwyr ofyn cwestiynau?

**Petra:** I'm not inclined to take questions from the floor until after my presentation. Is the chair agreed?

**Edith yn cytuno ac yn nodi hyn.**

**Petra:** As you are well aware, Peopleism campuses across Europe are currently in the process of taking back communities for the people. Case studies show that grassroots democracy has become the most effective model to implement. It goes without saying, of course, that any community revolution must be underpinned by the correct values and that it is largely driven by the will and co-operation of the local people.

**Zane:** Get on with it!

**Cwestiwn o'r llawr.**

**Faye:** Doesn't sound like grassroots politics when you say it like that! It

242

isn't the 'co-operation' of the local people. It's their revolution. They have to be the change.

**Petra:** Point noted. But really, Faye. You know me well enough.

**Cyfieithiad Cymraeg o araith Petra gan y cyfieithydd ar y pryd.**

**Petra:** Os ga i barhau? Yr hyn ry'n ni'n ceisio'i fireinio, ar y cyd gyda'n brodyr a'n chwiorydd mewn mannau eraill dros y byd, ydy sut mae dechrau'r chwyldroadau cymunedol yma yn y modd mwyaf effeithiol a heddychlon posibl. Mae ein gwaith ar y pwnc yn helaeth a phob un o'r adroddiadau ar gael i'w darllen yn ddigidol neu ar bapur yn y llyfrgell goch.

Ry'n ni'n barod i godi arfau wrth gipio Caerfyrddin (pe bai'r sefyllfa'n mynnu hynny) a hynny ar ran trigolion y dref. I'r perwyl hwnnw, ry'n ni wrthi'n paratoi 'Strategaeth Arfog Derfynol' gyda'r bwriad o'i defnyddio ymhen pythefnos.

Felly beth ry'n ni'n gofyn amdano heddiw? Wel, rydyn ni'n galw am eich cefnogaeth ar fater penodol iawn.

Mae rhan gyntaf y cynnig heddiw yn gofyn am ganiatâd i drefnu 'Gorymdaith yng Ngolau'r Lleuad' wythnos yn union cyn gweithredu chwyldro Gwales. Nod yr orymdaith fydd casglu pobol ynghyd a gwahodd Ynawg Ail Taran i osod gweledigaeth heddychlon Poboliaeth a Phoboliaeth Caerfyrddin gerbron pobol y dref. Fe fydd ail ran y cynnig yn awgrymu bod yr orymdaith honno yn gwbl heddychlon, sy'n golygu na fyddai gan Fyddin Poboliaeth yr hawl i gario arfau yn y digwyddiad.

**Morwen:** Gawn ni drafod ail ran y cynnig os gwelwch yn dda? Cyn symud ymlaen i drafod rhan gyntaf y cynnig?

**Edith:** Trefn os gwelwch yn dda. Os oes gennych cwestiynau, dewch â nhw at fi. Ond Morwen, mae Petra wedi egluro yn glir. Deliwn yn cyntaf gyda rhan un y cynnig. Petra?

**Petra:** O'r gorau. Fel ry'n ni i gyd yn gwybod o hanes Subcomandante Marcos a'r Zapatistas yn Chiapas, Mecsico, mae gorymdeithiau fel hyn wedi profi'n effeithiol tu hwnt. Yn ein hachos ni yng Nghaerfyrddin, byddai'n gyfle i ddangos i'r awdurdodau ac i'r cartéls cyffuriau bod miloedd o bobol y dref eisoes yn cefnogi'r chwyldro cymunedol. Wrth reswm, fe fydd yn hollbwysig fod araith fawr Ynawg Ail Taran yn ysbrydoli'r bobol ac yn gosod y tôn yn glir.

**Edith:** Brynach. Mae eich llaw i fyny.

**Brynach:** O na, sori. O'n i jyst yn stretsio.

**Pobol yn chwerthin yn y gynulleidfa.**

**Edith:** O'r corau. Petra?

**Petra:** Dwi'n hapus i wahodd pobol nawr, i ddweud eu barn o blaid neu yn erbyn rhan gyntaf y cynnig – sef y syniad o gynnal gorymdaith.

**Edith:** Iawn. Rhys gyntaf.

**Rhys yn dod i'r llwyfan.**

**Rhys:** Haia. Diolch. Iawn, wel fy mhwynt i yw hyn. Dwi'n cytuno bod yn rhaid i ni gynnal gorymdaith wythnos cyn y cipio, ond ry'n ni'n gwbod bod rhai pobol yn Pamplona wedi cael trafferth llynedd pan naethon nhw drio gwneud rhywbeth tebyg. Fe wnaeth yr heddlu daflu nwy dagrau… a'th pethe'n flêr iawn. Beth ydyn ni i fod i'w wneud os bydd hynny'n digwydd? Gorwedd yn ddiymadferth neu daflu brics yn ôl?

**Cymeradwyaeth gan adain fach o'r gynulleidfa a sylwadau ei fod yn bwynt da.**

**Edith:** Esgusodwch, Rhys. Rydych wedi neidio at ail rhan y cynnig man hynny. Rydym yn siarad am y rhan cyntaf ar hyn o bryd. Oes angen gorymdaith. Petra…

**Petra:** Mae ein hegwyddorion di-drais yn hollbwysig ac mae angen i'r orymdaith gyntaf adlewyrchu hynny. Rhaid dangos i'r cyhoedd mai nid ni sy'n creu'r trwbwl ond taw'r system sy'n creu trwbwl. Dwi wedi cydnabod yn barod y bydd angen i ni fod yn arfog wrth inni gipio'r dre, ond credaf fod yn rhaid i'r orymdaith fod yn heddychlon.

**Edith:** Petra, chi hefyd wedi symud at ail rhan y cynnig! A chi sydd wedi cyflwyno hyn! Dydym ddim yn siarad am bod yn arfog neu beidio eto! Rydym yn siarad am os oes angen gorymdaith. Hefyd hoffwn atgoffa pawb sy'n tuchio yn y cynulleidfa bod egwyddorion rhyngwladol Poboliaeth yn glir am y dull di-drais. Iawn. Oes unrhyw un arall eisiau siarad o blaid neu yn erbyn rhan cyntaf y cynnig i cynnal gorymdaith?

**Jill:** Hoffwn ddweud fy mod i'n cefnogi'r syniad o gael gorymdaith. Achos mae'n gywir ac rwy'n meddwl mae llawer o *aliens* yn byw fel rhan o'r poblogaeth a bydd ni'n eu gweld nhw ar y noson. Achos eu clustiau.

**Edith:** Diolch, Jill. Unrhyw un arall?

**Zane:** So be f'isie gweud yw hyn. Ciwba. Iwerddon. Chiapas. Shwt yn gwmws bydden nhw wedi gallu cymryd drosto oddi wrth y *shitheads* o'dd mewn grym heb arfau? Chi moyn fi enwi mwy o wledydd? Os ni o ddifri am hyn, ma raid bod yn onest am y *takeover* a bod yn arfog drwy'r amser, rhag ofn. *It ain't gonna happen* trwy *love and peace* a blodau, bois.

**Cymeradwyaeth gan garfan o'r gynulleidfa.**

**Edith:** Dim rhegi os gwelwch, Zane. Ac, rydych yn siarad ar y pwnc anghywir!

**Zane:** Ond beth rwy'n gweud yw… rhaid ca'l yr opsiwn o trais yn y gorymdaith. Rhag ofn. Nabod y system, bydd nhw yn trio cymryd ni mas yn syth. Eisiau neud unrhyw beth i trechu'r dosbarth gweithiol.

**Petra:** Os ga i, Zane, hoffwn herio dy ddefnydd o eiriau wrth iti siarad ynghynt. Nid *takeover* ry'n ni'n siarad amdano fe, yfe? Dy'n ni ddim eisiau cymryd unrhyw le drosodd. Rydyn ni'n rhyddhau cymuned yn ôl i'r bobol!

**Edith:** Trefn! Serin, hoffet ti siarad?

**Serin:** Hoffwn i ddweud bod gen i gydymdeimlad â'r cynnig ond y byddwn i'n hoffi gwybod beth ry'n ni fod i wneud os y'n ni'n gweld heddwas (neu aelod o'r cyhoedd, *let's face it*) yn *beat the shit* mas o *comrade* ni ar noson yr orymdaith … Dwi fod i jyst sefyll 'nôl *and do a Gandhi*?

**Zane:** Do'dd Gandhi ddim yn erbyn defnyddio trais mewn rhai amgylchiadau!!

**Edith:** Trefn!

**Zane:** Trais yn erbyn treiswyr y byd!

**Edith:** Zane! Trefn. Neu bydd rhaid i ti gadael y corff!

**Zane:** Dwedodd Gandhi bydde fe'n gallu gweld cyfiawnhad dros defnyddio trais os oedd milwyr yn stopio pobol rhag ca'l bwyd pan oedden nhw'n llwgu i farwolaeth.

**Morwen:** Wedodd Gandhi ddim 'na!

**Edith:** Trefn!

**Mae Niamh yn sefyll.**

**Niamh:** Trefn, roedd Edith yn dweud! Trefn!! Mae Mam yn gandryll gyda'ch diffyg manyrs!

\*

**E-gofnod flynyddoedd wedi'r Rhyfel Rhithiol (2022–25)**
**E-bost gan Judith Yang (mam Brynach a Rhuon) at ei chwaer Susan**
Susan,
Alla i ond diolch i ti 'to am fynd â fi i Glangwili am y *biopsy*. Wy'n gwbod bod siawns galle'r lwmp fod yn newyddion drwg ond ma bywyd 'di towlu

lot gwa'th ata i dros y blinidde, naddo fe? A wy 'di syrfeifo hyd yn hyn.

Ma Rhuon 'di penderfynu bod e'n gadel ysgol ar ôl blwyddyn un ar ddeg a wy'n credu bod 'na'n syniad da. Ma gormod o bobol yn meddwl taw yn yr *university* ma'u dyfodol nhw ond shgwl be sy'n digwydd iddyn nhw yn diwedd. So nhw'n ca'l jobs, odyn nhw! Eith Rhuon i'r Sixth Form Col lawr yn Hwlffordd nawr. Treino i fod yn blymar neu rwbeth. Bydd e'n ennill arian cyn Brynach yn siŵr i ti.

Ma *girlfriend* 'da Rhuon nawr 'fyd. Wedodd e wrtha i'r noson ar ôl yr apwyntiad ysbyty. Rebecca yw ei henw hi. Byw lan ar y stad newydd. Wrth gwrs, sdim diddordeb 'da Brynach mewn merched. Gweud 'na, ma 'da fe lot o ffrindie merched. Cêt Huw (merch Doctor Huw, syrjeri'r Ffwrnes, t'mod) a rhyw Farged neu'i gilydd. Ond dim *girlfriends* yw'r merched 'ma, t'wel. Ma nhw'n cwrso cryts erill.

Wy'n becso am Brynach. Ar wahân i'r penwthnose ma fe'n treulio draw yn G'fyrddin 'da'r Cêt 'ma, yn ei stafell ma fe o fore gwyn tan nos. Yn smoco drw'r ffenest neu'n darllen.

Ma rwbeth amdanon ni'n dou, t'mod, Sue. Sdim ots faint wy'n treial, so ni byth fel 'sen ni'n galler conecto.

Fel ti'n gwbod, ma Brynach yn set ar fynd i Aberystwyth i'r coleg a wy'n gwbod bydde Li wedi bod wrth 'i fodd. Y sialens fydd y coste. Wel 'na ni, os deith *push to shove* 'na i ri-morgejo. Ma raid iddo fe ga'l mynd i *university* os yw e moyn. Ma meddwl mowr 'da fe, nago's e? Sai erio'd wedi gweld unrhyw un yn llyncu llyfre fel fe. I radde, syna i'n siŵr os yw'r peth yn iach.

Wy ddim yn mynd i weud 'tho'r bois am y lwmpyn. Dim hyd yn o'd os deith y *biopsy* 'nôl a gweud *cancer*. So'r *chemo* sy ar ga'l dyddie 'ma yn neud iti golli gwallt, wedyn sdim rheswm iddyn nhw wbod. Ewn nhw ond i fecso.

Ma gas 'da fi glŵed gyment ar y *news* am yr *accords* 'ma rhwng Tsieina a'r Gorllewin. Wrth gwrs bo fi moyn bod nhw'n digwydd ond syna i isie ca'l 'yn atgoffa amdanyn nhw byth a beunydd chwaith. Ma'r holl beth yn pigo hen grachen, nagyw e? Yn neud ifi feddwl am Li. Ti'n gwbod weithe, Sue, wy'n ca'l jobyn cofio shwt o'dd e'n dishgwl. A pan wy'n sylweddoli 'na, ma'n galon i'n slofi reit lawr fel 'se fe isie stopo.

Glŵes i heddi fod Mrs Nans Downing 'di marw. Hi o'dd yr hen ledi brynodd y tryffls wrtho Brynach a wedyn sgrifennu llythyr i weud mor flasus o'n nhw. Ti'n cofio? Ma'r llythyr yn dal yn y ddrâr 'da fi, ond ma'r hen ledi sgwennodd y geire 'di mynd. 'Na beth od yw bywyd, ondyfe? Shwt ti 'ma un funed a'r funed nesa ti 'di mynd. Dim ond dy eire di ar ôl, yn ishte mewn drâr.

J x

*

**Llythyron at Morfudd Yang a gyfansoddwyd gan Brynach Yang mewn gwersyll ger Cwmfelin Mynach, 2057. Ni dderbyniodd y llythyrau.**

Morfudd,

Ar ôl y cyfarfod corff fe es i'n syth i fy stafell. A thoc wedi hynny daeth Len ar fy ôl. Yn ôl Len, roedd isie siwmper arno am ei bod hi wedi oeri ers i'r haul ddiflannu tan gymyle. Ond nath e ddim brysio i ddychwelyd i'r ffreutur chwaith. Yn hytrach, ishteddodd e ar ei wely ac esgus chware gyda'i lasys. Eu datod nhw a'u clymu nhw eto.

Roedd arogl Len bron iawn wedi dechrau dod yn gysur i mi. Rhyw chwys cartrefol rhyfedd.

– Be o't ti'n meddwl am y cyfarfod heddi, 'te, Brynach?

– Ma lot o waith i'w wneud a sdim lot o amser...

Ro'n i 'di hen ddeall bod Len yn berson dylanwadol iawn. Dwyt ti ddim yn dod yn drysorydd heb fod sawl person ar y top yn ymddiried ynddot ti.

– Ti'n gwbod, dwi ddim yn meddwl y bydd yr arbrawf cymdeithasol yma, o reidrwydd, yn llwyddiant.

– O?

– Wel, Brynach, y peth yw, mae 'na sawl barn yma, yn does? Welest ti heddiw. A thra bod y gwahaniaethau hynny'n bwysicach na'r hyn sy'n gyffredin rhyngom ni, y system fawr front sy'n mynd i ennill. Oes ots 'da ti 'mod i'n smygu?

– Dim o gwbwl.

Yna fe roliodd Len sigarét ac agor y ffenestr fach.

– Dwi'n heddychwr, Brynach. Ond ma gan Zane bwynt. Ydyn, rydyn ni'n bwriadu gweithredu cynllun Gwales yn ddi-drais ond mae'r orymdaith gyntaf a'r meddiannu cyntaf, wel – mae'n rhaid i ni fod yn bragmataidd am y peth. Fe fyddan nhw'n amseroedd peryglus inni.

– Dwi'n stryglo gyda'r holl beth. Y gynnau. Wy yn erbyn trais. Ma'r bleidlais 'na 'di'n siomi i.

– Ma pawb call yn erbyn trais, Brynach. Ond alli di ddim gwadu bod gan

Zane bwynt. Unwaith fyddwn ni ar waith yn y dinasoedd a'r trefi, ledled Ewrop, fydd e'n fater gwahanol. Ond ar y dechrau, fe fyddan nhw'n gwneud popeth i geisio'n gwanhau ni. Byddan nhw'n ein carcharu ni. Ein lladd ni. Ein cosbi ni er mwyn gwneud yn siŵr nad yw gweddill y boblogaeth yn cael eu temtio i ymuno yn y reiot. Ac fe alle pethau newid yn sydyn iawn hefyd. Do's bosib ein bod yn ddoeth drwy feddwl am amddiffyn ein hunain?

– Sut ry'n ni'n gwneud arian yn y lle 'ma, Len? Ma'r cownts yn dangos bod lot o arian yn dod mewn.

– Mae gyda ni roddwyr hael...

– Ond pwy yw'r bobol 'ma? Oes busnese 'da ni?

– ... Ma 'na 'brosiecte' sy'n dod ag arian i ni, oes.

– Fel?

– Fe ddwedith Edith wrthot ti. Ond ddweda i un peth am ddim, dyw'r hewl at gymdeithas newydd ddim yn mynd i fod yn bert i gyd...

Aeth Len ati i rolio sigarét arall. Roedd e'n amlwg yn mwynhau'r sgwrs.

– Dim ots am yr awdurdode a Byddin y Wladwriaeth am eiliad, Brynach. Wy'n becso am grach y dre. Ydyn nhw'n mynd i neud pethau'n anodd inni? Ma pobol sydd â rhwbeth i'w golli wastod yn mynd i fod ar ochr y *status quo*.

– Fyddan nhw ddim yn arfog, Len.

– Ond ma gyda nhw rym yn y dre. Bydd rhaid gobeithio bod yr hunangyflogedig yn dod gyda ni. Ugain y cant o weithwyr y dre. Maen nhw'n garfan o bobol sy'n colli allan. Dim pensiwn yn aml, dim tâl gwyliau ac yn sicr dim mamolaeth a thadolaeth. Ni wedi bod yn gweithio arnyn nhw.

– Ga i gonan am eiliad?

– Wrth gwrs. Wrth fy modd.

– Ma dogfennaeth Poboliaeth Ryngwladol yn siarad am symud at iaith newydd... osgoi termau fel y 'dosbarth gweithiol'. A dwi'n cytuno! Dyw pobol gyffredin ddim yn uniaethu gyda'r term yna ers bron i ganrif! Ac eto yn y cyfarfod heddiw, roedd sawl person yn dal i sôn am y dosbarth gweithiol. Ma'n rhaid i ni newid y *lexicon*, Len. Dyw pobol ddim yn sylweddoli ein bod ni'n siarad amdanyn nhw.

– Ti'n meddwl?

– Dyw hi ddim yn gyd-ddigwyddiad bod y Ffasgwyr wedi ennill grym dros Ewrop drwy ddefnyddio iaith emosiynol. Rhwydo pobol i'r adain dde drwy godi ofn ac ennyn dicter. Wel, mae'n amser inni dapo mewn i emosiwn pobol hefyd, Len. Nage drwy gasineb yn erbyn cyd-ddyn, ond trwy ddangos bod hawl gan bobol i fod yn gynddeiriog gyda'r system erchyll sy'n rheoli'r byd a bod gyda nhw'r grym i newid y sefyllfa.

Yr eiliad honno, gwenodd Len arna i cyn taflu ei sigarét drwy'r ffenest.

– Nawr wy'n deall be sy 'da Edith.

Ac ar hynny, fe ddiflannodd o'r stafell a dychwelyd i olchi llestri budron yn y ffreutur.

Mae 'na ryw gadernid hyblyg am Len. Mae e fel dŵr yn llifo ar hyd peipen. Yn troi gyda'r troeon ac eto'n parhau i fod yn ddŵr.

Ydw i fel dŵr, Morfudd? Ydw i'n gwybod yn gwmws beth ydw i ac eto'n gallu ymateb yn bragmataidd i bob newid sy'n dod ar fy nhraws? Wy'n becso pe dechreuen i ymateb yn bragmataidd y bydden i'n dechre anweddu. Lan i'r awyr fry nes bo fi'n ddim byd ond dafnau ar chwâl.

Falle bod Len yn iawn. Falle bydd rhaid codi arfau ac amddiffyn ein hunain am gyfnod er mwyn cyrraedd y nod. Wedi'r cyfan, cawsom ein gormesu am yn rhy hir.

Brynach x

\*

**Neges gan Llawen@poboliaeth.cymru**
**At Edith@poboliaeth.cymru**
**Pwnc – Neges**
Edith,
Wy'n cofio taw heddi yw'r diwrnod. Isie dweud bod hi ar fy meddwl i 'fyd.

**Neges gan Edith@poboliaeth.cymru**
**At Llawen@poboliaeth.cymru**
**Pwnc – Ymateb: Neges**
Ie. Rwy'n gwybod.

**Neges gan Llawen@poboliaeth.cymru**
**At Edith@poboliaeth.cymru**
**Pwnc – Ymateb: Ymateb: Neges**
Mae'n iawn i gydnabod bod e'n neud lo's.

**Neges gan Edith@poboliaeth.cymru**

**At Llawen@poboliaeth.cymru**

**Pwnc – Ymateb: Ymateb: Ymateb: Neges**

Byddai hi wedi bod yn deg oed heddiw.

**Neges gan Llawen@poboliaeth.cymru**

**At Edith@poboliaeth.cymru**

**Pwnc – Ymateb: Ymateb: Ymateb: Ymateb: Neges**

Bydde. Wy'n gwbod. Gewn ni swper tawel heno.

**Neges gan Edith@poboliaeth.cymru**

**At Llawen@poboliaeth.cymru**

**Pwnc – Ymateb: Ymateb: Ymateb: Ymateb: Ymateb: Neges**

Ie. Ond dim rhaid siarad am y peth. Rydym wedi cydnabod nawr.

**Neges gan Llawen@poboliaeth.cymru**

**At Edith@poboliaeth.cymru**

**Pwnc – Ymateb: Ymateb: Ymateb: Ymateb: Ymateb: Ymateb: Neges**

Ti neu fi sy'n mynd i siarad 'da Brynach am Ynawg?

**Neges gan Edith@poboliaeth.cymru**

**At Llawen@poboliaeth.cymru**

**Pwnc – Ymateb: Ymateb: Ymateb: Ymateb: Ymateb: Ymateb: Ymateb: Neges**

Fi.

\*

Gan shan712@gmail.com

At Mami@gmail.com

Sai isie swno'n *mental*, Mami, ond fi'n credu bod Bruv wedi dod 'nôl yn fyw yn bola fi. Fi'n dishgwl babi. Sai wedi gweud 'tho Stewy 'to. Sai wedi gweud 'tho neb ecsept ti, nawr.

Yn ystod y dyddie ar ôl i Bruv adel ni, o'n i'n twmlo'n sic ac yn drist ac yn pallu sharad gyda Stewy. Ond yn ystod yr amser 'na 'fyd ffindes i mas bo fi'n *pregnant*. A dowlodd 'na fi'n hollol conffiwsd.

Ffindes i mas achos es i lawr i'r *machine* yn Furnace House i ga'l *bloods* fi 'di neud a nath y robot weud 'tho fi bod babi tu fiwn i fi. A bod e 'di bod miwn 'na ers o leia chwech wthnos. Shgwles i ar y sgrin i ddechre. Wyndran os o'dd e'n ca'l *funny five minutes*. Ond o'dd e ddim, Mami. O'dd e'n gweud y gwir a dim byd ond y gwir.

Pan ffindith Stewy mas bod e'n mynd i fod yn dadi wy'n gwbod bydd e *over the moon*. Byddwn ni'n galler dechre o'r dechre'n deg.

Y noson benderfynes i weud wrtho Stewy, gath e *phone call* arall am y *coup* yn G'fyrddin. Gweud bod e 'di ca'l *summons* i fynd i gwrdd â'r *military group* sy'n risbonsibl amdano'r holl beth, jwst fel o'dd e wedi predicto. Ma nhw'n swno'n sgeri i fi. Fel bod nhw ddim yn mynd i gymryd *no for an answer*.

Fel alli di imajino, o'dd Stewy mewn yffach o *stinky mood* ar ôl 'ny. Smoco *skunk* fel *trooper* yn yr ardd. Wedyn ddales i 'nôl ar y newyddion da. Achos o'n i'n gwbod bydden i'n llefen os bydde fe'n riacto'n dawel neu'n grac a bydde 'na ddim yn gwd *start* i'r *journey*.

Wedyn ma'r dyddie dwetha 'di bod yn *weird* o *intense* yn tŷ ni 'da Stewy'n trial penderfynu ody e'n mynd i weud 'tho'r *board of directors* am y cyfarfod. Becso beth wedan nhw. Ond tu fiwn i pen fi, Mami? Fi'n *dizzy*. Achos ma dechre newydd yn gorwedd tu fiwn i fi.

Feddylies i heno yn gwely mor od fydde fe os yw'r babi'n dod mas yn galler cerdded a finne ddim yn gallu. Ma'r robot yn y syrjeri yn gweud bod 65% *chance* bydd 'da fe *disabilities*.

Ar adege fel hyn, licen i gyment bod Doctor Huw 'nôl yn y syrjeri. I ddachre bydde fe wedi gweud pethe mor wanieth i *plain cold facts* y *machine*. Bydde fe wedi remeindo fi bod *disabilities* fi byth 'di dala fi 'nôl a bo fi'n *brainy* ac yn *special in my own special way*. Wedyn os yw'r babi fel fi – bydd e'n *special* 'fyd. A geith e 'i garu *from here to kingdom come*.

Shani x

*

**Llythyron at Morfudd Yang a gyfansoddwyd gan Brynach Yang mewn gwersyll ger Cwmfelin Mynach, 2057. Ni dderbyniodd y llythyrau.**
Morfudd,

Sdim sbel i fynd tan Gwales a wy'n mynd yn fwy ansicr bob dydd. Ni 'di ca'l wthnos glòs o ran tywydd a chawodydd glaw syfrdanol. Bron iawn 'i fod e'n ychwanegu at y tensiwn tu mewn i fi. Y cymyle'n cronni nes 'u bod nhw'n ddu bitsh cyn iddi ddechre tresio bwrw ar ein penne ni. Yn fygythiol ac yn galed. Yn pwno'r to'n ddi-baid ac yn sgradan yn erbyn y ffenestri.

Achos lleithder y stafelloedd gwely ma'n gro'n i'n chware wic-wew. Wy'n frech ac yn grafiade drosta i. Mor wael ag o'n i pan o'n i dan straen weithe yn Aberystwyth. Y tywydd a'r straen sydd wrthi. Yn cymysgu gyda'i gilydd. A nawr bod popeth ar 'yn penne ni a'r holl gwestiyne 'ma'n hedfan tuag ata i wy'n ffindo'n hunan yn meddwl mwy fyth amdanot ti a Tanwen. Ma'r hireth yn drwm ac yn timlo fel ma llefen yn timlo ond bod hwn yn 'yn esgyrn i. Yn sownd.

Hiraethes i fwy eto amdanoch chi ar ôl sgwrs anffodus gyda Len a Niamh pwy nosweth. Sgwrs nath i fi deimlo'n bellach fyth oddi wrth bawb ar y Buarth.

Sgwrs dros baned yn y ffreutur o'dd hi. Yn hwyr y nos. Mwyafrif trigolion y Buarth wedi hen noswylio a ninne'n gwbwl effro.

– Ma 'na berygl o orddelfrydu, cofia, Brynach. Fydde Cymru lle ma pawb yn galler siarad Cymraeg ddim yn newid popeth. Dim ond llond y wlad o gyfalafwyr bach Cymraeg fydde gen ti, yn hytrach na rhai Saesneg.

– Ma'r iaith yn arwain at lot o bethe, Len. Ma 'na werthodd ynddi. Mae'n cynnig ffordd o weld y byd! 'Na pam wy'n argyhoeddedig bydde rhoi cyfle i bawb ddysgu'r iaith yn fenter ddifyr i'w rhoi ar waith yn Gwales.

Mentrodd Niamh i'r sgwrs wedyn.

– Dwi'n gwybod dwi'n ddysgu Cymraeg. *But the language is a distraction. Fine* os mae pobl isie dysgu ond mewn chwyldro byd-eang mae angen i pawb deall ei gilydd.

– O grêt. *So we'll stick to English then. So everyone can understand.*

– Brynach, dwi ddim yn dweud *only English.*

– Os ti'n gweud taw Saesneg ddyle iaith y chwyldro fod, Niamh, *we may as well all go home.*

– Dwi'n ddim dweud *kill the language*, Brynach. Ond dwi yn dweud *one common purpose, one common language.* Edrych ar Iwerddon. Ddim *Gaelic* ydy beth sy'n cadw ni at ein gilydd. Saesneg yw ein *common tongue.*

– Ond y Gymrâg *sy*'n cadw ni at ein gilydd. So ni'n wlad annibynnol achos bod neb cyn ni wedi bod â digon o gyts i fynd amdani. Wedyn yr iaith yw'r unig beth sy 'da ni sy'n atgoffa ni o bwy y'n ni.

– But what about the people who don't speak Welsh, Brynach? You can't make it the exclusive route to freedom in Wales.

– Ma'r Gymrâg yn perthyn i bawb. Dim ots os y'n nhw'n ei siarad hi.

– That's a great thought. *Ond mae Mam a fi yn meddwl bod hwnna'n* hyperintellectual argument. It's too philosophical. I own it but have nothing at all to do with it, is that what you're saying – big, bloody deal!

– Niamh. *Common inheritance.* Dyna'r pwynt.

– Putting it at the forefront of the revolution will only hinder the revolution is what I'm saying. And that's what you want to do, seems to me.

Ac ar hyn dyma fi'n sefyll ar fy nhraed. Ro'n i wedi colli mynedd. Da'th Len i'r adwy wedyn. Sylweddoli bod angen i rywun gadw'r ddysgl yn wastad.

– Y peth yw, Brynach, mae'n rhaid bod yn barod i wrando. Ac mae'n rhaid bod yn agored i'r ffaith nad yw Niamh yn cytuno 'da ti. Beth dwi wastod yn dweud yw – beth yw'r pwynt ymladd am y pethau ni'n amlwg yn mynd i anghytuno amdanyn nhw? Mae'r Gymraeg yn enghraifft berffaith. Annibyniaeth. Dyna iti un arall. Nid y pethau yma rydyn ni'n brwydro amdanyn nhw ar hyn o bryd.

– Ie, Len! Tase pobol y wlad 'ma'n brwydro dros eu hawl nhw i'r iaith, a dros wneud penderfyniade eu hunen, fydde ddim hanner y probleme sy 'da ni nawr yn bodoli. Nage dim ond yn ariannol ni'n dlawd, yfe? Ni'n dlawd ein dyheade 'fyd.

– Well, that's your version of history.

Edryches i ar Niamh am eiliad.

– I didn't say that. Mam did.

– Ni wedi cael 'yn sbaddu, Mam. 'Yn coloneiddio. O'n i'n meddwl byddech chi'ch dwy, o bawb, yn deall. Ni'n cipio Caerfyrddin er mwyn rhoi cyfle i bobol weld hyn i gyd!

Ond doedd Len ddim yn edrych yn hapus nawr chwaith.

– Wow. Ni'n meddiannu'r dre er mwyn iddyn nhw ga'l penderfynu. Eu deffro nhw i ofyn cwestiynau eto. O ddilyn dy feddylfryd di byddwn ni'n dweud hyn: meddyliwch drosoch eich hunain, *oh and by the way*, dyma beth dylech chi gredu…

– Bolycs, Len! Ffycin bolycs. Os y'n ni'n creu gwactod, mae'n ddyletswydd cynnig syniadau. Mae'n rhaid datblygu maniffesto penodol ar sail maniffesto Moroco. P'un a wyt ti'n hoffi'r peth neu beido, o'r eiliad fyddwn ni'n helpu trigolion Caerfyrddin, fe fydd Poboliaeth *de facto* yn dod yn rhyw fath o arweinydd. Hyd yn oed os nag wyt ti eisiau, neu os wyt ti heb ddiddordeb mewn bod – fe fyddi di mewn grym. *A leadership of ideas.* Bydd pobol yn disgwyl syniade 'da ni.

– Totalitariaeth.

– Na, Niamh. Cynnig syniade a gwahodd pobol i gnoi cil. Rhwydd hynt i bwy bynnag weud 'u barn. A rhwydd hynt i bobol wrthod ein syniade ni! Bydd etholiade, yn bydd, yn y pen draw! A gallen ni hyd yn oed gynnal refferenda ar-lein. A gadael i'r *trigger* am refferendwm ga'l ei benderfynu gan faint o bobol gyffredin sy'n galw am un, yn hytrach na gadael y penderfyniad i wleidyddion a chynghorwyr! Rhoi'r grym i bobol, fel wnaethon nhw yng Nghatalwnia flynyddoedd yn ôl. Sefydlu model o ddemocratiaeth gyfranogol! Nagyw hwnna'n swno'n gynhyrfus i ti?

– Refferendwm am pryd i roi'r bins mas, yfe?

– O Len. Ca' dy ben â dy sinicieth. Ond os yw'r bobol eisiau refferendwm am fins sbwriel, pam lai hefyd! Refferendwm am ddyfodol Ysbyty Glangwili oedd gen i mewn golwg. Chwilio i weld a fyddai modd i'r dref redeg elfenne o'r gwasanaeth iechyd eto… cynnig rhai triniaethe am ddim…

– Refferendwm i gweld a hoffai Caerfyrddin fynd 'nôl i'r Undeb Ewropeaidd, efallai?

– Doniol iawn, Niamh. Y pwynt dwi'n ei wneud yw fod gan Poboliaeth weledigaeth wleidyddol a wy ddim yn gweld dim o'i le gyda chyflwyno'r syniadau hynny i bobol yn ystod yr wyth deg diwrnod.

Ac ar y foment honno, dyma Llawen yn camu i mewn i'r ffreutur. Bron iawn fel petai e wedi bod yn y cysgodion, yn aros ei gyfle.

– Mae Edith moyn dy weld di.

Ac edrych yn syth i 'nghyfeiriad i.

Brynach

*

**Darn o ddyddiadur personol Morfudd Yang, 2057. Yr Eglwys Newydd.**
'Dan ni'n tair newydd ddychwelyd o gartref Bodlawen yn Llanboidy. Ac er nad ydw i erioed wedi cynhesu at y ddynas, doedd o'm yn braf chwaith. Ei gweld hi yn y ffasiwn stad. Ista yn y gadar fel'na. Syllu i unman. Fatha tasa ei hannar hi 'di mynd yn barod.

Roeddan ni 'di derbyn galwad i ddeud nad oedd hi'n dda ers dyddia, ac yn dallt iddi fod yn byta llai ers wthnosa. Ond erbyn hyn, roedd hi'n gwanio fesul dwrnod.

Pan gyrhaeddon ni, roedd petha'n chwithig braidd. Neb yn siŵr iawn beth i ddeud wrthi. Ond ar ôl rhyw bum munud, mi nabyddodd hi Tanwen. Estyn am 'i llaw hi. Nid ei bod hi'n gwbod yn union pwy o'dd hi chwaith ond roedd o fel 'tai hi'n dallt eu bod nhw'n perthyn. Y broblem oedd nad oedd Tani yn 'i nabod hi'n dda iawn mwyach ac mi welish i hitha'n gwingo damad pan afaelodd yr hen wreigan amdani. Croen papur 'i dwylo hi'n estron. Gwythienna glas fatha mwydod ym mhob man. Mi sbiodd Tanwen ar Lleucu i weld bod bob dim yn iawn. Bod o'n iawn i'r ddynas hannar diarth 'ma afael ynddi. 'Swn i'n licio tasa hi'n troi ata i fel roedd hi'n arfar gneud. Yn reddfol. Yn naturiol braf.

Mi ddoth ffrind Judith i ymuno hefo ni wedyn. Gwawr. Hi 'di'r unig un sy'n ymweld yn gyson, 'swn i'n ddeud. Ond ma Judith yn ffodus bod 'na rywun yn dod. Llond y lle o ddementia sy 'na'n y cartra, o un pen i'r adeilad i'r llall. Pobol sy'n hannar effro ac yn hannar cofio pwy ydan nhw. Pentra cyfan. Go brin bod rhai yn ca'l ymwelydd o un pen mis i'r llall.

Soniodd Gwawr fod Judith 'di mynd lawr 'rallt ar ôl i Brynach neud be nath o. 'Nesh i'm ymatab. Wedi'r cyfan, mi dwi'n gwbod yn iawn fod Brynach fel ag yr oedd o'n rhannol o'i herwydd hi. Dynas oer fuodd hi erioed. Dynas oedd yn methu siarad. Ond feiddiwn i'm deud dim. Mond sefyll yno'n gydymdeimlad i gyd.

Y peth creulona am yr ymweliad oedd i Judith ddechra siarad wrth inni adal. Mwmblan geiria disynnwyr. Mi a'th Gwawr yn syth ati. Yn gariad ac yn gonsýrn i gyd. Be t'isie, Judith? Siarad yn y ffor' ffyslyd 'na ma pobol y de-orllewin yn dueddol o neud. Brynach, medda Judith wedyn. Brynach yn dod i weud helô? Gofyn fatha plentyn. Neu rwbath symlach na phlentyn. Fedrwn i'm help ond teimlo lwmp yn fy ngwddw wrth iddi hannar yngan 'i enw fo. Ond teimlo dros Tanwen ro'n i'n fwy na dim. So Brynach yn galler dod heddi, medda Gwawr wedyn, yn gelwydd i gyd. A phawb arall yn llgada. Yn sbio ar 'yn gilydd cyn i'n hamranna ni ostwng.

Roedd Lleucu'n poeni y bysa'r daith i'r gorllewin yn ormod i mi. Wedi'r cyfan, dwi'n trio glynu at egwyddorion HALT ers i fi adael y ganolfan. *Never get too hungry, angry, lonely or tired* ydy'r mantra ac er na ddudish i, mi oeddwn i'n 'H and T' yr holl ffor' 'nôl yn y car (nath i mi feddwl am *G and T* a pha mor braf fysa lolian ar y soffa ar ôl cyrraedd yn ôl a llowcio glasiad oer). Ond mi dwi'n gwbod yn well rŵan a dwi'm di cymryd dim byd 'blaw dŵr heno. 'Sa mynd amdani'n gneud fi fawr gwell person na Judith, na 'sa? Gynna i gyfla rŵan, toes, i gadw Tanwen. Ei chadw hi yn yr ystyr 'mod i'n 'i gneud hi'n bosibl iddi barhau i fedru 'ngharu fi. Os w't ti'n gneud gormod o ddifrod am yn rhy hir, mi fedrith rhywun fod yn dy gwmni di am weddill dy oes a chditha 'di'u colli nhw'n llwyr.

Ma Lleucu a'r syrjyn o Ghana yn dal i focha a mi 'dan ni'n ca'l 'i gyfarfod o fory. Mi 'dan ni 'di paratoi'n barod at glywad Dad yn gneud peth wmbrath o sylwada hiliol dros ginio dydd Sul. Petha na fysa fo'n 'u cysidro nhw'n hiliol fyddan nhw, mae'n siŵr, ond hiliol fyddan nhw 'run fath. A mi fydd Tani, druan, yn goro ista'n fan'na hefyd, yn diodda'r ffasiwn falu cachu am bod 'na neb yn ddigon dewr i ddeud y drefn wrtha fo. 'Sa neb yn meiddio dadla'n groch efo Dad. Mae o'n rhy groendena i ddechra cychwyn, a ma gynno fo ormod o afal o lawar ar y pwrs teuluol i chdi feiddio.

Mi gesh i negas gin Richard rhyw awr yn ôl. Holi am y trip. Gofyn sut oedd Judith. Mae'n chwithig siarad am fam dy gyn-ŵr efo dy ffling cyfredol. Mae o'n teimlo'n flêr rywsut. Dio'm yn rhan o'r stori 'nesh i sgwennu i mi fy hun pan o'n i'n hogan fach. Ond ma Richard yn foi da ac mae o'n dallt lle dwi arni hefyd. Dwi'n gwbod nad ydy Lleucu'n siŵr iawn am y berthynas, am 'yn bod ni'n dau'n 'recovering alcoholics'. Ond be 'di'r otsh be mae Lleucu'n feddwl? Nid hi sy'n goro cysgu hefo fo, naci?

A beth bynnag, ma Richard yn sych ers blwyddyn ac yn ysbrydoliaeth i mi. Dio'm yn rhamantus iawn chwaith, nacdi? Cyfarfod mewn noson Alcoholics Anonymous. Deud hynna, dwi yn reit hyderus y bysa'r berthynas yn medru gweithio 'fyd achos mae o â'i ben yn 'i lyfra 'run fath â finna'n union. O, be 'di'r iws trio darogan? Fel ddudodd rhywun mewn cân rhyw dro – 'di fory'm yn fusnas imi eniwe.

\*

**Llythyron at Morfudd Yang a gyfansoddwyd gan Brynach Yang mewn gwersyll ger Cwmfelin Mynach, 2057. Ni dderbyniodd y llythyrau.**
Morfudd,
Yn syth ar ôl derbyn cais Llawen, fe fentres i allan i'r Buarth a mynd i gyfarfod

Edith. Roedd Len yn ymwybodol fy mod i'n cyfarfod â hi, achos fe gododd e 'i aeliau arna i cyn i fi adael y ffreutur, cystal â gweud ei fod e'n gallu gweld fy mod i'n cael fy llusgo i ryw gylch cyfrin. Pa gylch, wyddwn i ddim, ar y pryd.

Erbyn hynny, roedd hi'n noson glir hyfryd a gwdihŵ yn canu yn y co'd wrth i fi ymlwybro at swyddfa Edith.

Ei dwylo hi aeth â'm sylw i yn ystod y cyfarfod. Roedd yn drawiadol i fi sut roedd hi'n eu defnyddio nhw i anwesu'r pwyntie roedd hi am eu gwneud. Bysedd hir du ac ewinedd gwyn. Ac un fodrwy arian ar bedwerydd bys ei llaw chwith. Ei modrwy hi a Llawen.

– Mae gen i hanner awr, Brynach. Rhaid i fi gweithio yn y canolfan fory.

– Pam wyt ti'n rhedeg y ganolfan, Edith? Ma digon ar dy blât di 'da Gwales.

– Mae'r canolfan yn cadw fi'n call. Mae'n atgoffa fi o bywyd go iawn. Ac… mae'n wneud gwahaniaeth yn canol Caerfyrddin. Gwnaethom llawer o ffrindiau yn y dref trwy bod yno ers dwy blynedd, ti'n gwybod. Nid ydym yn pobl dŵad. Ac rydym wedi bod yn casglu gwybodaeth.

– Wrth gwrs.

– Dwedais i wrthot ti erioed? Pam rydwyf wedi dewis ymgyrchu yn Cymru? Yn lle Nigeria, neu Bryste?

– Ddim fel y cyfryw, naddo.

– Achos Cymru yw un o'r llefydd mwyaf peryglus rwyf erioed wedi byw ynddo, Brynach. Trwy'r amser, mae'r lle ar fin cael ei taflu i ffwrdd. Hunaniaeth cyfan. Iaith cyfan. Gan ei pobl ei hunan. Oes cenedl i'w hachub? Oes dim?… Mae'n rhyfeddod i fi.

– Pam wyt ti'n gweud hyn nawr, Edith?

– Achos, Brynach, ti yn un o'r pobl sy'n gallu ei hachub. Mae'n trist bod yn rhaid dibynnu ar un neu dau person, ond credaf, yn achos Cymru, y bydd yr un neu dau person yna yn digon. I dechrau beth sydd wir angen dechrau.

– Wel, wy yma, nagw i? Yn y Buarth.

– Wyt. Ond rwy wedi gofyn i siarad gyda ti am rheswm ychwanegol. Rydw i angen iti cysidro fy cais eto. Bod yn gwyneb i Gwales. Bod yn arweinydd y chwyldro wyth deg diwrnod. Hoffwn dechrau trwy anfon llythyr ac e-bost yn dy enw i bob cartre cyn yr orymdaith golau lleuad… Paid bod yn prin ar geiriau nawr, Brynach.

– Yfe dyma oedd y cynllun trw'r amser? Hala pawb i feddwl bo fi 'di marw a wedyn fy aileni?

– Na. Doedd y cynllun ddim yn fy meddwl pryd hynny.

– Ond daw pawb i wbod 'mod i'n fyw os wna i hyn. Yr awdurdode. Pawb.

– Mae'r awdurdodau yn gwybod nawr bo ti'n dal byw, Brynach.

– O reit. Wel diolch am adael i mi wybod… Shgwl, wy'n gwerthfawrogi bo ti 'di'n achub i a wy moyn bod yn rhan o bethe ond… wy ddim moyn rôl flaenllaw.

– Ond os dim ti, pwy?

– Ti.

– Ha ha. *Nice try.* Nid fi bydd yn apelio. Ti yw y *local boy.* Mae gen ti yr acen a popeth. Rwyt yn deall sut mae pobl yr ardal yma yn ticio… ac mae gen ti y peth yna, Brynach. Y peth yna dwi wastad wedi dweud ti'n gyda. Y *magic dust* sy'n meddwl ti'n gallu cyrraedd pobl. Fi, Llawen a Len fydd tîm cynghorwyr i ti.

– Alla i ddim risgo mynd i'r carchar. Wy'n mynd 'nôl at Tanwen. At Morfudd.

– Sut ti'n bwriadu gwneud hynny? Hyd y gwyddaf, ti heb siarad gyda'r heddlu amdanon ni eto… rwy'n gwybod maen nhw wedi blacmeilo ti, Brynach.

– Wy'n gweld…

– Ydy e'n bwriad gennyt? Bradychu Poboliaeth er mwyn cael fynd adref? Achos dwi heb ddarllen dim am hynny yn dy lythyrau i Morfudd.

– Ti'm yn meddwl 'mod i'n sylweddoli bo chi'n darllen y llythyre cyn anfon nhw?

– Gweithia gyda ni a gallaf addo byddi di'n gweld Tanwen eto. Ar fy mywyd…

– Wy ddim yn siŵr, Edith.

– Wel, dim angen iti ateb yn syth pìn. Cymera y penwythnos i meddwl. Yr unig beth byddwn yn gofyn i dechrau yw iti annerch torf y gorymdaith golau lleuad. Ac efallai gwneud ychydig o'r *backchannelling* gyda'r *drug gangs* sy'n dod yma wythnos nesa… Paid edrych fel yna, Brynach. Mae'n rhaid cynnal deialog gyda nhw.

– A gweud be?! Y *fuckers* 'na yw hanner y rheswm ma Sir Gâr a Chymru yn y mês 'ma! Os gerddi di rownd Llanelli a Phwllheli, 'na gyd weli di yw pobol ar y stryd ar *crack.*

– Rwy'n deall hynny. Ond jyst rho dwy munud i fi ar hyn. Mae'r cartéls angen deall ein bod ni'n mynd i fod yn grym newydd yn yr ardal ac maen nhw angen deall bod ni ddim eisiau cael gwared arnynt. Byddan nhw yn gweld ni fel bygythiad, Brynach. Rhaid i ni sicrhau nhw bod ni ddim – yn syth. Neu byddant yn *retaliate*. Maen nhw hefyd angen gwybod ein bod ni'n arfog. Ein bod ni'n bwriadu cipio grym o'r cyngor, y llywodraeth yn Caerdydd a Llundain, yr heddlu a'r byddin.

– Bydden i byth yn fodlon trafod 'da *scum* fel'na. A ta beth, ers pryd 'yf fi'n arbenigwr ar ddiplomyddieth!

– Rwyt yn, Brynach. A beth bynnag, dydy'r pobl ni'n cyfarfod ddim ar lefel *board of directors*. Rhein sy'n rhedeg pethau yn Caerfyrddin. Byddant eisiau *guarantees* bod nhw yn cael delio… bod y *brothels* yn saff…

– Wyt ti 'di colli'r plot yn llwyr?! Ma'r bobol 'ma'n rhedeg hwrdai!

– Wyt ti'n gwirioneddol meddwl bydd dim puteiniaid yn y Cymru newydd?! Paid bod mor warthus o twp! Dyma *realpolitik*, Brynach. Os ydyn ni eisiau i Gwales gweithio mas mae'n rhaid gadael i'r gangs parhau...

– Ma hyn yn afiach.

– Rydym eisiau iti gyfarfod gyda Stewy Saunders a'i gariad Shan. Nhw sydd ar top y gang yn Caerfyrddin. Nawr, mae gyda ni a nhw rhywbeth mawr yn cyffredin. Rydyn ni gyd eisiau cadw pobl yn fyw. Nid drygs sy'n lladd pobl, Brynach, ond methu cael afael ar gwasanaeth i helpu os ti wedi OD-io neu cymryd stwff frwnt. Mae'r gangs yn gweithio ar y *basis* y gall ti wastad cymeryd mwy o *crack* ond byth llai. Maen nhw eisiau defnyddwyr cyson, hapus a byw.

– Wir nawr. Ma hyn yn nyts.

– Efallai. Ond gwranda. Ac *actually* gwranda gyda meddwl agored am un muned, os gwnei di. Rwy'n gwybod dy safpwynt am drygs ers flynyddoedd. Dwyt ti ddim eisiau cyfreithloni nhw, rwyt ti jyst eisiau cael llai o pobl yn cymryd nhw. Ond beth os byddwn yn dweud wrthot ti bod cyffuriau wastad yn mynd i fod o cwmpas. Wastad. Wedyn sut byddet yn bihafio? Rwy'n gwybod sut byddwn i yn bihafio. Byddwn i yn eisiau bod yn fwy onest. Byddwn eisiau dweud y gwir bod llawer person yn cael llawer o hwyl wrth cymryd cyffuriau. Pleser, Brynach. Ac i pobl cyffredin dyddiau yma, mae hyn yn peth prin… Felly… beth am agor ganolfan yn Gwales? Sy'n adael i *users* a *dealers* profi purdeb eu stwff? Beth am gadael i'r *dealers* gwerthu ar y we agored o mewn ffiniau'r tref yn lle adael i pob math o cachu digwydd ar y we tywyll? Beth am gwneud yn siŵr bod pobl yn teimlo cyfforddus i gofyn y cyngor gorau am sut i achub person sydd yn ofyrdoso? A beth am clywed llais y pobl mwyaf profiadol i gyd yn y faes cymeryd cyffuriau – y cymerwyr cyffuriau eu hunan… Radical, ydy, Brynach? Ffordd o gweithredu'r byd yn wahanol?

– Ti yn jocan, 'yt ti? Bydde'r cartéls yn rhwygo ni'n bishys… So nhw'n mynd i fod isie newidiade fel hyn.

– Efallai dim. Ond efallai bydd Stewy Saunders a Shan yn cytuno gyda ni os taw yr opsiwn arall yw bod ni yn cymryd nhw mas. Ond hefyd, ac mae angen i fi bod yn onest gyda ti am rhywbeth yma… mae ar agenda sawl person yn Poboliaeth Cymru i gadael i canabis cael ei werthu mewn tafarndai.

– Wy'n gwbod taw 'na beth ni'n tyfu yn y tai gwydr. Sai'n dwp.

– Ro'n i'n meddwl y byddet ti wedi dyfalu…

– Sdim syndod bod Len yn dweud bod busnese llewyrchus 'da ni…

– Wel, *small fry* yw *dope* a *skunk* i'r cartéls beth bynnag. *Rock* a merched anghyfreithlon (fel roeddwn i, un tro) sy'n wneud yr arian difrifol. Rhaid i ni etifeddu y mêl a'r cachu o Caerfyrddin. A ceisio troi pethau rownd.

– Alla i ddim gweld shwt fydde unrhyw un yn gallu neud mêl o fasnach ryw anghyfreithlon.

– Edrych, Brynach. Rwy'n meddwl bod e'n afiach fel ti. Ond jyst fel gyda drygs, gallwn gwneud pethau'n gwahanol. Dechrau trwy mynd â'r merched sydd wedi eu traffico mas o trwbwl ac… edrych allan am y merched sy'n ddewis aros yn y *trade*. Addysgu nhw. Gwneud yn siŵr maen nhw yn gyda'r gwasanaethau iechyd maen nhw angen.

– Ac os wy'n gwrthod neud hyn? Yn gwrthod bod yn ffrynt i Gwales, be 'nei di? Taflu fi 'nôl i'r Tywi?

– Wrth gwrs ddim. Ond gallaf ddim sicrhau byddi yn cael bod yn rhan o bywyd Tanwen. Mae sawl person yn dibynnu arnot ti i fod yn rhan o hyn, Brynach. Mae llawer o pobl o'r barn taw ti yw un o'r rhai all gwneud i hyn gweithio.

– 'Na pam nest ti dreulio blwyddyn yn buddsoddi yn fy ngwellhad i, yfe? Er mwyn 'yn iwso i.

– Roedd angen help arnat.

– Wy'n gweld yn glir iawn erbyn hyn, Edith. Plis paid insylto 'ngallu i.

– Brynach. Paid â colli golwg ar y *main prize*. Rydym eisiau yr un peth. Cymdeithas lle mae pobl Caerfyrddin yn gallu siarad am y dyfodol maen nhw'n eisiau. Ac os yw'n gweithio yma, efallai bydd yn dechrau digwydd dros y gwlad…

– Ond ma prish i'w dalu.

– Oes, rwy'n gwybod. A rwy'n gwerthfawrogi hynny.

– O na. Nid fi. Chi. Os wy'n cytuno wy moyn rhwbeth yn ôl.

– Beth hoffet? Gallwn lunio maniffesto arbennig i'r tref. A galli di bod yn rhan canolog o'i sgwennu. Dwi yn gwybod mor pwysig yw e i ti bod ni ddim yn creu *vacuum* peryglus. *Leadership of ideas.* Rwyf yn cytuno gyda ti.

– Ma 'da ti glustie yn bobman, Edith.

– Yn naturiol.

– Ond sai'n siŵr alla i dy drysto di rhagor.

– Brynach. Plis. Meddwl am yr holl gynlluniau peilot gallwn gweithredu pan fydd y tref yn ein meddiant... Cynnal rhaglen hyfforddi cymdeithasol i pobl ifanc difreintiedig sy'n *alternative* i'r byddin... Ailstrwythuro'r haenau democrataidd... cyflwyno democratiaeth cyfranogol... cynnal e-refferenda... cynnig gwasanaethau yn Ysbyty Glangwili am ddim... Cynnal sesiynau cadw'n heini a gwersi coginio yn marchnad Caerfyrddin gyda'r nos! Mae gen i yr allweddi yn barod! Meddwl am yr holl pethau does neb wedi cael y gweledigaeth i cynnig i pobl eto! Gallwn gwneud nhw yn Gwales!

– Ie. Ie, wy'n gallu gweld hynny...

– Wel, am y tro cyntaf yn hanes Cymru mae gyda ni'r cefnogaeth... Pobl sydd eisiau gweld hyn yn llwyddo, ar bob lefel o cymdeithas.

– Ond bydd y fyddin yn ymosod ar ddiwrnod y glaniad.

– Bydd.

– A bydd pobol yn siŵr o golli bywydau...

– Mae risg. Wrth gwrs. Ond mae cyfle i dechrau cymdeithas newydd yn lle Neo-Ddemocratiaeth... popeth rydym wedi siarad amdano erioed... Rwy'n addo iti, Brynach, unwaith bydd y strategaeth mewn lle a'r tref wedi sefydlogi o dan y trefn newydd, y cyfan bydd Byddin Poboliaeth yn gwneud bydd amddiffyn y tref.

– Fydda i byth yn madde iti os fydda i ddim yn ca'l bod gyda Tanwen a Morfudd ar ôl hyn. Ma 'na'n bwysicach i fi na hyn i gyd.

– Cred fi, Brynach, rwy'n deall. Beth sy'n gwneud fi'n hapus yw bod ti yn mynd i cael popeth nawr. A Morfudd yn aros amdanot...

Brynach

*

Neges gan cet.huw@gmail.com

At elen.bernard@cazoozle.com

Els,

Wy'n gwbod bo fi 'di bod yn crap am gysylltu a wy'n flin. Ond ma rheswm da dros 'ny. Wy heb stopo'n ddiweddar. Ma cynllun Gwales yn gyhoeddus ers cwpwl o ddyddie, felly ma Edith 'di bod yn hala fi rownd i bob math o gyfarfodydd yn y dre. Prin bo fi'n ca'l amser i gysgu!

Un o drigolion y dre sy'n amlwg wedi clywed am y chwyldro yw Papa. Wy'n gweud 'tho ti, tasen i'n ca'l punt am bob tro mae e yn 'yn glust i'n dadle yn erbyn y gwrthryfel bydden i'n fenyw gyfoethog iawn. Falle fydd e'n fwy o sioc clywed bod Margo yr un mor blydi wrthwynebus. 'Na le o'n i'n meddwl bod ein mam ni'n radical mawr. Ond mae'n debyg ei bod hi'n meddwl bod y model Neo-Ddemocrataidd sy 'da ni'n gweitho'n bert. Y broblem yw fod ein rhieni ni'n ffitio i gategori pobol sydd â gormod i'w golli. Yn wahanol i dri chwarter poblogaeth y dre 'ma sy 'di colli popeth ishws. Rhein o'dd y radicals nath 'yn magu ni, Els. A nawr bod cyfle am newid yn eu tre eu hunen so nhw isie gwbod. Mae e mor *depressing*.

Ta beth, sdim iws ifi wastraffu'n egni. Y peth i neud nawr yw cymryd 'yn tre ni 'nôl ar 'yn telere ni a dangos i bobol fel Ma a Pa y gall pethe wella yn G'fyrddin. Fe alle tre fel ni gynhyrchu'r rhan helaeth o'n hegni ni drwy *biogas*! Ma llond gwlad o bethe allwn ni roi ar waith os gewn ni'r cyfle.

Y si yw y bydd Ynawg Ail Taran (cymeriad o'r Mabinogi sy'n cael ei ddefnyddio i gynrychioli'r chwyldro) yn cyhoeddi Maniffesto Poboliaeth Caerfyrddin yn yr orymdaith yng ngolau lleuad sy'n cael ei chynnal yn fuan. A wy'n gwbod bod syched am y syniade 'fyd. Pethe wy 'di gweld Poboliaeth yn eu gweithredu dros y byd.

Wy yn poeni, cofia, Els. Am y dosbarth canol cysurus sy 'di bwco gwylie blwyddyn nesa'n barod. Ma nhw'n mynd i fod yn broblem fawr i ni. Gallen nhw hyd yn o'd gefnogi byddin y llywodraeth. Achos so nhw 'di diodde fel pobol erill, odyn nhw? So nhw'n meddwl bod angen newid.

Ond gwed 'na wrth y merched sy'n ca'l 'u traffico i fod yn hwrod yn Blue Street. Ac wrth y milodd yn Llanelli sydd off 'u ffycin penne ar *crack*. Gwed 'na wrth y bobol ifenc sy'n watsio peirianne'n neud y gwaith clau o'n nhw'n arfer neud, a'r nyrsys sy'n colli jobsys achos y robots. Wrth gwrs, falle bod pethe'n dishgwl yn well lawr yn G'rdydd, ond nage dinas fowr yw G'fyrddin. Tre fach yw hi! Sdim ffordd y gallith y bobol mewn grym honni bo nhw heb weld hyn yn dod – ma ffermydd 'di bod yn cau yn flynyddol fyth ers inni adel Ewrop! Cyn hir, dim ond dou gwmni agri fydd bia holl dir Sir Gâr!

Ond tase Brynach 'ma nawr, bydde fe'n wên o glust i glust, wy'n gweud 'tho ti. Achos ni'n blydi wel trial, nagy'n ni?

Plis gad i fi wbod beth yw'r diweddara yn y Diff. O'dd e mor braf dy weld di a'r plant mish dwetha. Ody Bruno'n dal i anfon yr e-byst twatlyd? Tria dy ore i'w hanwybyddu nhw (ond cadwa nhw fel tystiolaeth!). Bydd e wedi danto cyn hir, wy'n addo iti. Wedi symud mlân at ei obsesiwn diweddara.

Cêt X


*


Gwilym,

Tawn i'n ca'l punt am bob chwyldro sy 'di neud pethe'n waeth, fydden i'n ddyn cyfoethog ar y naw erbyn hyn, wy'n gweud wrthot ti. Ysywaeth, does neb am glywed barn hen ddyn fel fi. Y broblem gyda fi, mae'n debyg, yw nad oes gen i ddigon o egni ar ôl i anelu'n uchel ar ran fy nghymdeithas. Ond mi roddaf fy marn geiniog a dime i ti beth bynnag, achos fe fyddi di, o leia, yn fodlon gwrando ar fy safbwynt.

Mewn difri, fy ffrind, y syniad 'ma o chwyldro yng Nghaerfyrddin… Gweithredu model amgen i'r hyn welwn ni o flaen ein llygaid… Wel, plis. Y broblem sylfaenol sydd gan rywun yw fod dynol ryw yn gyffredinol ddiog ac yn gyffredinol daeog. Dydy'r mwyafrif ddim eisiau meddwl drostynt eu hunain beth bynnag.

Gwn fod pethau wedi gwaethygu yn Sir Gâr dros y degawdau diwethaf, gyda dyfodiad y cartéls cyffuriau ysgeler, a bod y bobol gyffredin ar eu gliniau. Ond a yw bywyd y dosbarth canol wedi mynd yn ddigon anodd iddynt fod eisiau chwyldro? Mae symudedd cymdeithasol yn parhau i fod yn bosibilrwydd mewn sawl cylch, ddwedwn i…

Y materion hyn yw asgwrn y gynnen rhyngtha i a fy merch hoff, Cêt, yn ddiweddar. Oblegid mae hi, fel y gwyddost yn iawn, yn rhan ganolog o drefnu'r hw-ha difrodus hwn gyda'i mudiad anenwog. Camgymeriad enfawr yw meddwl y bydd modd mynd i'r afael â phroblemau dyrys Caerfyrddin drwy geisio cipio'r lle a gweithredu system amgen (dwi'n methu credu fy mod i hyd yn oed yn teipio hyn! A dweud y gwir, dwi'n cyfansoddi'r nodyn hwn ar y we dywyll am nad ydw i eisiau DIM – wyt ti'n clywed? – DIM i'w wneud â'r busnes yma).

Oes, mae angen newidiadau. Fi fyddai'r cyntaf i ddweud hynny, ond iyffach gols, Gwilym, troi Caerfyrddin yn dref annibynnol fel sydd wedi digwydd mewn sawl tref ar draws Ewrop?! Dydy'r bobol, druan, ddim yn barod ar gyfer y ffasiwn beth. Does DIM awydd! Sut fès fydd ar y dref hon pan fydd pobol yn dechrau troi'r drol? Fe allai sawl person golli eu bywydau! Gwaed ar y strydoedd, Gwilym, ddychmygest ti'r fath beth erioed?

A beth wedyn am Glangwili? Mae'r ysbyty'n gwasanaethu miloedd o bobol ar draws y de-orllewin. Beth sy'n mynd i ddigwydd i'r gwasanaethau hynny os oes rhyw fath o *turf war* yn datblygu yn y dref? Fe allen ni fod dan warchae, Gwilym! Fel allai'r llywodraeth weithredu embargo llym. A ni, drigolion cyffredin Caerfyrddin fydd yn dioddef! A'r trueiniaid hynny na fyddant yn medru cael mynediad i'r dref i gael llawdriniaethau!

Mae Margo'n teimlo ychydig yn llai milwriaethus na fi am y mater. Yn y bôn, mae'n ceisio fy mharatoi i at y ffaith fod yr holl beth yn anorfod rhag ofn imi gael harten. Wrth gwrs, dwi ddim yn anghytuno y bydd yn digwydd. Gall unrhyw ionc â byddin gipio tref! Y cwestiwn pwysig yw, beth yw eu bwriad?! Eu gweledigaeth?! Diau fod cynlluniau penchwiban yr ynfydion Poboliaeth 'ma'n gyfan gwbwl iwtopaidd a hurt! A phwy ddwedet ti sydd yn eu canol nhw, Gwilym hoff? Yn coleddu'r holl egwyddorion gorffwyll yma gyda'i hoptimistiaeth afrealistig? Neb ond Cêt Huw.

Ry'ch chi'n magu rhywun, Gwilym. Yn eu cefnogi. Yn eu gyrru i ddegau ar ddegau o ddosbarthiadau dawns, soddgrwth a meddylgarwch. A chanlyniad hyn i gyd yn y diwedd? Hyn!

Fe geision ein gorau glas gyda Cêt. Ceisio ei haddysgu sut mae gwneud penderfyniadau hirben. Sicrhau fod ganddi radd. Talu am gyrsiau! A serch hyn oll, ddaeth dim byd yn ei sgil hi ond pen tost. Hi oedd yn ein trwblu ni fwya ar hyd y blynyddoedd, fel y gwyddost yn iawn. Hi a'i syniadau mawr am fynd i achub teigrod ac ymuno â'r Neo-Zapatistas. Och, wyt ti'n cofio'r holl ffys pan wnaethon ni guddio ei phasbort yr haf ar ôl ei harholiadau? Yr holl egni yna, Gwilym! Yr holl gariad yma! Ac i beth?!

I fod yn hollol onest, rwy'n teimlo rhyw lun o berchnogaeth drosti. Gwael efallai, ond gwir. Wedi'r cyfan, fi oedd yr un dreuliodd oriau yn ei charto hi o un lle i'r llall. Fi eisteddodd yn y car yn y ganolfan hamdden am oriau bwy gilydd yn darllen y *BMJ* ac yn recordio nodiadau ar fy ffôn er mwyn i Louise, druan, fedru anfon e-byst at y meddygon ymgynghorol yng Nglangwili. Fi oedd â thraed fel blociau o iâ! Fi aberthodd! Feiddiwn i ddim mentro i gynhesrwydd y ganolfan hamdden. Dychmyga'r rhieni y byddai'n rhaid ifi siarad â nhw. Pawb yn holi'n gynnil am ryw anhwylder neu'i gilydd. Rhyw boen mewn garddwrn. Rhyw frycheuyn ar dop clust. Rhowch imi'r nerth!

Ond wedi'r holl oriau, Gwilym, ac ar waetha'r holl ymdrech, mae'r person dan sylw yn parhau i weithredu'n gwbwl annoeth ac, yn boenus ddigon, yn gwbwl groes i fy ewyllys! Er ei bod hi'n byw yn ein cartref ni nawr ers misoedd lawer... bwyta o'm hoergell heb gynnig talu am yr un foronen... a wnaeth hi gydnabod ei diolch? Yr hyn a wnaethom ar ei rhan ar hyd yr holl flynyddoedd? Do fe FFWC.

Nos Fercher, a finne yn un o gyfarfodydd y Cymrodorion, fe'm trawyd yn gwbwl syfrdan o glywed bod yna aelodau o blith yr heddlu a'r fyddin mewn trafodaethau gyda Poboliaeth, ac yn waeth na hynny, fod yna gynghorwyr sir (a etholwyd yn ddemocrataidd gan y bobol i wasanaethu'r bobol!) wedi cydsynio i gyfarfod gyda'r mudiad er mwyn clywed y weledigaeth sydd ar waith. Bobol bach, Gwilym, beth ar wyneb daear sy'n digwydd? Pwy ry'n ni'n meddwl y'n ni? Merched Beca?

Mae cymdeithas fel ag y mae hi am reswm! Ac os yw pobol am weld newid fe ddylen nhw ethol gwleidyddion o bleidiau radical a wnaiff gynrychioli eu barn. Wrth gwrs, mae Cêt yn dadlau nad yw'r pleidiau hynny'n bodoli (a dichon nad ydynt ar hyn o bryd) ond mae modd ffurfio pleidiau newydd, Gwilym bach. Gwneud y gwaith caled! Y gwaith caib a rhaw! Does dim rhaid i bob gwleidydd blygu i'r lobïwyr a'r cyrff cyfalafol mawr. Dyna yw swydd gwleidydd o argyhoeddiad, onid e? Glynu at galon y gwir!

Yn hytrach na'r miri hyn, y cwestiwn ddylen ni fod yn ei holi yw sut beth yw ein perthynas ni â Beijing! Mae'r cytundebau masnach sydd wrthi'n cael eu llunio gan lywodraethau Prydain Fach a Tsieina yn llawer iawn pwysicach na rhyw ddwli chwyldroadol!

Afraid dweud, rwy'n eiriolwr brwd dros brotest ac yn hoff iawn o'r hen ddeiseb fel y gwyddost. Ond mewn system ddemocrataidd mae hynny, fy ffrind. Nid democratiaeth ydy cipio grym! Mae hynny'n gwbwl annemocrataidd! A bydd yn arwain at ddim ond blerwch, dryswch, distryw a thrallod. Iesgob, dyna i ti air addas os buodd un erioed. Trallod. Trallod, Gwilym. Sef yr hyn ry'n ni ar ei erchwyn yn awr...

Pwy a ŵyr na fyddaf yn byw yn y 'weriniaeth rydd' a elwir yn 'Caerfyrddin' y tro nesa i ni ohebu. Duw a'n gwaredo, Gwilym, mae ieuenctid a radicaliaeth yn gyfuniad enbyd. Alla i ond gobeithio y bydd dosbarth gweithiol y dref yn rhy llyweth ac 'off eu pennau ar gyffuriau' i fedru gweithredu. Fe allasai'r holl beth yn dal fynd yn ffluwch. Hyd yn oed nawr.

Gweddïwn,

Huw

*

Gan shan712@gmail.com
At Mami@gmail.com
Mami,

Heddi da'th car du i bigo fi a Stewy lan a mynd â ni i sharad gyda grŵp Poboliaeth. Wy'n credu bod Stewy'n timlo fel bod pethe *out of control* yn ddweddar. Rhwngt Bruv a'r babi a hwn so fe'n gwbod os yw e'n mynd neu'n dod. Paid ca'l fi'n rong, Mami, ma fe'n hapus am y babi. Ond wy'n galler gweld wrtho fe bod e wedi ca'l sioc 'fyd. Achos *truth be told*, synon ni'n neud e mor aml â 'ny, wedyn ma fe ofiysli'n llawn *sperm* bach rili *keen* bod un wedi dala.

Cyn i ni adel heddi nath e cwato'r *rock* o dan y *floorboards* a gofyn i Terrier a cwpwl o'r bois aros yn y tŷ 'da bob o gwn tan bo ni'n dod 'nôl. Wedodd Stewy wrtho Terrier *in no uncertain terms* bod e ddim i symud neu bydd mab bach e'n ca'l bwled yn 'i ben e. Dimles i'n sic i'n stwmog pan wedodd e 'na, achos ar ôl be ddigwyddodd gyda Bruv, wy'n credu alle Stewy neud rhywbeth fel'na tase fe'n meddwl bo raid.

266

Dries i beido dangos e, ond o'n i'n *seriously* nyrfys wrth ishte 'da Stewy yn y car. O'dd dyn o'n i ddim yn nabod yn dreifo a o'dd dim syniad 'da fi ble o'n i'n mynd. O'dd *palms* dwylo fi'n *sweaty* i gyd a o'n i'n timlo'n *sick* 'fyd. Wrth i ni deitho lan tuag at Sanclêr a draw at Hendy-gwyn, dechreues i dimlo *out of my depth* go iawn. Fel 'se fi mewn pwll o ddŵr a bod y dŵr yn codi a codi.

Ond, Mami, pan ethon ni mewn i'r *meeting room*, so ti'n mynd i gredu pwy o'dd yn ishte 'na'n aros amdanon ni. O'dd e'n gwishgo sgarff dros 'i geg, o'dd 'i lyged e nawr yn las a o'dd barf 'da fe, ond yr un boi o'dd e. Brynach gwrddes i ar y *dating website*. Yr un on i'n meddwl falle fydde *love of my life*. Nabyddodd e fi streit awei, wy'n gwbod, achos twitshodd 'i wyneb e pan welodd e Stewy yn whîlo fi miwn. O'n i'n galler gweld 'na er bod e'n gwishgo sgarff. Dim ond lliged rywun ti rili angen gweld, nagefe, Mami?

Nage Brynach mae e'n galw'i hunan ragor ond Ynawg Ail Taran. Swno fel bod e'n ca'l bach o *midlife crisis* i fi.

A'th dechre'r cyfarfod yn ok, *I suppose*, a Brynach yn *charming* iawn. O'dd hyd yn o'd Stewy yn wherthin ar un adeg wrth iddo fe weud rhwbeth *stupid* am Trevor Small. Ma Brynach yn foi clefar. Wedodd e 'tho Stewy bod gwerthu drygs yn rhwbeth sy'n digwydd a bod dim diddordeb 'da Poboliaeth mewn neud 'na'n anodd i ni.

Wedyn yn ganol y cyfarfod ar ôl iddo fe sofftno ni lan, nath e slapo *list* o bethe ar y ford o fla'n ni. Wrth i Stewy ddarllen dimles i fe'n tenso i gyd. Ar y *list* 'ma o'dd llwyth o *demands* gan Poboliaeth. Ma nhw moyn inni werthu *upfront* yn y dre o 'ma mlân. Isie agor canolfan a bob math o stwff gwahanol. Ma nhw besicli moyn legalizo cymryd drygs yn G'fyrddin unweth byddan nhw'n redeg y lle. Sy'n poso *loads* o risgs i ni.

Wedodd Stewy ddim byd am y *list* i ddachre, jyst ishte 'na'n dawel. Wedyn, ar ôl i Brynach ofyn beth o'dd opiniyn e, wedodd Stewy bydde raid iddo fe sharad 'da'r *board of directors* cyn cytuno i ddim byd.

Yr ail bwnc ar y ford, *according* i Brynach, o'dd y *brothels*. Coffodd Stewy'n uchel bryd 'ny. Gweud bod Poboliaeth 'di gweud bydden nhw ddim yn trafod y *brothels*. Dishgwlodd Stewy ato i wedyn. Meddwl bo fi newydd ffindo mas. Ond dangoses i ddim byd.

A'th Brynach mlân i weud bod y menwod *at risk* (ac yn paso mlân)

HIV a Aids. Ma Poboliaeth moyn dodi *programme in place* i ddishgwl mas am nhw. Shgwlodd Stewy i fyw llyged Brynach bryd 'ny. Gweud bod y moch byth wedi medlan i'r *extent* 'ma a bod e'n dachre pwsho'i lwc. 'Na gyd wedodd Brynach o'dd 'tough shit' a cario mlân i sharad. Alla i byth â jocan, Mami. Nath tamed bach ohono i wherthin ar y tu fiwn pan wedodd e 'na. Sneb yn gweud *tough shit* 'tho Stewy.

Ar ôl 'ny o'dd popeth tamed bach yn mwy *awkward*, o'dd ddim yn lot o sbort. Ond wedyn jyst wrth i ni adel wedodd Brynach llongyfarchiade i ni am y babi. A 'nes i wenu. Wyndran shwt *in the world* o'dd e'n gwbod achos o'n i ddim yn dangos *hardly* dim. Ond nath Stewy ddim smeilan. Nath e jyst staran am yn rhy hir cyn storman o'r stafell.

Cwpwl o funude wedyn o'n ni 'nôl yn y car du yn bomo 'nôl i G'fyrddin.

O'dd Stewy'n ffycd off drw'r pnawn ar ôl 'na a wy'n gwbod pam. Ma fe'n cachu *planks* ambytu sharad 'da'r *board of directors* ac yn becso bod e'n mynd i ga'l trwbwl *from both sides*.

Da'th taflen drw'r *letterbox* heno yn gweud bod Poboliaeth yn trefnu *moonlight march* yn y dre nos fory. Ma nhw'n dishgwl milodd o bobol a ma Ynawg yn mynd i fod yn neud *speech* i'r crowd. Dwlen i aller mynd lawr 'na i ryndo arno fe, Mami. Fi'n credu galle fe sharad geire cryf a rhoi *goose pimples* ifi. Ond alla i ddim gweud celwydd wrtho ti chwaith, fi ofon 'fyd. Ma pawb yn y dre yn acto fel cathod 'da'u cefne lan ar y foment. *As if* bod y lle biti ca'l ei tipo *upside down* neu rwbeth a bod hyd yn o'd yr adar yn gwbod 'ny. Wy jyst yn gobeitho neith e ddim timlo fel hyn am lot mwy hir. Achos so *stress* yn gwd i'r babi.

Wy 'di planto planhigyn newydd yn yr ardd heddi. Yn yr *exact spot* le ma Bruv yn gorwe. Ond nage yn y pridd ma fe, yfe, Mami? Ma fe'n tyddu tu fiwn i fi fel *new life*. Dylet ti fod wedi gweld bola fi yn y *mirror* heno. Ma fe'n bwmpyn bach rownd. Jwst fel pwmpen.

Shani X

*

**Neges gan Edith@poboliaeth.cymru**

**At Llawen@poboliaeth.cymru**

Wedi cael clywed bydd y byddin yn y gorymdaith. Rhaid i pawb sy'n arfog gyda ni bod gyda disgyblaeth. Cyfarfod brys?

*

Neges gan cet.huw@gmail.com

At elen.bernard@cazoozle.com

Jesus Christ, Els, ma Brynach dal yn fyw. Weles i fe heno! Yn yr orymdaith!... O'dd yr awyrgylch yn drydanol. Milodd o bobol yn cerdded mewn tawelwch. Ar hyd Heol y Brenin a lawr at Sgwâr Nott. Draw wedyn tuag at Heol Awst a rowndo 'nôl i ymgynnull ar bwys cloc y farchnad... Yr heddlu a'r fyddin ar bob cornel, yn dishgwl arnon ni. Er bo fi'n un o'r trefnwyr, on i'n ffaelu hyd yn o'd gweld y llwyfan yn iawn achos bod gyment o bobol 'na! O'n i'n galler gweld Edith o bell. Yn sefyll wrth ymyl y llwyfan... a o'n i'n dishgwl mlân i weld yr Ynawg Ail Taran 'ma. O'n i wedi hanner meddwl taw fideo fydde fe neu rwbeth. Perfformiad... O'dd pawb yn Poboliaeth Caerfyrddin 'di bod yn siarad am y peth ers inni weld y taflenni o'dd raid ni ddosbarthu rownd y dre...

Eiliade'n ddiweddarach o'dd yr Ynawg 'ma'n sefyll ar y llwyfan... boi byr, barf laes... yn gwisgo sgarff fel balaclafa dros 'i wyneb... Shgwles i ar Glain 'da lliged mowr, o'dd e'n ecseiting! Ond yr eiliad ddechreuodd e siarad ar y meicroffon... 'nes i jyst gweud 'ffyc' mas yn uchel a hwdu'n berfedd ar y stryd... o'n i'n crynu, Els... Yn meddwl bo fi'n gweld pethe. Brynach o'dd pia'r llais 'na.

Sai'n cofio lot am beth ddigwyddodd nesa... ond ges i'r nerth o rwle i ddechre pwsho'n hunan drw'r crowds. Gwthio a gwthio a byjan 'yn ffordd mlân. Wrth ifi neud 'na o'n i'n galler clŵed e'n siarad... yn dweud bod dim rhaid i bethe fod fel ma nhw yn y dre rhagor, nac yng Nghymru chwaith... pawb yn clapo ac yn sgradan, bob tro o'dd e'n gweud rhwbeth... o'dd dagre yn 'yn llyged i... ond o'n i dal ddim yn siŵr a o'n i'n breuddwydio... so garies i mlân... pwsho a pwsho mlân drw'r crowd. Damshgel ar dra'd pobol. Pwsho pobol mas o'r ffordd. Yn whys stecs.

O'n i ar fin cyrradd y rhes flaen pan orffennodd Brynach areithio. Pawb yn clapo ac yn whislan... yn falch bod y boi 'ma wedi llwyddo i grynhoi beth o'n nhw i gyd yn deimlo... a'th y clapo mlân am ache...

a weles i fe'n dishgwl mas at y crowd... wedyn wrth i bethe dawelu... sgrades i, Brynach! Codi'n law lan. Brynach! A welodd e fi, Els! Welodd e fi!

Ond mor gynted ag y gnath e, gas e'i dynnu 'nôl gan y ddou foi 'ma. Ei arwen at gar du o'dd yn dishgwl amdano fe... Brynach, waeddes i 'to, a droiodd e rownd 'fyd! Ond o'dd e'n ffaelu gweld 'yn wyneb i yn y crowd erbyn hyn... o'dd e'n rhy bell... Brynach, waeddes i'n groch 'to! Dagre yn 'yn llyged i... watsio fe ac Edith yn anelu am y car du... a'r foment nesa, o'dd y car yn dreifo bant.

Ma Edith wedi twyllo fi ers mishodd, Els. Neud i fi gredu bod ffrind fi wedi marw. A finne 'di bod yn gweitho fel ci i Poboliaeth. Alle hi fod wedi gweud wrtha i. Alle hi fod wedi ffycin gweud! Fydden i ddim wedi yngan gair wrth neb, fydden i! Ond na. Nath hi adel i fi alaru a becso a beio'n hunan. Rhwygo'n hunan yn bishys achos bod Brynach wedi lladd 'i hunan! Pam ffwc na alle hi fod wedi'n drysto i?! Pam ffwc na fydde hi wedi gweud? A beth am Morfudd, druan? A'i fam e? Ma hi wrthi'n pydru mewn cartre yn Llanboidy! Yn meddwl bod 'i mab hi ar waelod y Tywi. A geith hi byth wbod yn wahanol nawr, achos hyd yn o'd tasen i'n gweud wrthi, fydde hi ddim yn ffycin deall fi!... Ma'r mudiad 'ma mor ffycd yp sai'n gwbod os wy'n... sai jyst yn gwbod... ti'n ymladd mor galed... yn rhoi popeth, ti'n gwbod... a wedyn... shwt y'n ni'n dishgwl neud unrhyw beth yn wahanol i unrhyw ffycar arall os taw fel hyn ni'n bihafio? Ma fe'n ffycin afiach. Yn ffycin, ffycin afiach.

C x

*

Gwilym,

Dwy neges sydd gen i yn yr e-bost hwn. Un i ddweud 'mod i wedi ca'l fy enwebu i fod yn aelod o Orsedd y Beirdd am fy 'ngwasanaethau i'r Gymraeg a meddygaeth yng Nghaerfyrddin' (tu hwnt o falch ac yn methu'n lân a chredu'r peth), a'r ail beth yw fod gweddill fy myd ar chwâl. Fel rwyt ti siŵr o fod wedi gweld yn y wasg erbyn hyn, cynhaliwyd Gorymdaith yng Ngolau Lleuad Poboliaeth neithiwr ac yn barod mae'r dref wedi mynd â'i phen iddi. Pawb ar ruthr yn ceisio prynu bara a thuniau am fod arnynt ofn am eu bywydau bod amgylchiadau tebyg i'r fagddu ar ein gwarthaf eto. Yn wir, mae rhai o ffrindiau Margo o ioga wedi ffoi o'r dref yn barod, ac yn bwriadu gwagio eu tai cyn gynted ag y bo modd. Mae'r sefyllfa'n fès llwyr, fy ffrind, gydag Elis Powell, ein Prif Weinidog hoff, yn erfyn ar Poboliaeth i beidio bwrw ymlaen gyda'r gorffwylldra 'ma.

Mae'r tensiynau rhyngtha i a Cêt wedi cyrraedd penllanw. Ry'n ni fel ci a chath. Dwi mor drybeilig o gynddeiriog gyda hi a'i thebyg am gorddi yn y dref fel na alla i atal fy hunan rhag dweud hynny'n barhaus. Wrth gwrs, y drwg yn y caws go iawn yw'r Edith Hutchingson 'ma. Wy wedi dod ar ei thraws hi yn y dref ar sawl achlysur. Wedi darllen am ei gorffennol hefyd. Efallai ei bod hi wedi dysgu Cymraeg (a wyddost ti ei bod hi'n gwneud pwynt o wrthod treiglo gan 'honni' ei bod yn gwneud yr iaith yn fwy hygyrch i eraill?!) ond mae hi'n beryg bywyd ac mae ganddi hanes amheus iawn o ymwneud â grwpiau radical ar draws y byd. Mae Cêt fel petai'n meddwl bod yr haul yn tywynnu o dwll ei thin, sy'n amlwg yn golygu ei bod hi'n berson peryclach eto yn fy nhyb i.

Mae'n resyn gen i ddweud yn ogystal fy mod i a Margo wedi bod yng ngyddfau'n gilydd yn ddiweddar. Mae hi o'r farn fy mod i'n bod yn llawer rhy lawdrwm ar Cêt ac y dylwn ddod i delerau'n dawel â'r ffaith ein bod yn anghydweld ar lefel bur sylfaenol. Ond wrth gwrs, roeddwn i yn llygad fy lle fod angen pryderu am y gwasanaeth iechyd pan ddaw cyfnod Gwales i rym (o ie, baeddwch ein traddodiad llenyddol hefyd iff iw plis!) oblegid mae 'na sïon ar led yn barod fod Llywodraeth Cymru a Llywodraeth San Steffan yn ystyried bwrw embargo arnom a fyddai'n golygu atal moddion a thriniaethau rhag cyrraedd y dref yn ystod yr wyth deg niwrnod. Wy'n gweud 'tho ti, Gwilym, mae'r ffyliaid Poboliaeth yma'n chwarae gyda thân! Pwy a ŵyr na fyddi di'n medru derbyn fy e-byst cyn hir os benderfynith yr awdurdodau ddiffodd y system ddi-wifr a'n plymio ni i ddyfnderoedd rhyw gyfnod neolithig. I feddwl bod fy merch ynghlwm â'r gwarth 'ma, Gwilym, mae'r peth yn destun cywilydd!... Wedi meddwl... efallai'n wir y dylai Margo a fi ystyried symud o'r dref am gyfnod... wyt ti'n meddwl bod hyn yn syniad da? Yn ddoeth? Fe ffoniaf di yn y munud. Gofyn dy gyngor.

----

Hoffwn nodi fy mod i wedi bod i nôl paned ers teipio'r darn uchod. Paid â dychwelyd yr alwad ffôn ac anwybydda'r neges. Fydd dim angen stafell arnom heno.

Byddi'n falch o glywed nad wyf mor gynddeiriog a phryderus erbyn hyn. Mae gen i baned wrth law ac am heno bydd yn rhaid bodloni ar ble rydym ni (yn rhannol am fod Margo wedi yfed gormod i yrru, os alli di gredu).

Arswyd y byd, Gwilym, rwy'n byw ar drugaredd criw o eithafwyr ac rwy'n rhy hen i'r holl gachu 'ma. Gêm i bobol ifanc ydy ceisio newid y byd. Gwae nhw am ein llusgo ni i mewn ar ein pennau.

Meddylia 'mod i wedi cael fy nerbyn i'r Orsedd (o'r diwedd!) a bod hynny'n ddim ond eilbeth mewn e-bost. Mae'r byd a'i ben i lawr.

Huw

*

**Darn o ddyddiadur personol Morfudd Yang, 2057. Yr Eglwys Newydd.**
Mi dwi 'di'i weld o. Mi dwi 'di ista o flaen sgrin a mi dwi 'di'i weld o. A mi dwi 'di wylo ac wylo. Ddoth Lleucu 'nôl o'i shifft nos a'm dal i. Yn wylo, hefo potal o win ar 'i hannar am ddeg o'r gloch y bora. Welish i 'rioed y ffasiwn siom yn 'i llygid hi. Ond wedi imi ddangos y dystiolaeth iddi, mi nath hi newid 'i chân.

'Nesh i feddwl i ddechra 'mod i'n dychmygu petha. Gweld 'i wynab o yng ngwynab rhywun arall fel dwi 'di gneud ganwaith o'r blaen. Ond ar ôl rhai eiliada, a thrw'r dagra a'r chwerthin a'r cynddeiriogi, mi wyddwn i 'mod i'n iawn. Brynach oedd o. Brynach. Brynach Yang. Brynach oedd o! To'dd o ddim wedi mynd.

Ma'n rhaid ma dyma oedd y cynllun ers y cychwyn. Gneud iddo fo edrych fatha bod o 'di diflannu oddi ar wynab y ddaear. Cyhoeddi erthygl bapur newydd yn deud bod dyn wedi cymryd ei fywyd ar ôl colli ei waith ac ar ôl tor perthynas. Ar ôl i'r hen witsh o bartner oedd gynno fo hel 'i phac a chipio'u merch nhw yn oria mân y bora. Diflannu i'r ddinas fawr ddrwg hefyd. Yr hen witsh. Ond realiti oedd y rhwystr mawr ar hyd yr amsar mewn gwirionadd. Roedd o angan amsar i gynllunio petha yng Nghaerfyrddin. Ni oedd y petha anghyfleus. Yr ystyriaetha diflas. Y chwyldro oedd benna iddo fo. Y chwyldro ac Edith.

Mi sbiodd Lleucu arno am yn hir. Dal y gliniadur yn dynn a sbio hefo llgada di-gwsg ar y fideo bach ar y wefan gymdeithasol. Oedd, roedd gynno fo lygid glas rŵan a barf, ond Brynach oedd o. Ei araith fawr am newidiada cymdeithasol i Gaerfyrddin yn llenwi'r lolfa. A'r ddwy ohonon ni'n wylo. Yn wylo am fod y peth mor wyrthiol ac mor hyll. Mor estron o gyfarwydd. Wylo am y byddai'n rhaid egluro wrth Tanwen yn fuan hefyd. Bod ei thad wedi gneud rwbath gwaeth na marw, roedd o wedi ei aileni fel rhywun arall. Heb drafferthu cysylltu. Heb anfon gair.

Mi wn i rwbath arall am wylo bora ddoe erbyn hyn. Roedd o'n wylo cymysg. Rhyddhad poenus 'i fod o'n dal yn fyw a dicter 'mod i wedi cosbi'n hun yn meddwl 'i fod o yn 'i fedd. Ond mewn ffordd ryfadd, roedd yna ddagra balchder hefyd. Oherwydd ar waetha'r holl boen oedd yn fy nghalon i, dyna lle roedd Brynach i fod. Yn trio newid petha. Yn trio deffro pobol. Yn union fatha'r tro cynta imi glŵad o'n areithio yn Aberystwyth.

Hwrach ma dyna ro'n i'n drio'i neud ar hyd yr amsar. Ceisio gafal yn y person hudodd fi o'r llwyfan.

Chwyldro dros gyfiawnder ydy'r peth creulona'n byd os wyt ti'n anghyfleus. A dyna ydy Tanwen i Brynach. Problem anghyfleus, tra bod gynno fo filoedd o bobol i'w hachub. Ond be 'di rheiny heb ein Tanwen ni? Ella ma offrwm ydy hi. Ac ella ma offrwm ydw inna. Y bardd aeth i chwara'n rhy agos at y tonna ffyrnig. A mi ddangosodd y tonna iddi, yn do, bod 'i breuddwydion bach hi'n ddim ond cerigos bach dibwys fyddai'n froc di-siâp ymhen y rhawg. Ac yna'n dywod.

Mi esh i 'ngwely ddiwadd bora ar stumog wag. Ac mi nath Lleucu 'run fath am 'i bod hi 'di bod yn gweithio shifft nos. Feiddiwn i ddim bod yn dyst i weddill y diwrnod ar fy mhen fy hun. Roedd y gola'n ormod i mi. Wrth imi orwadd yna, mi deimlish i flys. Isio Brynach yn ôl. To'n i'm 'di teimlo 'mod i isio cysgu hefo neb yn iawn ers cantoedd. Ddim efo Richard hyd yn oed. Ond y pnawn hwnnw, mi 'nesh i ymgolli ym mreuddwyd serch a chariad. Hefo Ynawg. Fo oedd mewn rheolaeth, ac mi oedd o isio fi. Ar ôl i mi ddarfod, mi 'nesh i grio am hannar awr gyfa. Wylo ac wylo heb yr un smic.

Lle aeth yr haul a'r dyddia da? Lle aeth petha sy'n gneud synnwyr? Mi dwi 'di hen golli golwg arnyn nhw. Ac er 'i fod o'n ôl, mi dwinna 'di mynd. Ers y dwrnod cynta iddo fo ddiflannu.

*

**Neges gan Edith@poboliaeth.cymru**

**At Cet@poboliaeth.cymru**

Rydw i'n deall mae ei fam yn dost, Cêt, ond dydy nawr DDIM yn amser da i dweud dim byd, felly gwerthfawr yw i ti cadw'n tawel am y tro plis.

**Neges gan Cet@poboliaeth.cymru**

**At Edith@poboliaeth.cymru**

Mae e'n HAEDDU ca'l gwybod, Edith. Dim ond yn Llanboidy mae hi. Plis. Alle fe o leia gael y cyfle i ddweud hwyl fawr wrthi cyn iddi fynd.

**Neges gan Edith@poboliaeth.cymru**

**At Cet@poboliaeth.cymru**

Maen ni angen Brynach YMA ac mewn lle DA. Rwy'n deall mae'n anodd gyda'i mam, ond bydd dim byd i gwneud. Dau diwrnod sydd i mynd tan lansiad Gwales nawr.

**Neges gan Cet@poboliaeth.cymru**

**At Edith@poboliaeth.cymru**

Wy'n anghytuno yn CHWYRN.

**Neges gan Edith@poboliaeth.cymru**

**At Cet@poboliaeth.cymru**

Paid â wneud unryw beth twp, Cêt. Mae hyn yn uffernol pwysig.

**Neges gan Cet@poboliaeth.cymru**

**At Edith@poboliaeth.cymru**

Mae Brynach yn ffrind i fi.

**Neges gan Edith@poboliaeth.cymru**

**At Cet@poboliaeth.cymru**

Mae yn ffrind i fi hefyd. Ar ôl i pethau setlo yn Caerfyrddin rwyf yn addo mynd â fe i gweld ei mam yn personol.

**Neges gan Cet@poboliaeth.cymru**

**At Edith@poboliaeth.cymru**

A shwt ydw i fod i gredu 'na ar ôl yr holl gelwydd chi 'di rhaffu?

**Neges gan Edith@poboliaeth.cymru**
**At Llawen@poboliaeth.cymru**
Llawen,
Mae angen i Cêt Huw sy'n gweithio yn y tre cael ei delio gyda. Fel soniais wrthot neithiwr, mae hi'n gwneud pethau'n anodd iawn.

**Neges gan Llawen@poboliaeth.cymru**
**At Edith@poboliaeth.cymru**
Diflannu gwyrdd, melyn neu goch?

**Neges gan Edith@poboliaeth.cymru**
**At Llawen@poboliaeth.cymru**
Coch. Ac ar unwaith. Gallwch mynd â hi i'r cwt ar y Buarth os oes rhaid.
Ar nodyn arall, mae'r pobl sydd o plaid ni yn bwydo strategaethau ffug i'r awdurdodau ar hyn o bryd ac yn wneud siŵr mae'r byddin ddim yma tan y munud olaf. Mae hyn yn prynu amser i ni, ond yn y diwedd, pan byddwn yn glanio yn y tre, byddan nhw yn gallu ymosod. Angen bod yn hollol siŵr bod y strategaeth milwrol yn *watertight*, Llawen. Gallit ti *double / triple* tsieco hyn gyda'r tîm plis? Gallwn ddim cymryd unrhyw risgs.

*

**\*\*Neges o'r archif\*\***
**Neges gan CetHuw@shwmae.cymru**
**At Brynach@cymru.cymru**
Hei Brynibryns,
Dal yn wherthin ar ôl be ddigwyddodd 'da Mrs Giles. Ti'n ffansïo dod draw i Picton Terrace dros y wicend? Methu stopo grondo ar tiwn Y Cactws. Mae'n *amazing!!!!*

**Neges gan Brynach@cymru.cymru**
**At CetHuw@shwmae.cymru**
Daf fi wicend 'ma, bendant. Unrw beth i fod mas o glyw yr ast 'ma o fam sy 'da fi. Gofyn i Margo neud y *flapjacks* 'na 'to?

**Neges gan CetHuw@shwmae.cymru**
**At Brynach@cymru.cymru**
*Oh my god*. Ti'n ffansïo'n fam i.


**Neges gan Brynach@cymru.cymru**
**At CetHuw@shwmae.cymru**
*Fuck off*, nagw.
P.S. Ocê, falle tam bach. Ond so *flapjacks* yn *euphemism* am ddim byd.


**Neges gan CetHuw@shwmae.cymru**
**At Brynach@cymru.cymru**
Afiach!!!!!!! LOOOLZ. Gweld ti fory. Hanes cyn cino. *Fave* fi. Bullshito Mrs Giles am awr fel bo ni ddim yn gorffod neud gwaith.


*

Gan shan712@gmail.com
At Mami@gmail.com
Mami,
Wy ofon. Ma'r *board of directors* isie gweld Stewy nes mlân am cyfarfod a ma Poboliaeth ar y ffôn drw'r amser 'fyd. Ma Gwales yn cico off *any day now* a ma nhw moyn gwbod le ni'n sefyll gyda'r *list of demands* ond so Stewy'n gwbod 'to heb sharad 'da'r BoD, ody e!

So Stewy wedi sharad yn iawn 'da fi ers dyddie a ma cro'n e bron yn dishgwl yn wyrdd. Gwed 'tha i bydd popeth yn ocei a bydd Stewy ddim yn ca'l 'i hunan i drwbwl, 'nei di, Mami? So fe wedi cytuno i ddim byd gyda Poboliaeth 'to, ond wedyn beth sy'n digwydd os yw e ddim yn cytuno? Ni'n styc rhwng *a rock and a hard place*, fel ma fe'n cadw gweud. A ma'r cloc yn tico.

Ma sgan cynta fi pnawn 'ma yn Ysbyty Glangwili a ma fe'n costi pedwar cant punt. So Stewy'n mynd i allu bod 'na 'da fi so ma Dai drws nesa'n mynd i fynd â fi lawr yn y fan. Wy'n ypsét am 'na, Mami. Wy wedi breuddwydo'n hir am fi a Stew yn dishgwl ar y sgrin a'r babi'n cico. Sŵn y galon. Fe'n dala'n law i. A nawr 'na gyd bydd 'da fi yw Dai'n aros amdana i yn y *car park*.

Pam bod 'da fi dimlad mor od yn bola fi, Mami? Plis gwed 'tha i bydd popeth yn oreit. Neu hala *sign* i fi. Unrhyw beth. Wy jyst ddim yn lico gweld Stewy mor *on edge*. Sai 'di gweld e fel hyn o'r bla'n, pan sdim hyd yn o'd *skunk* yn neud gwanieth. *In fact*, falle bod *skunk* yn neud e'n wa'th. Ond sdim pwynt ifi weud 'na wrtho fe chwaith. Neith e jyst mynd mewn i *mood* uffernol wedi 'ny. Croesa dy fyse am y sgan, Mami. A'r cyfarfod 'fyd.

Shan x

*

**Neges gan Edith@poboliaeth.cymru**
**At Llawen@poboliaeth.cymru**

Rydwyf sori am sut wnes byhafio gyda ti bore 'ma, Llawen. Mae e'n *not on* a dwi ond yn gallu dweud sori. Gyda ddiwrnod i mynd tan Gwales, rwy'n teimlo'r straen.

Weithiau rwy'n dim siŵr os mae'r wlad hon o difri. Comitiais blynyddoedd yn ôl i bod yn o difrif am Cymru. I dysgu y iaith, i dangos i ti (fy cariad) bod fi eisiau codi y wlad yn ôl ar ei traed achos taw hi yw trefedigaeth cyntaf ac olaf yr Ymerodraeth Prydeinig. Ond mae pobl y gwlad, weithiau... *they*... maen nhw'n anfon fi yn gwyllt! Y ffordd maen nhw dim yn siriys. Y ffordd maen nhw yn cael traedion oer ar yr amser anghywir!

Rydym MOR agos nawr, Llawen, ac eto dyma fi yn dal gorfod perswadio Brynach mae e'n y dyn am y job. Sortio Cêt Huw allan. Egluro i Len bod angen *backup plan* arnom. Maen nhw wedi llwyddo yn Bilbao ac yn Glasgow ond rydwyf i eisiau dangos i'r byd gall pobl Caerfyrddin, a Cymru, cael eu rhyddid hefyd!

Dwi'n gwybod yn iawn bod pobl o gwmpas y lle yn galw fi'n *the butcher* a geiriau tebyg. Yn meddwl rwy'n heb calon am gwneud penderfyniadau caled a rhoi brifo i pobl ar hyd y ffordd. Ond Llawen, rwyt ti'n deall yn fwy na neb – mae hon yn rhyfel. Hyd yn oed pan mae neb yn dweud mae yn rhyfel, dyna beth ydyw ef go iawn.

Ond nid yw pob tro yn rhyfel yn erbyn y gelyn. Weithiau mae yn rhyfel yn erbyn *apathy* a diffyg *confidence*. Yn brwydr yn erbyn *the very* pobl sydd ar dy ochr di. Beth yw'r problem? Ydy e bod pobl ddim eisiau y newid yma digon? Neu ydyn nhw yn ofn? Neu a cawsant eu coloneiddio mor hir bod nhw wedi anghofio beth yw cael asgwrn cefn?! Ydy e yn dim ond fi sy'n gallu gweld? Rydym yn mor agos nawr. Mor, mor agos!

Byddaf siŵr o fynd lawr yn hanes fel rhywun oer a *calculated* ond mae'n rhaid bodlon gwneud penderfyniad caled pan rydym yn chwarae yn erbyn Neo-Rhyddfrydiaeth brwnt. Mae hwn yn mater o bywyd a marwolaeth imi. Rhwng y cyffredin pobl yn cael siawns neu peidio. Mae'n du a gwyn.

Yn y byd yma mae'n rhaid dangos pethau yn gweithio. Achos dangos yr alternatif yw y peth pwysig. Profi dy pwynt mewn *praxis*. Wyt ti'n meddwl os byddai rhywun yn dod lan â'r syniad o'r NHS heddiw y byddai pobl yn mynd amdano fe? Wrth gwrs bydden nhw dim! Byddant dweud dy fod yn gwallgofberson! Rhaid felly i *radicals* dangos pethau *IN ACTION* er mwyn gwneud i'r byd *shitty* hwn sylweddoli bod e'n posib.

Mor prydferth gallai'r byd hwn bod. Mor teg ac mor cariadus. Ac mor cyfartal, Llawen. Lle gall gŵr a gwraig priodi ei gilydd achos cariad, a peidio ofni *persecution*. Byd lle gallai fy mam a dad wedi gallu bodoli yn hapus. Ond i cyrraedd y lle yna, rhaid i ni brwydro. A dyna sydd yn digwydd yfory. Rydym yn brwydro am hynny. Dim byd llai.

Mae'n flin gen i, fy nghariad, am beidio agor i fyny i ti yn gwyneb yn gwyneb ac am bod mor anodd. Gobeithio bydd yr neges hwn yn helpu ti deall y cryfder teimlad sydd yn fy calon a fy penderfynrwydd bod Gwales, o pnawn yfory ymlaen, yn mynd i gweithio.

Cawn dim llawer amser am cariad a tynerwch o fory ymlaen, Llawen. A dim llawer amser am cwsg chwaith. Ond rwyf yn dy garu yn mawr. Gwybod hynny. Gweld ti mewn y cyfarfod strategaeth mewn awr.

Heb ti, yn dim,

Edith

\*

### Datganiad gan Ynawg Ail Taran i bobol Caerfyrddin
### Gwales – Diwrnod 1

Pnawn heddiw, cynorthwyodd Byddin Poboliaeth Cymru aelodau Poboliaeth Caerfyrddin i gipio tref Caerfyrddin yn ôl i'r bobol.

Ni fu unrhyw daith i ryddid yn llyfn a gofynnwn i chi am eich dygnwch a'ch amynedd yn ystod y cyfnod cychwynnol hwn. Byddwn yn darian ffyddlon i bobol y dref yng ngwyneb pob gormes. Chi, 'y corff', yw grym eich tref.

Byddwch gadarn ac anrhydeddus.

Fe ddaw yr awr,

Ynawg Ail Taran

\*

**Neges gan Edith@poboliaeth.cymru**
**At Llawen@poboliaeth.cymru**
Wyt ti draw yna? Faint sydd wedi cael anaf?

**Neges gan Llawen@poboliaeth.cymru**
**At Edith@poboliaeth.cymru**
Pump person lawr. Pedwar wedi marw. Petra yn un.

**Neges gan Edith@poboliaeth.cymru**
**At Llawen@poboliaeth.cymru**
Bastards.
Plis cysylltu gyda Len i neud siŵr mae y *back-up* yn ei lle. Bydd angen rhoi pump milwr arall allan. Yn syth.

\*

Gan shan712@gmail.com
At Mami@gmail.com
Mami,
Fi a 'Bruv bach yn y bola' yn ishte 'ma reit nawr yn dishgwl mas ar G'fyrddin. Mae'n noson dywyll ddu a fi'n ffaelu credu be fi'n galler gweld. I bob cyfeiriad fi'n dishgwl ma tane coch ac oren a C'fyrddin ar dân.

Pnawn 'ma ddigwyddodd *takeover* Gwales, Mami. Heddi ddigwyddodd e i gyd. Ddar neithwr ma'r moch 'di bod yn patrolo rownd y dre a ma'r armi wedi bod â'u fans a'u ceir yn bobman.

Ma Stewy'n *cool and calm* i feddwl be sy'n mynd mlân. Wy'n credu bod e jyst yn falch bod y *board of directors* wedi cytuno i *demands* Poboliaeth *as long as* ma fe'n neud iddo fe weitho ac yn cadw enwe pawb sy'n *involved* yn *confidential*.

Pan ddechreuodd pethe cico off heddi o'dd fi a Stewy yn galler clŵed ar y radio be o'dd yn digwydd. O'dd y *news* yn *live* ar y radio am G'fyrddin! O'dd e'n swno fel bod yr holl le yn bedlam gyda armi Poboliaeth yn symud mewn o bob *direction* ac yn bloco'r prif hewlydd i'r dre. A ni, pobol y dre, yn styc tu fiwn. Yn *surrounded*. O'dd rai o'r armi yn barod tu fiwn y dre ond o'dd plan 'da Poboliaeth i eisoleto nhw a 'na beth nath nhw. *At least* 'na be wedodd y dyn ar y radio.

O'dd Ynawg *constantly* ar y radio 'fyd, yn cadw gweud bod cefnogeth pobol y dre 'da nhw a bod unrhw atempt gan yr armi i ataco yn mynd yn erbyn dymuniad y bobol. Ma fe'n *strong message* a ma fe'n mynd lawr yn dda ar *social media* o be fi'n gachler gweld. Bob awr neu ddau ma Ynawg yn streamo fideos yn *live* o HQ nhw yn adeilade'r Cyngor 'fyd. Gweud shwt ma fe'n gweld pethe. Encourageo pobol i *keep the faith.*

Wrth gwrs, ma'r fyddin yn gweud taw protecto'r bobol ma nhw'n neud 'fyd a bod Poboliaeth yn mynd yn erbyn *democracy* ac yn torri rheole byw mewn gwlad rydd. Ond nagyf fi'n byw mewn gwlad rydd, Mami. Wy'n byw mewn gwlad sy'n pallu neud dim byd 'da fi o gwbwl.

Glŵon ni sŵn drylle gynta ambytu tri o'r gloch. Ges i shwt ofon. *Goose pimples* i gyd dros breiche fi a aer o'r yn shwto lan a lawr *spine* fi. A wedyn o fewn hanner awr, o'dd riports yn cyrradd ar *social media* bod pobol wedi brifo. *Soldiers* yr armi a *soldiers* Poboliaeth. Lawr ar bwys y rowndabowt sy'n mynd â ti i Sanclêr. A 'fyd draw ar yr hewl gefn i Bronwydd. Wedyn 'na pam ma tane 'ma heno, Mami. Achos yr wmladd. Ac achos ma milwyr armi y llywodreth a armi Poboliaeth yn sgyrto rownd *outskirts* y dre yn y twyllwch yn cadw llyged ar 'i gilydd.

Da'th e mas pnawn 'ma ar *social media* hefyd bod Poboliaeth wedi hando arfe i dros tri chant o bobol y dre sy'n rhan o *freedom* armi nhw. Wedyn heno wy 'di clŵed rhagor o saethu. Ond yn agosach at Park Hall, o'dd yn rili sgeri. Erbyn y bore, wy'n gobeitho bydd y gwaedu 'di bennu a Poboliaeth wedi seciwro'r dre. Achos bob tro wy'n clŵed gwn wy'n meddwl am Bruv, a'r gwa'd o'dd yn rhedeg mas ohono fe fel Ribena.

Ma Stewy'n gweud os yw pethe'n tawelu lawr fory newn nhw resiwmo busnes. Ond ma hanner fi ofon gadel e mas o'r tŷ byth 'to. Achos fi a 'Bruv bach yn y bola' angen iddo fe fod yn *unharmed*.

Wy'n mynd i gau'r cyrtens nawr, Mami, a wy'n mynd i *make believe* bod e'n ddyrnod normal gyda ti yn y gegin a Bruv lawr stâr yn smoco *skunk*. Fel arall, falle 'na i ddim cisgi drw'r nos a fory bydda i'n timlo'n wa'th 'to.

Lyfo ti, Mami. Am byth *and forever*.

Shan x

*

## Datganiad gan Ynawg Ail Taran i bobol Caerfyrddin
## Gwales – Diwrnod 4

Fel y gwyddoch, ers nos Fercher dwetha mae Caerfyrddin dan warchae a byddin Llywodraeth Prydain Fach yn parhau i fod â phresenoldeb yn eich tre. Galwn arnoch i fod yn amyneddgar ac yn wyliadwrus yn ystod y cyfnod hwn, ac i barchu'r drefn newydd o gofrestru yn y *checkpoints* wrth adael a chyrraedd Caerfyrddin.

Mae Poboliaeth Caerfyrddin a Phoboliaeth Cymru yn gwbwl ymwybodol o'r ffaith eich bod yn diodde ar hyn o bryd. Yn wyneb hyn, rydym eisiau eich atgoffa mai ein hunig flaenoriaeth yw bod yn darian i bobol y dre. Yn ystod Gwales, byddwn yn gwarchod eich buddiannau, yn negodi ar eich rhan er mwyn ceisio codi'r embargo ac yn cynnal 'cyfarfodydd corff' cyson er mwyn i ddinasyddion tre Caerfyrddin gael cyfle i drafod a chynllunio eu dyfodol.

Nodwn mewn ysbryd o onestrwydd ein bod yn cadw tri milwr o Fyddin Prydain Fach yn gaeth yn adeiladau'r Cyngor Sir.

Bydd 'cyfarfodydd corff' cynta Gwales yn cael eu cynnal yn adeilad y Lyric yng Nghaerfyrddin ddydd Llun. Er gwybodaeth, bydd modd mynychu tair sesiwn yn ystod y dydd a bydd pob sesiwn yn cael ei ffrydio'n fyw ar sianel YouTube Gwales.

Daw gwawr newydd i'r dre hon gyda'ch dygnwch chi. Chi sy'n nabod ac yn gweithio'r tir hwn a chi fydd yn sicrhau ei dyfodol llewyrchus.

Fe ddaw yr awr,

Ynawg Ail Taran

*

**Llythyron at Morfudd Yang a gyfansoddwyd gan Brynach Yang yng Nghaerfyrddin, 2057. Ni dderbyniodd y llythyrau.**

Mae'n rhyfel, Morfudd. Do's dim pwynt gwadu. Falle fod gyda ni ffrindie yn y llefydd iawn, ond ma 'da ni elynion yn ogystal. A falle fy mod i a Len yn cyfansoddi naratif cadarn yn y gobaith o gadw'r ffydd, ond dim ond bryntni a pherygl wela i ym mhob cyfeiriad mewn gwirionedd. Does dim pall ar adnoddau byddin y llywodraeth. Er iddyn nhw ddiodde sawl cnoc, dy'n nhw ddim fel petaen nhw wedi ildio yr un fodfedd. Wy'n ofni 'u bod nhw'n benderfynol o ladd ysbryd y chwyldro yn ei wraidd a dangos i weddill Cymru bod pris drud i'w dalu am wrthryfela.

Mae'r dre mewn sioc ar hyn o bryd, Morfudd. Ysgolion wedi cau. Pobol yn ofni dychwelyd i'w gwaith. Wrth gwrs, 'yn swyddogeth ni nawr yw tawelu'r dyfrodd. Atgoffa pobol taw'r peth gore allan nhw neud yw ceisio bwrw mlân. Ond pwy all eu beio nhw am gwato mewn gwirionedd?

Wy a Len yn treulio orie yng nghwmni'n gilydd ar hyn o bryd. Ni sy'n llunio'r naratif ac yn recordio negeseuon i'r cyhoedd. Ma Len yn ddylanwad da arna i. Mae e'n dawel. Yn bwyllog. Ond pnawn 'ma, roedd hi'n amhosib i fi fod yn bwyllog.

– Welest ti hwn, Len? Ma grŵp wedi ffurfio. Pobol leol yn trial dymchwel y prosiect.

– Gad iddyn nhw.

– Mae'n gweud fan hyn eu bod nhw'n barod i gefnogi byddin y llywodraeth… o's modd cynnal cyfarfod gyda Poboliaeth Caerfyrddin i drafod y peth?

– Faint o aelodau sydd gan y grŵp?

– So fe'n gweud.

– Dyna ni, 'te. Un person sy'n gyfrifol siŵr o fod. Paid â rhoi grym i'w lais e.

Len yn ateb y ffôn. Finne'n teipio ymateb i rywun.

– Popeth yn iawn, Len?

– Sai'n gwybod. Mae *shoot-out* 'di bod. Lan yn Park Hall. Rhwbeth i neud â Stewy Saunders.

– Shit. Be sy 'di digwydd?

– Sdim rhagor o wybodaeth gen i. Bydd rhaid i fi ffonio rownd.

– Ffycin hel. O'dd y *board of directors* yn hapus. Beth ffwc alle fod wedi mynd o'i le?

Brynach

*

Gan shan712@gmail.com
At Mami@gmail.com
O Mami fach, Mami,
Nath uffern ar y ddaear gyrradd Park Hall heddi a newid bywyd fi

am byth... i gyd achos bod yr heddlu wedi riliso Trevor Small... So nhw na neb arall moyn gweld system Poboliaeth o gwerthu drygs yn gweitho, wedyn rilison nhw Trevor o'r *clink* i ddachre busnes bydde'n undermino gang ni...

Ffindon ni mas bod Kye dros yr hewl a Terrier wedi *do* y *dirty* ar Stewy 'fyd a mynd i weitho i Trevor... O'dd Stewy'n tampan. Yn poeri wrth sharad. Bydde'r moch deffinitli wedi gwbod bod Trevor Small mas i *get his own back* ar Stewy ar ôl iddo fe graso fe lan. Wedyn o'dd besicli pawb wedi cachu ar Stewy. Un ar ôl y llall.

Cyn bo ni'n realeiso be o'dd yn digwydd o'dd Trevor Small yn sefyll yn y lownj, yn dala gwn yn erbyn bola fi. O'n i'n whys ac yn crynu, Mami. Es i i'r tŷ bach yn nics fi. Timlo'r dŵr twym yn dripan lawr coese fi. A'th Stewy streit am *back pocket* e a 'mestyn dryll. *Tell me why I shouldn't shoot*, medde Trevor Small. O'n i'n barod yn preparo at mynd i *heaven*, Mami, achos o'n i ddim yn gweld un ffordd mas. O'dd y dryll yn pwyso yn erbyn y bwmp. Yn gwasgu miwn. Nath Stewy gwenu ar yr eiliad 'na, dishgwl i lyged Trevor. *Shoot it if you like. It's not mine anyway, it's her brother's.* Shgwlodd Trevor lawr ato fi am eiliad, 'i wyneb e'n *disgusted*... a wedyn bam... nath Stewy saethu. Syth yn pen Trevor Small.

Nath *all hell break loose* wedyn achos redodd Kye a Terrier miwn yn meddwl bod Trevor wedi bennu'r jobyn. Ond 'na gyd ffindon nhw o'dd Trevor ar y llawr a Stewy'n pwynto dryll streit aton nhw. Redodd Terrier fel madman mas o'r tŷ. A bam 'to. A'th Kye lawr. Jympodd Stewy dros corff Kye a bomo'i mas i'r stryd. O'dd e'n *determined* i ddala Terrier 'fyd. O'dd e'n *dead meat*. Glŵes i bam-bam 'to wedi 'ny, Mami. Mas ar y stryd. O'dd e wedi ca'l Terrier 'fyd. A wedyn a'th bobman yn dawel fel y bedd a 'nes i ishte 'na'n dishgwl am Stewy.

Bythdu munud ar ôl 'ny da'th Dai drws nesa miwn i'r lownj. Golwg fel bod e 'di gweld *ghost* arno fe. Stewy, wedodd e, ma fe mewn *pool of blood* ar y pafin. 'Nes i wenu i ddechre. Wherthin. O'n i'n meddwl bod e'n bullshito... ond o'dd e ddim, Mami.

Cariodd Dai fi mas. Rhoi fi lawr ar y llawr ar bwys Stewy o'dd yn llefen mewn po'n. O'dd dim golwg o Terrier yn unman a o'dd neb mas ar y stryd. Dim ond gwa'd Stewy'n arllws fel nant ar hyd y palmant. Rhoddes i cwtsh tyn iddo fe. Smwddo'r darne bach sofft o wallt sydd ar 'i dalcen e. Paid ti becso, Stewy, *my love*, dishgwla i ar ôl pethe. Gei di fynd 'nôl at dy *twin brother* di nawr. A wedyn pwff... a'th e'n sach o dato yn y cwtsh. O'dd e wedi mynd bant i rwle arall. Yn gwmws fel nath Bruv.

Er bo fi'n shiglo, ffones i Poboliaeth yn streit ar ôl 'ny... gofyn i ga'l sharad 'da Ynawg... da'th e ddim 'nôl, so ffones i 'nôl a sgrades i lawr y ffôn... llefen a sbitan... Ar ôl 'na, ffonodd e. *Business as usual* lan yn Park Hall, wedes i, yn trial dala dagre fi 'nôl ond yn ffaelu. Ond wy angen *protection* o 'ma mlân. Ar y drws. Ffones i'r *board of directors* wedyn ar ffôn Stewy. Poeri lawr y ffôn fel *mad woman*. Fi a Terrier bydde'n redeg *operations* o 'ma mlân a os nago'n nhw'n lico 'na, allen nhw ffycin wel dod mewn i'r dre i saethu fi. Jyst i neud yn siŵr bo nw'n gwbod bo fi'n siriys wedes i taw'r unig beth o'dd diddordeb 'da fi yndo fe o'dd inciso'r *profit margin*. I nhw a fi. Achos so 'Bruv bach yn y bola' yn mynd i fod yn *wantin' for nothin'*.

Ffones i Terrier wedyn. Gweud 'tho fe bo fi ddim yn grac am Stewy, ond bo fi yn dishgwl gweld e 'nôl 'ma *sharpish* achos o'dd 'da fe tri corff i symud. Wedodd e ddim byd. Dim ond llefen lawr y ffôn fel babi.

Shan X

*

**Neges gan Edith@poboliaeth.cymru**
**At Llawen@poboliaeth.cymru**
Mae angen trefnu cyfarfod gyda'r grŵp yma sydd wedi ffurfio yn y tref. Pwy yw y *swines*, Llawen? Maen nhw'n bwydo *blatant bloody lies* i'r gwasg!

**Neges gan Llawen@poboliaeth.cymru**
**At Edith@poboliaeth.cymru**
Grŵp sy'n cael ei ariannu gan y wladwriaeth y'n nhw. Paid â wasto eiliad yn rhagor o amser yn meddwl amdanyn nhw.

**Neges gan Edith@poboliaeth.cymru**
**At Llawen@poboliaeth.cymru**
Ydy'r cadoediad dal mynd mlaen heno? Pwy sydd wedi siarad gyda'r llywodraeth? Glangwili yn dweud ward oncoleg yn angen *deliveries* brys a sawl adran arall wedi cysylltu hefyd.

**Neges gan Llawen@poboliaeth.cymru**

**At Edith@poboliaeth.cymru**

Ydy. Ond fydd dwy awr ddim yn ddigon o amser i ddod â phopeth sydd ei angen mewn. Ma ciw o lorris ar y draffordd yn barod. Wedi parco lan ers neithwr.

**Neges gan Edith@poboliaeth.cymru**

**At Llawen@poboliaeth.cymru**

Blaenoriaeth i'r *deliveries* sy'n achub bywydau. Alli di gwneud siŵr o hyn?

**Neges gan Llawen@poboliaeth.cymru**

**At Edith@poboliaeth.cymru**

Wrth gwrs.

\*

Darn o ddyddiadur Morfudd Yang, 2057. Yr Eglwys Newydd.

Gesh i alwad am hannar awr wedi chwech heno, Brynach. Bu farw dy fam amsar cinio. Mi oedd Gwawr yno'n gwmni iddi. Dwi'n gwbod nad oedd 'na fawr o Gymraeg rhyngthach chi ond dwi'n gobeithio dy fod ti wedi cael cyfle i'w gweld hi yn ystod y dyddia ola. Mae hi hefo dy dad rŵan, tydi?

Dy fai di dio 'mod i 'nôl ar y gwin, sti, a bod Richard yn gwrthod dod draw. Ro'n i'n gneud mor dda nes imi ddallt bo chdi yn ôl ar dir y byw. Ella 'mod i'n coelio mewn telepathi – wyt ti'n medru clŵad hwn? Wyt ti'n medru synhwyro bod 'na rywun yn sgwennu amdanat ti? Deud 'tha fi bo chdi'n bod yn ofalus... ma'r llywodraeth am dy waed di...

Mi welodd Tanwen chdi ar y teledu gynna... mi 'nesh i fynnu bod ginni hi hawl i dy weld di. Dwi'n gwbod bod Lleucu'n meddwl 'mod i'n anghyfrifol ond dwi'm yn malio am hynny... mae'n bwysig ei bod hi'n ca'l gweld. Y da, y drwg a'r hyll a'i thad hi'n trio newid petha.

Mae Gwales yn bob man 'di mynd. Dy wynab di'n bob man. Mi welish i'r cyfweliad byw wnest ti o'r pencadlys ar TeleCymru. A mi welish i shot o Edith yn y cefndir hefyd... Gwrthod siarad Saesneg. Y sgarff 'na dros dy geg... i be, Brynach? Ma pawb yn gwbod ma chdi ydy Ynawg... dio'm yn gyfrinach o fath yn y byd i neb, nadi? Cymryd dwi 'i fod o'n hollol fwriadol. Fedrwch chi garcharu Brynach Yang ond mi fydd Ynawg yn aros. Ac mi gaiff pobol erill fod yn Ynawg hefyd, yn cân? Hynna dio? Yli da 'di bod yn gaib. Dwi newydd ffeindio Yang yn yr enw Ynawg. Mi oddach chdi yno erioed. Yn y Mabinogi hyd yn oed.

Ro'dd tad Cêt yn siarad ar *vox pops* ar ôl dy gyfweliad di. Deud mor anodd ma petha. Pobol yn methu prynu bwydydd sylfaenol. Yn methu cael mynediad at driniaetha. Elis Powell, 'Prif Weinidog Cymru', yn siarad wedyn. Wedi gwylltio'n gacwn efo'ch mistimanars. Mi o'dd o'n ca'l job peidio codi'i lais wrth sôn amdana chdi. Ymgais sinicaidd gan Poboliaeth ydy'r cipio, yn ôl Mr Powell. Pobol y dref wedi eu dal yn wystlon gan syniada radicaliaid. Dwi'n gobeithio'n fawr na fyddi di'n fastard efo grym, Brynach. Dwi'n dallt mai ei 'roid o yn ôl i'r bobol' ydach chi, ond be fydd yr hanas go iawn? Fyddi di'n llwyddo i fod yn driw i'r ddelfryd? Ein *default* ni gyd ydy troi'n fastards, ma gen i ofn.

'Sa chdi mond yn dallt cymaint dwi'n dy gasáu di rŵan hyn. Cymaint dwisio i chdi lwyddo a chymaint dwisio i chdi fethu. Cymaint 'swn i'n licio riweindio yn ôl i'r noson 'na'n y Llew Du a pheidio byth â dy gyfarfod di. Peidio byth â mynd i'r cyfarfod Poboliaeth 'na a dy wylio di'n dod yn fyw o flaen dy gynulleidfa. Y teimlada 'na o gariad yn chwyddo y tu mewn i mi. Gweld yr holl bosibiliadau a chyfleon i ddysgu petha newydd. Cymaint dwisio cofio a chymaint dwisio anghofio. Ffwcia di, Brynach.

Fysat ti'n gwrthod 'y ngweld i, tawn i'n gyrru draw i Gaerfyrddin rŵan hyn? Neu fysach chdi'n rhedag tuag ata i... yn fy nghofleidio fi... yn erfyn am gael dod adra ata i a Tanwen. Hwrach nad wyt ti wedi derbyn yr e-bost 'nesh i anfon neithiwr... hwrach eu bod nhw'n cadw negeseuon oddi wrthach chdi... neu hwrach dy fod ti wedi'i weld o a bo chdi'm yn gwbod sut i atab. Dwi'm angan eglurhad. Dwi'm angan dim. Mond gair i brofi'n bod ni yn yr un byd â'n gilydd a bod be o'dd gynnon ni'n go iawn.

\*

**Neges gan Llawen@poboliaeth.cymru**
**At Edith@poboliaeth.cymru**
Beijing wedi cysylltu eto yn gwella ar y cynnig.

**Neges gan Edith@poboliaeth.cymru**
**At Llawen@poboliaeth.cymru**
*Parasites*. Ydy nhw yn byddar? Rwy'n sori maen nhw yn cadw haslan ti.

Paid â becso. Wy 'di hen arfer. Wela i di heno.

*

**Llythyron at Morfudd Yang a gyfansoddwyd gan Brynach Yang yng Nghaerfyrddin, 2057. Ni dderbyniodd y llythyrau.**

Er gwaetha sŵn y saethu a'r bygythiadau presennol ma teuluoedd y dre hon yn stico 'da'i gilydd ac wedi mentro mas eto. Mae Tad-cu yn casglu'r plant o'r ysgol, Mam yn codi pynciau yn y cyfarfod corff a Modryb yn hebrwng y plant i'r ganolfan hamdden.

Pob teulu wy'n 'i weld, wy'n ein gweld ni'n tri, Morfudd, yn eu hwynebau nhw i gyd. Un dydd fe fydda i 'nôl i fod yn gefn i ti a wna i fynd â Tanwen i faint bynnag o wersi a chyngherdde fynnith hi. Tybed sut dŷ sy 'da chi yng Nghaerdydd? Tybed beth wyt ti'n weld drw ffenest dy stafell wely?

Ar wahân i'r eiliad dda'th Tanwen mas i'r byd a gorwedd yn swp o gnawd yn fy nghwêl i, wy ddim wedi timlo mor fyw ag ydw i nawr. Ma'r freuddwyd o greu cymuned amgen yn Gwales, o'r diwedd, yn dachre dod yn wir. Sai'n gweud bod pethe'n rhwydd 'ma ond ma pawb mor sychedig am syniade ac ers wythnos dda ma pethe *yn* dechre setlo.

Ry'n ni yn y broses o gynnal seminare ar fodele Marcsaidd-Anarchaidd Donostia, a gredet ti ddim safon y sgwrs. Fel wy wastod wedi dadle, ma pobol gyffredin yn gynhenid feddylgar. Ma nhw wedi bod mas yn protesto a nawr ma nhw isie ailgodi tre.

Cynhaliwyd pleidlais yr e-refferendwm cyntaf neithiwr. Y cwestiwn oedd – a ddylai pob disgybl yn y dre adael yr ysgol yn medru'r Gymraeg? Mae wyth deg wyth y cant o blaid cyflwyno system drochi, Morfudd. Wyth deg wyth y cant! Mae newid ar droed ac ry'n ni'n mynd i ddangos beth sy'n bosib i weddill y genedl. Nid y bobol oedd y broblem erioed, ond y rhai mewn grym.

Gyda'r nos weithie, pan wy'n gorwedd ar 'y ngwely ac yn edrych ar y lleuad drw'r ffenest heb lenni, wy yn fy nagre. Wy'n llefen droston ni a Tanwen a phopeth ry'n ni wedi colli mas arno fe, ond wy'n llefen dros Dad 'fyd. Chafodd e erio'd y cyfle i fod yn rhydd fel hyn. Fe driodd e, ond fe nath e fethu achos fe wrthododd y byd ei gais e. Wna i byth afradu'r cyfle 'ma am ryddid, Morfudd. Er cof amdano fe.

Brynach

*

**Neges gan Edith@poboliaeth.cymru**
**At Llawen@poboliaeth.cymru**
Wyt ti wedi clywed am Zane?

**Neges gan Llawen@poboliaeth.cymru**
**At Edith@poboliaeth.cymru**
Naddo. Be sy? Wedi bod yn y cyfarfod strategaeth drw'r bore.

**Neges gan Edith@poboliaeth.cymru**
**At Llawen@poboliaeth.cymru**
Mae e wedi saethu *citizen* yn meddwl mae e yn milwr cudd i'r llywodraeth. Y wasg yn parod yn ffonio.

**Neges gan Llawen@poboliaeth.cymru**
**At Edith@poboliaeth.cymru**
O Dduw!

*

Gan shan712@gmail.com
At Mami@gmail.com
Heddi watsies i Brynach yn sharad ar *live feed* cyfarfod corff y dre. Fi yn gallu gweld pam o'n i'n lico fe, Mami. Ma rwbeth amdano fe a ma lliged fe'n sbarclan i gyd. O'dd e'n sharad am seto lan banc i'r dre a *free child care* ond ges i ddim amser i watsio fe gyd achos o'dd raid i Terrier a fi delifro *rock* i Priory Street yn car fe a tsieco lan ar y *brothels*. Sai erio'd wedi cario dryll rownd dre o'r bla'n, Mami.

Ma bwmpyn itha mowr 'da fi nawr. Fi'n dishgwl yn *ripe* fel tomaten a ddim lot fel dryg *dealer*. Wy ddim yn siŵr os yw Terrier yn gwbod beth i neud gyda menyw *pregnant*. *In fact*, sai'n siŵr bod e'n gwbod beth i neud 'da fi ffwl stop. Achos bo fi'n fodlon dishgwl arno fe ar ôl be nath e i Stewy. Beth so fe 'di realeiso eto yw taw jobyn fe yw dishgwl mas am fi a Bruv bach o 'ma mlân. Wedyn rhwngto fe a Poboliaeth, ma 'da fi'r *protection* fi angen, nago's e?

Fi'n miso Stewy *something awful*, Mami, nes weithe sai'n siŵr beth yw pwynt dim byd rhagor. Ond ma raid i fi ymladd mlân, nago's e? Os fi isie ca'l tŷ yn Llanddarog ma raid fi gadw *eyes* fi *on the prize*. Un peth da am ca'l Terrier o gwmpas yw bod smel *weed* dal yn llenwi'r tŷ withe. A withe, withe, Mami, pan wy'n timlo'n drist, wy'n cau lliged fi a fi'n jocan bod pawb dal 'ma. Ti, Ty-cu, Bruv a Stewy. I gyd 'da'n gilydd 'to *in skunky heaven* ac yn *happily ever after*.

Shan x

*

**Neges gan Llawen@poboliaeth.cymru**
**At Edith@poboliaeth.cymru**
I gadarnhau, mae'r fyddin wedi symud mewn i Langynnwr… Dishgwl fel bo ni wedi colli'r lle.

**Neges gan Edith@poboliaeth.cymru**
**At Llawen@poboliaeth.cymru**
Iawn.

**Neges gan Llawen@poboliaeth.cymru**
**At Edith@poboliaeth.cymru**
Ro'n ni wastad yn gwybod bod risg o golli Llangynnwr, Edith. Paid digalonni. Y naratif sy'n bwysig nawr. Sicrhau nad yw dinasyddion y dref yn dod i ddeall pa mor fregus ma pethe. Ma isie ni droi pethe rownd. Yn glou.

*

Gwilym,
Mae bywyd yn rhyfedd. Dim ots faint o flynyddoedd rwyt ti'n byw ar y ddaear hon mae e wastad yn llwyddo i dowlu 'curve balls', ys dywed y Sais. Feddyliais i byth y byddwn i yn ôl yn y syrjeri, ond dyna'n gwmws lle'r ydw i wrth i fi deipio nawr! Yn aros i glywed am ganlyniad gwaed hen fenyw. Mae'r drefn newydd yn y dre (os oes modd ei galw'n drefn) wedi mynnu bod sawl person oedd wedi ymddeol yn cyfrannu i'r gymdeithas eto (yn wirfoddol felly), er mwyn rhannu eu sgiliau tra'n bod ni'n aros i bethau sefydlogi. Wrth reswm, roedd pawb yn y dref (gan fy nghynnwys i!) yn nerfus iawn o fynd i'w gwaith

ar y cychwyn, ond y syndod yw mor sydyn mae pawb yn dychwelyd i'w hen arferion. Hyd yn oed pan mae sŵn saethu i'w glywed yn y pellter.

Yn ychwanegol at fy nyletswyddau yn y syrjeri, rydw i'n aelod o gorff iechyd Poboliaeth sy'n atebol i'r cyhoedd. Yn y cyfarfodydd 'corff' 'ma sy'n cael eu cynnal, mae gan bobol y dref yr hawl i'n holi ni arbenigwyr er mwyn cydgynllunio system iechyd y dre. Mewn rhai ffyrdd (a dwi'n gyndyn o gyfaddef hyn) mae'r cyfyngiadau sydd arnom oherwydd cynllun Gwales wedi ein gorfodi i weithio'n agosach gyda'n gilydd. Mae'n rhaid i fi ddweud wrthyt, Gwilym, fy mod i wedi cael sgyrsiau gyda rhai pobol na siaradais â nhw o'r blaen, a'r rheiny'n bobol a weithiodd yn yr un sector â mi!

Dwi'n prysuro i ddweud nad ydw i'n ganolog i unrhyw drefniadau, ond does dim pwynt bod yn ffug-wylaidd chwaith oblegid mae gen i gyfraniad nid bychan i'w wneud. Mewn cyfarfod yn ddiweddar cefais gyfle i fwrw fy mol drwy regi'r peiriannau newydd sy'n asesu iechyd pobol y dre. A dweud y gwir, fe es i i dipyn o hwyl wrth gwyno am yr asesiadau oeraidd a chael cymeradwyaeth frwd yn ymateb! Mae'n rhaid i fi gyfadde hefyd fy mod i'n agored iawn i syniadau Poboliaeth am gyfreithloni cyffuriau yn y dre, ynghyd â sawl mater arall.

Ac eto, serch rhai o ddatblygiadau difyr yr wythnosau diwethaf, mae'r sefyllfa'n parhau i fod mor hynod o ansefydlog yma, Gwilym. Fel crybwyllest ti yn dy e-bost dwethaf, mae'r fyddin wedi ceisio ymosod ar Fyddin Poboliaeth o sawl cyfeiriad ar sawl achlysur. Hyd yma, a thrwy ryfedd wyrth, mae Poboliaeth wedi llwyddo i'w chadw ymaith ond fedra i ddim help ond meddwl mai mater o amser fydd hi. Wedi'r cyfan, nid oes gan economi o dan embargo obaith.

Clywais sŵn gynnau wrth i fi fwyta fy mrecwast bore 'ma er enghraifft. Alla i ddim gwadu nad yw hynny'n arswydo dyn. Sŵn bwledi yn cael eu tanio – yng Nghaerfyrddin o bobman. Fel petawn i yn Beirut neu rywle.

Yn eironig ddigon, mae Cêt wedi gorfod dychwelyd i Ferlin gyda'i gwaith i'r mudiad ac mae 'na elfen o ryddhad yn hynny, mae'n rhaid cyfaddef. Ac eto, alla i ddim llai na theimlo'n flin drosti hefyd. Efallai, Gwilym, y byddwn i'n mynd mor bell â dweud fy mod yn ei hedmygu hi. Mae hi wedi cael ei hanfon ar ryw genhadaeth arall nawr. I osod y sylfeini. Dyna iti beth yw *freedom fighter* yng ngwir ystyr y gair. Rhywun sy'n colli'r cyfle i weld ei thre ei hunan yn cael ei rhyddhau.

A beth am Brynach Yang a'i weledigaeth fawr? Y mab a fwrodd ei brentisiaeth yn ein llyfrgell ni! Dwi'n ei gofio, yn y chweched dosbarth yn llwgu eisiau gwybodaeth. Yn llwgu am sgwrs gyda theulu oedd yn meddwl fel ein teulu ni. Pwy fyddai wedi darogan y byddai'n dod 'nôl o farw'n fyw ac mai'r crwt o Lanboidy, a gollodd ei dad yn y modd mwyaf ciaidd, fyddai'n atgyfodi syniadau Marcsaidd yn ein tref ni? Mae'r dyn yn arwr cenedlaethol!

Gwell i mi fynd. Fe fydd Glangwili'n ffonio ymhen rhai munudau gyda chanlyniadau'r prawf gwaed. Gyda gobaith, fe gaiff yr hen wreigan ddychwelyd i'w thŷ heb drafferth. Ond mae bywyd, Gwilym, fel y gwyddost yn iawn, yn poeri pob math o ddrygau o'n blaenau. Ac mae'n rhaid marw rhywffordd.

Pan ddaw hyn i gyd i ben, Gwilym, fel y mae pob haul yn gorfod marw, fe fyddwn ni wastad yn gwybod bod Gwales wedi bodoli. Dyma obeithio, felly, y bydd wedi deffro rhywbeth yn y dosbarth difreintiedig na fydd modd ei ddiffodd. Ac os nad yw, wedyn naw wfft iddynt. Fe fyddan nhw'n haeddu popeth a gânt!

Yn gywir iawn,

Huw

*

**Neges gan Edith@poboliaeth.cymru**
**At Llawen@poboliaeth.cymru**
Len newydd cysylltu… Gogledd y tre yn problem i ni… Gallwn anfon mwy o bobl lan yna i helpu? Os mae beth mae'r gwasg yn dweud yn gwir, am byddin y llywodraeth yn rhoi tri chant milwr allan, mae angen inni ailmeddwl strategaeth yr wythnos… os mae pobl yn dechrau diodde mwy byddant dechrau gweiddi am yr hen drefn 'nôl.

**Neges gan Llawen@poboliaeth.cymru**
**At Edith@poboliaeth.cymru**
Sdim rhagor o bobol 'da ni i helpu, Edith. Ni'n hollol *stretched*. Wy ddim yn gweud ei fod e'n ddelfrydol ond oes gwerth meddwl am be mae Tsieina'n cynnig? Adnoddau a Byddin y Diaspora i gefnogi Byddin Poboliaeth rownd y dre…

**Neges gan Edith@poboliaeth.cymru**

**At Llawen@poboliaeth.cymru**

Am pa pris? Rwyf yn gwybod bod ein cefnau yn erbyn y wal, ond mae yn erbyn popeth mae Poboliaeth yn credu i trafod gyda nhw. Mae hyn am rhyddid, Llawen.

**Neges gan Llawen@poboliaeth.cymru**

**At Edith@poboliaeth.cymru**

Ydy e am ryddid? Achos ar hyn o bryd mae'n teimlo ei fod e'n fwy ynglŷn â pheidio boddi wrth ymyl y lan. Un cyfle gewn ni i wneud i hyn weithio. Meddylia mor agos ydyn ni… ac am yr holl waith da sydd eishws yn digwydd ar draws y dref. Fe fydde gyda ni'r cyllid hollbwysig i wireddu'r syniade amgen 'ma. *Praxis*! Cyfle i ddangos i'r byd beth sy'n bosib!

*

**Llythyron at Morfudd Yang a gyfansoddwyd gan Brynach Yang yng Nghaerfyrddin, 2057. Ni dderbyniodd y llythyrau.**

Wy'n syrthio ar fy mai. Wy wedi bod yn naïf ar hyd yr amser. Mae'n crafu tu fewn ifi fel mil o gyllyll.

Bore 'ma ddechreuodd pethe fynd o chwith pan ddarllenes i erthygl ar wefan newyddion *Newnews*. Erthygl amdana i oedd hi. Rhyw newyddiadurwr wedi sgwennu pwt am ffenomen Ynawg Ail Taran. Roedd y boi wedi bod yn ymchwilio i hanes fy mywyd. Mae darllen amdanaf fy hunan mewn gwa'd oer wastad yn brofiad rhyfedd ond roedd popeth yn gymharol agos ati, nes imi ddod at y pedwerydd paragraff. Yno, dechreuodd y newyddiadurwr wneud ensyniade fod Dad yn ymgyrchydd dros Tsieina yn ystod y Rhyfel Rhithiol, gan sôn am y streic newyn fel ymdrech grŵp bach o bobol Tsieineaidd i gryfhau llaw Tsieina fel cenedl-wladwriaeth. Roedd yn syndod ifi ddarllen shwt eirie i ddechre. Mae consensws clir ers ymddiheuriad Llywodraeth Prydain Fach flynyddoedd 'nôl fod Dad, fel y lleill, wedi cael ei erlid mewn modd cwbwl ddychrynllyd oherwydd ei hil.

Aeth yr erthygl yn ei blaen wedyn i ddisgrifio fy mywyd personol cyn chwyldro Gwales. Sôn imi adael fy ngwaith a fy nheulu i ailymuno â Poboliaeth a honni, heb sail o fath yn y byd, bod gen i agenda ddiwyro i ddefnyddio'r mudiad i ymestyn grym Tsieina yn y Gorllewin. Yn gwmws fel fy nhad. Yn fy syndod fe wnes i ddangos yr erthygl i Len a siarsodd hwnnw fi i beidio cymryd sylw o'r ffasiwn ddwli.

Ond o fewn dim, roedd yr erthygl yn cael ei rhannu hyd syrffed ar y gwefanne cymdeithasol a phawb sy'n wrthwynebus i Gwales yn ei defnyddio er mwyn ceisio tanseilio'r chwyldro.

Ond roedd gwaeth i ddod. Oherwydd daeth rhywbeth arall i'r fei yn ystod y prynhawn. Len dorrodd y newyddion i fi dros ei sigarét tra'n bod ni'n dishgwl mas ar afon Tywi. Mae carfan o Poboliaeth yn dechre cydnabod ei bod hi'n anochel ein bod ni'n siarad gyda Tsieina er mwyn sicrhau fod Gwales yn llwyddo. Ro'n i'n gwybod ein bod ni'n wynebu cyfnod caled ond roedd yr awgrym bod angen inni dderbyn cynnig gan Tsieina fel rheg front! Fe welodd Len fy ngwyneb i'n chwerwi ac fe es i ar fy union at Edith. Roedd angen iddi hi gael gwybod ar frys bod y fath gynllwynio peryglus yn yr arfaeth. Byddai'n rhaid iddi roi stop ar y peth ar unwaith! Ond o'r eiliad imi gyrraedd ei swyddfa, fe weles yn ei llygaid ei bod hi'n gwybod yn barod.

Mynnodd nad oedd cytuno i drafod gyda Tsieina yn benderfyniad rhwydd. A dyna oedd yr ergyd farwol. Roedd popeth wedi ei benderfynu. Fe wyllties i wedyn. Oedd hi ddim wedi meddwl trafod gyda fi? Onid oeddwn i'n aelod o'r grŵp canolog? Yn wyneb cyhoeddus i'r ffycin ymgyrch? Mewn llais tawel, eglurodd Edith ei bod hi'n deall yn iawn ei fod yn anodd i'w lyncu. Dimles i 'nghalon i'n taro fel cnul. Onid oedd Edith yn gallu gweld y byddai hyn yn hollti barn y dre ac yn bygwth chwalu'r chwyldro'n llwyr? Roedd cenhedlaeth hŷn y dre wedi colli brodyr a chwiorydd yn y Rhyfel Rhithiol! Dyma fyddai'r brad eithaf iddyn nhw ac i ni'n hunen!

Fe agorodd Edith ffenest ei swyddfa er mwyn gadael imi smygu. Ond wnes i ddim. Dim ond pwyso yn erbyn y wal a gwrando arni'n prepian. Datgan y pethe roedd Tsieina'n barod i'w rhoi inni yn gyfnewid am hyn a hyn o rym yn y dre... mae Beijing yn fodlon talu cyfran helaeth tuag at wasanaethau rhad ac am ddim yng Nglangwili... maen nhw'n awyddus i noddi'r brifysgol ar yr amod ei bod yn troi'n brifysgol Gonffiwsaidd sy'n dysgu Mandarin fel prif iaith... ond maen nhw'n hapus mai Cymraeg fyddai'r ail brif iaith, Brynach, meddai hi â'i llygaid mawr yn trio fy hudo... Fe waeddes i'n uwch eto wrth glywed hyn...

– So ni wedi risgo popeth er mwyn cael ein gwladychu gan rywun arall!

Ro'dd fy ffôn i'n crynu ers sbel. Dege o newyddiadurwyr a blogwyr eisie gwybod fy safbwynt ar y mater am fod rhywrai wedi gollwng y stori i ffau'r wasg. Ond aeth Edith yn ei blaen... mae Beijing wedi darganfod rhagor o aur yn Nolau Cothi... mae gan Beijing ddiddordeb mawr mewn ehangu tua'r gorllewin a chipio Aberdaugleddau... byddai Beijing yn dymuno cydnabyddiaeth bod y diwylliant Tsieineaidd gyda'r godidocaf ar y ddaear, ond byddai ei rheolaeth yn gyfan gwbwl wahanol i'r Ymerodraeth Brydeinig. System *tributary* fyddai hi lle fyddai Cymru a'r Gymraeg yn saff.

Roedd hi'n fy lladd i gyda'i geiriau, Morfudd. Oedd Edith wedi anghofio be wnaeth Tsieina i Tibet a sawl gwlad arall? Fe newidiodd ei thôn yn sydyn. Roeddwn yn gibddall. Yn naïf. Roedd yn anochel y byddai gwladwriaeth fel Tsieina yn ceisio cydweithio gyda'r cymunedau ledled Ewrop sydd wedi gwrthod y system Neo-Ddemocrataidd. Onid oeddwn i'n mwynhau arwain chwyldro syniadaethol oedd â phosibilrwydd o ddwyn ffrwyth? Byddai cymorth ariannol Tsieina yn gwneud y freuddwyd yn bosib.

Erbyn i fi adael ei swyddfa roedd hi'n dywyll. Fy ffôn, oedd ar dân, bellach yn llawn negeseuon yn erfyn arna i i ffonio 'nôl. Doedd dim lle i fi yng Nghaerfyrddin mwyach. Byddai'n rhaid iddynt ffeindio arweinydd newydd fydde'n fodlon neud eu gwaith brwnt drostyn nhw.

Ishteddes i ar wely fy stafell fach a smygu heb agor y ffenest. Gwrando ar negeseuon rif y gwlith oedd yn dweud yr un peth. Oedd hi'n wir fy mod i, Brynach Yang, wedi bod yn cydweithio gyda Beijing? A dyna pryd sylweddoles i'n gwmws be oedd yn mynd ymlaen, Morfudd. Fod bysedd pawb yn pwyntio tuag ata i. Achos lliw fy nghro'n. Achos fy nghyfenw. Achos fy hil. Maen nhw wedi fy fframio i...

Mae dryse adeilad y cyngor yn amhosibl i'w pasio heno achos y cannoedd sydd y tu allan i'r pencadlys yn udo am fy ngwaed. Ynawg y bradwr mawr, dwyllodd ni gyda'i syniadau a'n taflu ni i grafangau Beijing. Mae dege o filwyr Byddin Poboliaeth wedi dod draw i'r adeilad i fy amddiffyn... a do's gen i ddim hawl gadel. Fi yw'r alltud nawr. Fi yw'r dihiryn mawr.

Heno, Morfudd, wy'n dost amdanoch chi. Yn dost am gael bod yn ôl gyda ti. Wy wedi egluro'n ddiflewyn-ar-dafod wrth Edith na wna i arwain rhagor. Na wna i siarad gerbron unrhyw dorf am ei gweledigaeth aflan hi. Wy wedi mynnu hefyd fy mod i'n ca'l fy rhyddhau bore fory fel bod modd ifi ddychwelyd atoch ac mae Edith wedi cytuno. Falle dy fod ti'n fy nghasáu i, ond bydd hyd yn oed cael fy nghasáu gen ti yn deimlad mwy anrhydeddus na bod o fewn muriau'r dre hon heno. Mae grym wedi mynd i bennau pobol.

Maen nhw wedi anghofio beth oedd diben yr holl ymdrech. Ac yn bennaf oll, mae'r bobol gyffredin wedi cael eu bradychu.

Fe'm lloriwyd i ryw awr yn ôl, wrth bendroni. Tybed oedd Beijing yn rhan o'r darlun mor bell yn ôl â thaith gyntaf Poboliaeth? Pan oeddwn i yn ei chanol hi'n ceisio denu dinasyddion i weithredu'n wleidyddol yn erbyn cyflwyno yswiriant iechyd preifet. Mae 'na rymoedd yn wastadol fel ceryntau yn yr afon. Ceryntau na sylwodd pobol fel ti a fi arnynt erio'd. Wy'n deall nawr eu bod nhw wedi bod yno ar hyd yr amser. Chaf i byth wybod y gwir, Morfudd. Ond does dim ots gen i mwyach. Achos wy'n rhydd a wy'n eich dewis chi. Wy'n dod adre fory, Morfudd. Wy'n dod adre atoch chi'ch dwy.

*

**Darn o ddyddiadur Morfudd Yang. Yr Eglwys Newydd, 2057.**

Ma nhw'n deud mai ti wnaeth, Brynach. Mai ti oedd yn gyfrifol am sicrhau fod Beijing yn cael ei bacha ar Gaerfyrddin. Ond fedra i'm coelio hynny. Fedra i'm 'i weld o. Yn llygad fy meddwl. Ddim ar ôl bob dim ddigwyddodd efo dy dad. Ddim ar ôl bob dim.

Mi dwi'n gaib heno a mi dwi'n dy weld di. Yn sefyll o mlaen i. Mi dwi'n synhwyro dy awydd di i fod yma. Hefo ni. Sut nathan nhw lwyddo i lusgo dy gorff di o'r adeilad, Brynach? Dwi'm yn dallt y peth. Ma'r adroddiada'n flêr a dwi'm yn medru gneud synnwyr o'r peth. Fysach chdi byth wedi gneud. Mi oddach chdi mor glir dy fwriada. Yn unplyg. Dwi'n cofio dy glŵad di y tro cynta yn Aberystwyth. Yn siarad am y chwyldro fel tasa'r chwyldro wedi cyrradd yn barod. A rŵan, lle w't ti, Brynach Yang? Lle ma nhw'n cadw dy gorff di? Fi o'dd bia'r corff yna. Fi a Tanwen. Nid nhw. Sut ma hyn wedi digwydd? Dio'm yn gneud synnwyr o gwbwl. Dio'm yn gneud synnwyr, Brynach. Ti'n dallt? Chdi, oedd fod i fyw am byth, wedi marw'r eilwaith rŵan. Wedi diflannu ac wedi diflannu eto, a hynny heb i mi fedru dy gyffwrdd di. Pa hawl oedd gen ti i wneud hyn i mi?

Oddach chdi hyd yn oed yn bodoli o gwbl? Ella ma syniad oddach chdi. Dwi mor feddw rŵan hyn fel nad fi sy'n sgwennu. Dwi am ddreifio i dy weld di. Am adael rŵan hyn. Ma raid i mi weld dy gorff di tro 'ma. Achos dwi'm yn coelio. Dwi'm yn coelio bo nhw 'di neud hyn. Ddim yn 'i goelio fo. Mi fyddi di'n codi o farw'n fyw eto mewn blwyddyn. Ma nhw wedi dy guddio di. Dyna sy 'di digwydd, yn te? Wedi dy gymryd di 'nôl i'r lle tanddaearol hwnnw lle fuist ti'n cysgu o'r blaen. Mi ddoi di'n d'ôl.

Ond ddoi di ddim, na 'nei? Ddim tro 'ma. Achos mi welish i nhw'n cario dy gorff di. Mi welish i'r fideo ar ffôn y boi. Y fideo sy'n ca'l 'i ddangos yn bob man. Ma nhw 'di dy ddwyn di. Wedi dy ladd di. Yn deud ma chdi oedd ar fai am adael i Beijing... ond fysach chdi ddim, Brynach. A dwi'n dy nabod di. A mi dduda i'r cyfan rhyw ddydd... ond ddim cyn i mi weld dy gorff di. A'i ddal o. A'i olchi fo. Siafio'r barf erchyll 'na oddi ar dy wynab di a dangos dy groen llyfn, lliw'r mêl, i'r haul eto.

Mi a'n ni ar drip i weld y môr. I Lansteffan. Mi wna i ofyn caniatâd Ysgol Glantaf i Tanwen ga'l wthnos o'r ysgol. Mi a'n ni lawr hefo'n gilydd yn y car, a stopio yn y maes parcio. A hyd yn oed os 'di'n bwrw glaw mi dynnwn ni'n sgidia a cherddad ar y tywod efo'n gilydd a chofio am y bywyd da 'dan ni 'di byw yn Aberystwyth efo'n gilydd. Yr holl flynyddoedd. Achos dyna ddigwyddodd, 'de, Brynach? 'Nesh i'm darllan yr e-bost yna, naddo? 'Nesh i'm neidio i gasgliada a gadael am Gaerdydd. A mi nath 'yn cariad ni bara, yn do, Brynach? A mi nathon ni brofi i'r byd 'yn bod ni fod efo'n gilydd, yn do? A mi ddoth Bleddyn i fyw i Aberystwyth hefyd. A mi gath Tanwen gyfarfod ag o a mi gathon ni gyfla ar fywyd. Cyfla glân a theg i drio gneud petha'n iawn. Mi ddeffron ni o'r hunlla, yn do, Brynach?

Mi dwi cymaint isio dy ddal di rŵan faswn i'n medru marw o faint y dyheu. Dy lanhau di hefo cadach, Brynach. Deud y bydd bob dim yn iawn. Mi ddo i yno a mi fydda i yno ymhen yr awr, Brynach. Mi fydd y ffordd yn glir a'r awyr yn ddu a mi ro i'r radio ymlaen a mi yrra i fatha cath i gythral. A mi fyddan ni yn ôl efo'n gilydd. A mi fyddi di'n iawn. Mi fedra i addo hynny i chdi, yli.

\*

**Neges gan Llawen@poboliaeth.cymru**
**At gwybodaeth@heddlu.cymru**
Mater o amser nawr tan bod popeth yn colapso. Gewch chi ryddhau ein e-byst ni i gyd i'r wasg os y'ch chi'n dymuno. Ond plis... newch yn siŵr bo chi'n dod i gasglu fi yn ystod yr oriau nesa? Wy'n *vulnerable* nawr. Gallwch chi gysylltu gyda fi ar fy rhif symudol. Wy'n gadel adeilad y Cyngor Sir mewn deg munud...

Yn gywir,
Daniel

*

**Neges gan Edith@poboliaeth.cymru**
**At Llawen@poboliaeth.cymru**

Yn dwfn yn fy calon, Llawen, rwy'n crio heno. Rwy'n crio am ffrind collon ni ac am person atgyfododd syniadau ynddof. Roedd Brynach yn meddwl bod fi a ti yn deffro pethau ynddo fe ond weithiau, heb iddo gwybod, fe oedd yn cario fi. Fel bod fi yn babi mewn cadach, yn cael fy cario ar ei cefn.

Weithiau pan cefais iselderau ofnadwy yn meddwl am ein babi, Llawen, weithiau meddyliais taw Brynach oedd y babi hwnnw. Taw fe oedd wedi tyfu yn cyflym iawn ac taw fe oedd ein merch ni. Achos os byddai ein plentyn wedi tyfu i fyny, fel Brynach byddai fi wedi eisiau iddo bod.

Ond mae'r chwyldro yn cryfach na un person, yn dydyw, Llawen? A rhaid i fi credu hynna heno. Mae'n chwipio a chwyrlïo fel gwynt sy'n ddim yn modd ei rheoli. Ac mae'n llyncu pobl lan ac yn poeri nhw mas. Yn enwedig y rhai pur o calon sy'n credu gormod. Mae Brynach yn un o nhw. Doedd e ddim yn barod am y bargen caled a'r aberth sy'n rhaid gwneud i cyrraedd y man newydd.

Ond gallaf dim fforddio crio trwy'r nos fel petawn wedi colli fy babi eto. Achos nid gall y chwyldro byth stopio. Rhaid iddo defnyddio fy egni i gario ymlaen. I cyrraedd meddwl a calonnau newydd, ac i dangos bod rhyddid i pobl cyffredin yn posib. Ac pan bydd fy calon i ddim yn curo rhyw ddydd, bydd y chwyldro dal i cario ymlaen. Achos mae'r chwyldro yn mwy na ti a fi. Fel roedd yn fwy na Brynach.

Mae'r cleifion sy'n dioddef ar y llwybr i byd gwell yn y pobl gorau a gallaf ddim gwadu bod cwestiynau mawr yn fy meddwl am pris yr aberth heno. Ond mae maniffesto Brynach yn bodoli nawr. Ac er bod ei corff yn gorwedd yn oer, bydd weledigaeth Brynach Yang yn byw am byth. Trwyddon ni, yn bydd, Llawen?

Edith

297

"Dyma epig o gynhyrchiad, nofel uchelgeisiol ar y naw sy'n plethu realiti a rhith drwyddi draw," **JON GOWER**

# DADENI
## IFAN MORGAN JONES

y Lolfa

£9.99

# Fabula

Dilyn hynt y llithriad rhwng rhith a sylwedd a wnawn wrth ddarllen hanesion y casgliad hudolus hwn **JANE AARON**

## Llŷr Gwyn Lewis

y Lolfa

# Mihangel Morgan

## 60

'Rwyf yn darllen Mihangel Morgan
er mwyn cofio beth yw byw.'

SIONED PUW ROWLANDS

y Lolfa

£7.99

Un diwrnod yn Aber

# Pam?

## DANA EDWARDS

y_olfa

£8.99

'Stori ddirdynnol gan un o awduron
mwyaf Cymru.' **DEWI PRYSOR**

# TAFFIA

## LLWYD OWEN

yl olfa

£8.99

Am restr gyflawn o lyfrau'r Lolfa, mynnwch
gopi am ddim o'n catalog
neu hwyliwch i mewn i'n gwefan

**www.ylolfa.com**

lle gallwch archebu llyfrau ar-lein.

TALYBONT CEREDIGION CYMRU SY24 5HE
*ebost* ylolfa@ylolfa.com
*gwefan* www.ylolfa.com
*ffôn* 01970 832 304
*ffacs* 832 782